D1545601

Una vida inesperada

Soledad Puértolas

Una vida inesperada

EDITORIAL ANAGRAMA

BARCELONA

Portada:
Julio Vivas
Ilustración: foto de la colección Keith Delellis, Nueva York

© Soledad Puértolas, 1997

© EDITORIAL ANAGRAMA, S.A., 1997
   Pedró de la Creu, 58
   08034 Barcelona

ISBN: 84-339-1056-6
Depósito Legal: B. 20472-1997

Printed in Spain

Liberduplex, S.L., Constitució, 19, 08014 Barcelona

1

Ayer por la mañana, mientras hacía los recados de los sábados por las tiendas del barrio, me pareció ver a Olga. Ni siquiera la saludé. Iba, como siempre, muy deprisa, su andar era decidido, juvenil. Es evidente que, al pasar junto a mí, iba tan ensimismada que no me pudo ver, por tanto, no pudo reconocerme, pero yo la hubiera reconocido en cualquier parte. Esa forma apresurada de andar, esa mirada obstinada hacia adelante, y la manera en que iba vestida, algo inadecuada para su edad: ¿es que no es consciente de los años que tiene?, ¿a qué viene esa falda de vuelos y ese pañuelo de gasa que ondula ligero, demasiado ligero, en el aire? Esa mujer sólo podría ser Olga Francines. Iba un poco disfrazada, es cierto, pero sólo un poco, lo justo para distinguirse de los demás, para decir al mundo, soy una persona distinta, especial, quizá superior.

No sé a qué se dedicará ahora Olga Francines, porque, a decir verdad, hacía tiempo que no la veía y que nadie me daba noticias de ella, pero no pongo en duda que andará siempre ocupada y entretenida, imponiéndose tareas y trazándose metas que la hagan ir de un lado para otro, con sus amplias faldas y sus pañuelos flotantes y, sobre todo, con esa leve sonrisa en la mirada, ese aire de complacencia por estar en el mundo, sin dejar de encontrar motivos para mantenerlo, o mantenerse, en movimiento.

Cada vez que escuchaba su nombre en el colegio me decía que parecía inventado. Y más tarde, cuando llegué a conocerla más, siempre me dije que ese nombre parecía haber sido concebido exclusivamente para ella. Concordaba demasiado bien con su forma de vestir, su manera de cruzar los brazos y de sostener un cigarrillo entre los dedos cubiertos de anillos –no todos valiosos esos anillos, algunos parecían de hojalata, y las piedras no eran ni mucho menos piedras preciosas, eran turquesas, a lo más, amatistas, aguamarinas...–. Sus manos estaban llenas de esos llamativos y baratos anillos. Y aún tengo la certeza de que siguen allí, ajustados a sus dedos, aún creo haber percibido su destello, su leve brillo de cristal, cuando ayer por la mañana pasó junto a mí.

Sea como fuere, este paso fugaz de Olga Francines me ha llenado de una especie de nostalgia. La juventud, que todavía nos resistimos a nombrar como si fuera algo definitivamente perdido, siempre ha rondado a Olga, como si les costara a las dos vivir lejos la una de la otra. Por muchos años que tenga, Olga siempre tendrá un pie dentro del territorio de la juventud. El otro lo tenía dentro de un territorio extraordinario. Olga, que por lo menos me lleva cinco años, ha sabido siempre muchas cosas del mundo, de la misma vida, ha estado desde siempre, desde que la conocí, en contacto con lo verdaderamente importante, con lo que se destaca, con lo que ocurre. Nadie tenía en el colegio una situación como la suya. Era externa, como la mayoría, pero algunas veces, durante temporadas, se quedaba a dormir, a vivir, en el colegio, sobre todo en vacaciones, cuando todas las internas se iban a sus casas. Su padre era viudo y diplomático, se decía, y no había, por lo visto, ningún pariente cercano con quien Olga pudiera quedarse en sus inevitables y extraños viajes. Pero nadie compadecía a Olga, salvo las monjas, que quizás tampoco la compadecían, pero que la miraban con un poco de temor, como si ellas, encargadas de cuidar a Olga durante tantas vacaciones, tuvieran miedo de no estar a la altura, de fallar.

Más tarde supe que el padre de Olga no era diplomático sino comerciante, un hombre que se había metido en innumerables negocios –casi todos ellos en el pantanoso terreno de la compra-venta–, de la mayoría de los cuales había salido mal, aunque él nunca se daba por vencido, y que tampoco por entonces era viudo, aunque acabó siéndolo, sino que su mujer, la

8

madre de Olga, estaba enferma y vivía con sus padres, los abuelos de Olga, que cuidaban de ella. Olga, en realidad, sólo se relacionaba con su familia paterna. De su madre, que murió después de haber ella dejado el colegio, nunca me habló. Pero tampoco de su padre hablaba mucho. La familia, para Olga, era algo casi inexistente, o puramente casual, azaroso. Estaba claro que Olga se bastaba a sí misma, y que tenía a su alrededor todo cuanto necesitaba, más de lo que tenía cualquier otra persona, cualquier otra alumna del colegio. Por vivir muchas temporadas sola con las monjas tenía con ellas una confianza que a todas las demás nos parecía asombrosa, indescifrable, y se conocía todos los recovecos del edificio, hasta, se decía, la parte de clausura, donde las monjas tenían sus habitaciones y oratorios. Cómo Olga había entrado allí, no se sabía, quizás, en una de aquellas vacaciones en que se quedaba a vivir en el colegio, se había puesto enferma y las monjas habían preferido llevársela con ellas, instalarla cerca de sus cuartos, o había sido cosa exclusivamente de Olga, que sin pedir permiso a nadie, se había atrevido en alguna hora solitaria a internarse por aquella zona y había abierto puertas prohibidas y había estado en las celdas de las monjas, en esas celdas frías y desnudas en las que no había nada, sólo la cama y un taburete donde dejar el crucifijo y el rosario.

Admirábamos a Olga, me digo esta tarde, volviendo a pensar en ella al cabo de los años, y hasta asombrándome un poco de haberme alejado tanto de ella, por su vida extraordinaria y secreta, por el padre al que nuestra imaginación había hecho diplomático y que iba y venía por el mundo inmenso, esos países remotos y exóticos de los que sin duda le traía a Olga algún recuerdo. La admirábamos por no tener una familia normal, por tener siempre a las monjas pendientes de ella, porque en cierto modo todo giraba a su alrededor.

Desde luego me asombro de mi propia admiración, ¿es que quería parecerme a ella? No tengo ningún deseo de retroceder a los largos, inacabables, días escolares, ningún deseo de perderme de nuevo en aquel estado de desconcierto y debilidad en el que vivía. Pasaba muchas tardes en la enfermería, en el último piso del edificio, en un cuarto en penumbra en el que había una tumbona de mimbre con una manta; allí me tendía yo, y la madre enfermera, muy pálida, de ademanes muy suaves, me cubría con la manta, cerraba algo más las contraventanas y desaparecía durante horas mientras en aquel silencio yo percibía los ruidos que indicaban que la vida en el colegio seguía su curso sin mí. Unas veces tenía fiebre y otras no, algunas veces incluso me enviaban a casa, llamaban a mi madre, que me venía a recoger o mandaba a alguien que me recogiera, la criada o la portera. Pero la mayoría de las veces no llamaban a casa sino que me dejaban allí toda la tarde, finalmente un poco aburrida y desencantada.

Una vez coincidí con Olga en la enfermería. Estaba allí antes de llegar yo. Se había caído en el recreo y tenía las rodillas ensangrentadas y polvorientas y las medias rotas. Se quitó las medias, dejó que la madre enfermera le lavara y limpiara las heridas, aunque daba gritos de dolor, y luego pidió que le pusiera mucho mercurocromo. La madre enfermera, que nunca sonreía –y no importaba, con su suavidad bastaba–, aquella tarde sonrió, hasta se rió un poco, burlándose de los gritos de Olga. A mí me había mandado sentar en una silla, desde la que seguí atentamente la cura de Olga. Luego nos mandó a las dos a descansar al cuarto de la tumbona de mimbre. Trajo una butaca, también de mimbre, y un reposapiés y se lo asignó a Olga. Yo, como siempre, me eché en mi tumbona. Luego nos cubrió con mantas, hizo el gesto de cerrar más las contraventanas, se llevó el dedo índice a los labios y desapareció sin hacer ningún ruido, porque los pasos de la madre enfermera no hacían ningún ruido –yo creo que llevaba zapatillas.

Sin duda ésa fue la primera vez que estuvimos juntas Olga y yo, juntas y solas, y la primera vez que hablamos, que, sobre todo, habló Olga, porque, una vez que la puerta se cerró tras los pasos silenciosos de la madre enfermera y que el cuarto, con las contraventanas y la puerta cerradas, estaba casi completamente oscuro, Olga empezó a hablar, a contar una cosa tras otra, a reírse incluso, y aunque hablaba en susurros a veces alzaba la voz, de manera que, si la madre enfermera estaba en el cuarto contiguo, nos tenía que oír, pero quizá estaba en otro cuarto más alejado o dormitaba, porque no entró sino mucho después, casi al cabo de la tarde. No sé lo que Olga me contaría durante aquel rato que compartimos en la enfermería, supongo que chismes de la vida del colegio, y aún creo que yo no podía escucharla del todo, impresionada por el hecho de que Olga Francines, la famosa Olga Francines, me estuviera hablando a mí, que era una absoluta desconocida para ella, una niña, por lo demás, cinco años más pequeña. Creo que yo me preguntaba si de pronto ella no se daría cuenta de con quién estaba hablando en realidad y se quedaría ya callada, y lo temía, y casi no me atrevía a hablar. Pero la identidad de los interlocutores no importa mucho cuando se tienen ganas de hablar –yo aún no me hacía esa clase de consideraciones– y desde luego Olga aquella tarde, probablemente por la excitación que le había producido la caída, por sus rodillas ensangrentadas y ahora bien embadurnadas de mercurocromo, no dejó de hablar. Puede que yo tuviera entonces diez años y ella quince, y la verdad fue que después de haber pasado aquella tarde en la enfermería, yo miraba a Olga como si me perteneciera un poco, ya no era la Olga lejana que todas admirábamos y que no tenía nada que ver conmigo, era una Olga que me había hablado durante horas.

Fue simpática, me digo ahora, esta tarde en que vuelvo a pensar en ella, fue comunicativa y simpática, y siempre que luego la veía, siempre que me la encontraba por los pasillos, en el recreo, o cuando la veía de lejos, me sonreía, se acordaba perfectamente de mí, se me acercaba y hablaba conmigo, me recordaba lo bien que lo habíamos pasado aquella tarde en la enfermería. Yo me sentía distinguida por ella, me sentía orgullosa si mis compañeras me veían hablando con ella. Y esa admiración me asombra ahora, me fastidia un poco, me muestra cómo era yo a mis diez años y cómo en cierto modo sigo siendo, porque aunque llevo mucho tiempo, algunos años, sin ver a Olga, nunca he podido desprenderme del todo de esa admiración, aunque haya llegado a odiarla también y seguramente aún la odio más que la admiro.

¿Qué hará Olga ahora?, me pregunto, ¿será su vida como la imagino? Me lo pregunto esta tarde de domingo en que estoy sola en casa –mi hijo Guillermo está en casa de unos amigos, luego tengo que ir a buscarle– y que sé que no sólo estoy sola

11

esta tarde: me estoy quedando sola poco a poco, desde hace años, quizás desde que Olga se perdió de mi vista. Sin embargo, hay cosas en las que he tenido verdadera suerte. En el trabajo, por ejemplo. Aún no me lo acabo de creer. Después de dar tantas vueltas de aquí para allá, visitando oficinas, escribiendo cartas, pidiendo y casi mendigando, he tenido esta oportunidad que, debo admitirlo, no tiene todo el mundo y que yo sinceramente no esperaba. Fue una llamada urgente, un caso de necesidad y desde luego una casualidad. En esta Biblioteca que ya se ha hecho parte de mi vida, que casi la ha resuelto –así lo pienso a veces–, se quedaron repentinamente sin dirección y se lanzaron a la búsqueda, dijeron, de una persona idónea que pudiera reemplazar a quien hasta el momento había llevado las riendas de la casa, una mujer estupenda, dijeron, una mujer a la que estaban absolutamente acostumbrados, porque era inteligente y activa y sabía tratar a la gente, siempre estaba de buen humor, siempre escuchaba y animaba a los demás. Pero, inesperadamente, había decidido jubilarse. O había sido una decisión repentina, una especie de rayo que había caído sobre ella y le había hecho ver las cosas de otra manera, o le había hecho ver otras cosas, o era algo que llevaba madurando en secreto y que al fin había llegado a su término, el caso era que se había marchado de la noche a la mañana y nadie había podido convencerla de que se quedara al menos unos días hasta que encontraran a una persona adecuada para sustituirla. Ni siquiera hizo ninguna sugerencia acerca de su sustitución. Se despidió y se fue, nadie sabía adónde, si a un piso a la vuelta de la esquina o al otro confín del mundo. Aquella mujer se evaporó. Todo esto me lo contaron después, naturalmente. Yo lo único que supe fue que aquel puesto estaba libre –en realidad me enteré a la vez de la existencia de aquella Biblioteca y de la vacantía– y, sin mucha convicción y casi ninguna esperanza, porque el puesto me parecía demasiado bueno, me presenté y me sometí a las pruebas. Al cabo de un mes, cuando yo ya había descartado por completo aquella posibilidad, me llamaron y me ofrecieron el trabajo. Tardé en creérmelo y aún ahora, que llevo ya unos meses acudiendo diariamente a la Biblioteca, no me lo termino de creer.

He deambulado por muchas oficinas, me digo esta tarde, he realizado todo o casi todo tipo de trabajos, por libre y asalariada, a solas y en equipo, trabajos de tiempo continuo y trabajos esporádicos, mal pagados todos y todos cansadísimos, trabajos que no tenían el menor interés, en los que no he aprendido nada sino a desanimarme cada vez más, hasta llegar a estar convencida de que ganar dinero es la tarea más difícil que hay sobre la tierra, mucho más que otras que se tienen por más esenciales y de las que tanto me habían hablado en el colegio, como alcanzar la paz, la bondad o el amor, que son cosas abstractas y evanescentes que a veces se tocan y con eso basta, porque en su naturaleza está el no poderlas retener.

Pero todo ese deambular, ese peregrinaje por oficinas, por calles, por los barrios más remotos y desconocidos, al parecer, ha concluido, me digo esta tarde con inmenso alivio, sin dejar de sorprenderme; dure lo que dure, tengo este trabajo que la verdad es que no sé muy bien en qué consiste y nadie parece saberlo porque no han conseguido explicarme nada. Me hablaron mucho rato, hicieron como si me explicaran muchas cosas, me enseñaron todas las dependencias de la Biblioteca, hasta los sótanos y los desvanes, me presentaron a todos los empleados y cada uno soltó un pequeño discurso acerca de lo que hacía o lo que quería hacer y, sobre todo, de cuál era su concepto, elevadísimo, de la Biblioteca y de lo orgulloso que se sentía cada uno de los años que llevaba trabajando allí. Pero nadie me dijo lo que se esperaba que hiciera yo y todavía estoy tratando de averiguarlo, aunque ya estoy empezando a darme cuenta de que nadie espera nada de mí, o nada concreto, quizá solamente que esté aquí en mi despacho, hora tras hora y día tras día, que haya en fin alguien en este despacho. Todavía hablan mucho de la anterior directora, aunque cada vez un poco menos, he notado, ellos mismos se dan cuenta de que es un asunto casi agotado. Al principio yo creía que trataban de presentármela como modelo, pero ya estoy por pensar que lo hacen sin mala intención, sin segundas, sólo porque estaban acostumbrados a ella y nunca entendieron cómo de repente se esfumó, con todas las innumerables virtudes que tenía, y al marcharse ni siquiera organizó una fiesta de despedida, una

13

despedida formal. Particularmente, a mí, ese acto final sin despedidas ni ceremonias me reconcilia un poco con ella, porque en todo lo demás que me dicen no suscita en mí la menor simpatía y creo que de haberla conocido no me hubiera gustado en absoluto, con todo su espíritu dinámico y emprendedor, y su buen humor constante y sus palabras amables y monocordes con todo el mundo.

Al fin tengo un sueldo más que razonable, un sueldo que jamás hubiera imaginado tener y que me ha convertido automáticamente para el mundo, para los que me rodean, mi familia, mis conocidos, los empleados de la Biblioteca, mis propios vecinos, en una persona respetable. Me he hecho visible, al parecer, y reconocible por todos. Este sueldo y este empleo me han dado un lugar en el mundo y yo desde luego no me lo acabo de creer. Y, sin embargo, no voy a ocultar que ha habido una parte de mí que se ha atrevido a pensar, a soñar, que alguna vez me iba a pasar algo parecido y que mi vida, de la noche a la mañana, quedaría resuelta, y yo dejaría de vivir pendiente de estos tediosos problemas. Eran otros los problemas que iban a absorberme, se decía esa parte mía, problemas que en realidad no se resuelven nunca y son mucho más indefinibles, porque no proceden de fuera, como este del trabajo, sino de dentro, y aunque lo de fuera puede también llegar a perturbarnos y a hacernos perder toda visibilidad, toda perspectiva, los que vienen del interior de uno mismo, de un interior profundísimo que ni siquiera se puede localizar, ésos enloquecen.

El caso fue que cuando obtuve el empleo percibí que algunos a mi alrededor me miraban con suspicacia, como si sospecharan torvos ardides tras la consecución de este puesto en lugar de achacarlo al inaudito azar que muchas veces, inesperadamente, cuando hemos perdido ya todo ánimo, nos ofrece una tabla de salvación. Me miraban con ojos llenos de reproche, convencidos de que sólo a través de las más sórdidas maquinaciones había conseguido este envidiable puesto, e incluso con superioridad, ¿quién soy yo para estar aquí?, ¿es que creo que ellos no saben, no sospechan? A ellos no les puedo engañar. Y desde luego de lo que están absolutamente convencidos es de que voy a hacerlo todo mal, escandalosamente mal, y que dentro de poco, unos días, unos meses a lo más, estaré en la calle, otra vez deambulando, recorriendo oficinas, calles y barrios de pesadilla, con el ánimo por los suelos y un infinito cansancio en el cuerpo. He recibido muy pocas felicitaciones por haber conseguido este empleo. Lo más que llegan a decirme es, en inequívoco tono de asombro, rayano en la incredulidad, que el trabajo es estupendo y que menuda suerte he tenido, no debería quejarme en absoluto, no de esto sino de nada, puesto que tener en estos tiempos que corren un trabajo así es un privilegio, debería de pasarme el día, y también la noche, dando gracias al cielo. Nadie es tan consciente como yo de la suerte que he tenido, y de hecho musito muchas veces, a cualquier hora del día y de la noche, palabras de agradecimiento que no se sabe a quién dirijo, pero no deja de asombrarme que insistan tanto en ello los demás y que no se les ocurra ni por un momento darme la enhorabuena, felicitarme.

Todos estos comentarios sobre mi suerte los dicen con irritación, con indignación, con la mirada fija y hasta con el ceño un poco fruncido, como si yo no estuviera delante o no entendiera lo que dicen. Es evidente que sienten rabia, que consideran que al tener suerte yo les he quitado parte de la suya. Algunas personas, incluso, parecen verdaderamente ofendidas, como si mi empleo significara que las he abandonado –aunque yo antes no me sintiera especialmente unida a ellas–, que he desertado. Me miran con rencor. Pero no deja de ser curioso que estas mismas personas que se niegan en redondo a mencionar, aunque fuese en tono de duda –no digo ya a reconocer–, el menor mérito mío, estas personas que nunca me han dicho ni siquiera que se alegraban de que yo hubiera accedido a un puesto así, prorrumpan de repente en alabanzas muy entusiastas hacia los méritos y la valía de alguien que ha destacado en algo o que ha salido triunfante de una empresa, y no se les pasa ahora por la cabeza atribuir estos éxitos a la suerte, que parece un patrimonio exclusivamente mío.

Escucho en silencio a estas personas y no les digo nada, pero como me causan a mí la misma irritación e indignación –además de vértigo y de inseguridad– que al parecer les produce a ellas mi suerte, me aparto como puedo cada vez más de todas ellas, y de casi todo el mundo, y en estos últimos meses he ido perdiendo amigos que no eran verdaderos amigos sino gente con la que casualmente coincidía en mi deambular y con la que en el fondo no tengo nada en común. Bien es verdad, tengo que reconocer esta tarde, que empecé a perder amigos mucho antes de conseguir este puesto en la Biblioteca, en estos últimos años no he hecho otra cosa que perder amigos, y entre ellos también he perdido a Olga, a quien creí ver ayer por la calle y en quien, al cabo de los años, esta tarde de principios de verano en que estoy sola en casa, con la ventana abierta, me he puesto a pensar, y me ha entrado una especie de melancolía, porque el primer aire cálido me lleva siempre a soñar y a recordar también todos los otros sueños del pasado.

En cierto modo, el recuerdo de Olga está unido a esta sensación de verano, de aire ligero y prometedor, a la que es tan dulce y agradable abandonarse. No quisiera perder nunca esta posibilidad, no quisiera por nada del mundo abrir un día de verano una ventana y no sentir nada, no volver a recordar y hasta creer fugazmente en aquellos sueños. Y Olga está allí, unida a mis recuerdos. Olga está, sobre todo, en las lentas tardes que pasábamos en el Café Somos, inmersas en aquel griterío, o aquel rumor que era casi un griterío, aquellas conversaciones y discusiones que nos tomábamos tan en serio, rodeadas de aquellos entusiastas de la historia, del presente, de la acción, del análisis, que hablaban, peroraban y fumaban y nos deslumbraban.

Olga me llevó a ese café, me presentó a todas esas personas a quienes yo conocía de oídas, escritores, periodistas, pintores, abogados, todos políticos al fin y al cabo, todos interesados en transformaciones sociales, en procesos históricos, en revoluciones, en teorías. En seguida me di cuenta de que Olga, aunque no hablaba mucho, era allí, en la tertulia del Somos, como lo había sido en el colegio, el centro de la reunión. Olga ejercía de reina silenciosa y distante y, aun cuando su superioridad no era sólo una cuestión de edad, estaba claro que era la mayor de las mujeres, la que había vivido más y conocido Dios sabe a cuántas personas, y de qué modo, y, sobre todo, personas importantes, raras, seductoras, más aún que las que en ese momento nos rodeaban. Otra vez, como en el colegio, tenía tras de sí un territorio extraordinario para su uso exclusivo. Eso era lo que se decía de Olga, lo que se daba por supuesto al hablar con ella: su intimidad con los grandes personajes, su misteriosa amistad con esos hombres admirados cuyos nombres, a todos los demás, nos infundían tanto respeto que apenas nos atrevíamos a pronunciarlos.

El relativo silencio de Olga en la tertulia se rompía después, a la salida del Somos. Me cogía del brazo y echábamos a andar junto a la verja del Retiro. Ésos son los atardeceres de verano que recuerdo ahora. Ese aire cálido, cargado de olores y nostalgia, ha venido hasta mí a través de la ventana abierta, con todas las palabras, ya irreconocibles, de Olga, que, colgada de mi brazo, hablaba y hablaba, como aquella tarde en la enfermería del colegio, en el cuarto en penumbra en el que nos había recluido la madre enfermera. Ahora, años después, a la salida del Somos, Olga me contaba sus aventuras, me relataba sus amores. Y otra vez la escuchaba yo un poco asombrada, sabiendo en el fondo que no podíamos ser amigas, que el mundo extraordinario en el que ella se movía con tanta desenvoltura quedaba muy lejos del mío, mucho más extraordinario que el suyo –de eso, una vez que había empezado a separarme de ella, no me cabía duda, porque, extrañamente, yo estaba orgullosa de mi mundo, en absoluto externo, comprobable o palpable, sino, por lo contrario, íntimo e inaprehensible, pero, yo lo sentía y lo creía así, profundo y misterioso, tanto, que podía subsistir en él casi sin adentrarme en otros–, pero también más espantoso.

Más espantoso, sí, eso era lo que yo sospechaba, lo que se me fue haciendo evidente, aunque me lo tenía que callar mientras estaba allí y los demás hablaban y exponían sus brillantes e irrebatibles teorías. Más espantoso porque yo no tenía fuerzas para sobrellevarlo y eso se demostraba continuamente, cada vez con mayor insistencia. Aún recuerdo con horror aquella lucha que tantas tardes en el Somos entablaba con mi propio cuerpo, que apenas se sostenía en la rígida silla, y era mi voluntad, únicamente mi voluntad, la que lo sostenía y finalmente, de tanto esfuerzo, era la cabeza lo que no se sostenía, lo que amenazaba con estallar. Y me asombraba que aparentemente nadie lo notara, que todos siguieran hablando como si nada, sin darse cuenta de que yo ya no estaba allí sino defendida en mi círculo, luchando.

Sin duda, me debí perder muchas conversaciones, muchas teorías y muchas frases ingeniosas, aunque eso ya no lo lamento, sólo lamento haberme esforzado tanto, no haber sido capaz de levantarme diciendo lo que fuere, dando una excusa, si lo consideraba preferible, y marcharme, liberarme de aquella reunión, de aquel torrente de palabras, del humo y los cafés, del griterío. Pero ¿adónde iba a ir? Por eso me esforzaba, porque no se me ocurría otro lugar al que acudir. En el colegio, huía de las clases y del peso de las horas marcadas con breves campanadas y me refugiaba en la enfermería y desde allí pensaba en mi casa, en mi habitación, en mis padres, en todo lo que me parecían entonces seguridades. Pero ahora todas esas certezas habían desaparecido, yo estaba en medio del mundo, estudiando, preparándome para vivir un día por mi cuenta y verdaderamente no tenía a nadie que me ayudara. Las personas más interesantes que podía conocer estaban allí, a mi alrededor, yo había tenido suerte al ser admitida en ese grupo que se reunía por las tardes en el Somos porque allí se dirimía la marcha y el sentido del mundo. Todos se creían superiores allí y al estar yo entre ellos su superioridad me abarcaba un poco a mí, ¿cómo abandonar ese lugar de privilegio? Ni siquiera se me pasó por la cabeza, lo único que instintivamente podía hacer era esforzarme, resistir.

Pensando en todas esas personas tan importantes que conocí en el Somos, se me ocurrre ahora compararlas con las personas que constituyen el Patronato de la Biblioteca, porque la verdad es que tienen muchas cosas en común. Es seguro que los miembros del Patronato han tenido en su juventud una tertulia como aquélla, como también es bastante seguro que algunas personas que componían la tertulia del Somos sean ahora miembros de otros Patronatos. Nada más ver a los hombres y mujeres del Patronato de la Biblioteca, los reconocí. Las mismas caras un poco herméticas, los mismos gestos de seguridad, ese mismo tono en las palabras, ese mismo afán de elaborar teorías y planes, de maquinar justificaciones y significados. Ya estaba un poco sobre aviso y no fui muy locuaz, con ellos es inútil ser locuaz, o simplemente no es aconsejable, ellos se reúnen para hablar y yo no soy para ellos más que un testigo casual. Otra cosa son los comisarios –yo los llamo así, ellos se autodenominan representantes o delegados de no sé qué, nunca dicen de tal o cual partido político, evitan cuidadosamente determinar su procedencia exacta y final, como si esas precisiones fuesen detalles de mal gusto–. A los comisarios sólo los he visto un par de veces –en cambio, el Patronato se reúne todos los meses, por lo cual ya hemos tenido casi una decena de reuniones–, pero ya sé que son un poco distintos, con ellos sí se puede hablar, son dicharacheros e informales y la verdad es que, contrariamente a lo que podría pensarse de ellos, no dan ninguna doctrina ni ninguna directriz, no critican nada, sólo chismorrean un poco, hacen algún chiste y pasan el rato. Me da la impresión, curiosamente, de que los dos, el comisario de la derecha y el comisario de la izquierda –naturalmente, es fácil en el fondo identificar sus tendencias, que ellos, en principio, nunca proclaman ni definen–, son personas sensibles y hasta cierto punto cultivadas. No puedo decir todavía que los conozca mucho ya que sólo he hablado con ellos un par de veces, por separado, desde luego ni siquiera creo que ellos se conozcan entre sí, pero de momento los prefiero a los del Patronato. Su pedantería no llega a irritar, creo que se refugian a veces en ella para sentirse más en su papel.

Las diferencias entre ellos, entre los comisarios y los miembros del Patronato, se manifestaron con mucha claridad cuando, al principio de todo, expresaron su opinión sobre la anterior directora, la mujer a quien yo había venido a sustituir. No es que ninguno me hiciera ninguna declaración sobre ella, pero frecuentemente dejaban caer, como quien no quiere la cosa, muchos comentarios. En seguida pude comprender que los miembros del Patronato siempre habían mirado con recelo, con enorme distancia, a aquella mujer cargada de virtudes y buen humor. De alguna forma la consideraban inferior a ellos, vulgar, me parece. Por ciertas ironías, por ciertas frases que no terminaban, colegí que aquella mujer los fatigaba y los ponía nerviosos a todos y que siempre que podían se reían un poco de ella y hasta le ponían alguna que otra traba. Comprender todo esto, por mucho que seguramente fuera injusto respecto a la excelente mujer que me había precedido en el puesto, me alivió, me hizo recapacitar. Al menos, los miembros del Patronato no esperaban de mí, como al principio pensé que lo esperaba todo el mundo, que yo fuera como aquella mujer, casi me estaban advirtiendo de lo contrario, me estaban diciendo que aquél no era el camino.

Sin embargo, como comprobé cuando pasados unos meses conocí a los comisarios –vinieron a verme uno detrás de otro, como si se hubieran puesto de acuerdo–, vi que ellos la admiraban y habían hecho con ella muy buenas migas. Me dio la impresión de que el comisario de la derecha había sido más amigo suyo que el de la izquierda, lo cual no quiere decir que éste no hablara de ella con aprobación y a veces casi con fervor; era una mujer de mucho mérito, decía, una mujer que, de haberlo querido, hubiera podido vivir de otra manera, sin tanta responsabilidad. Yo entonces le escuchaba muy atentamente, a ver si conseguía descifrar en qué consistía toda aquella responsabilidad y llegaba a saber al fin cuál era mi cometido en la Biblioteca, pero las cosas se quedaban ahí. El comisario de la izquierda añadía: tengo para mí que se ha metido monja o algo así, que se ha ido a un país subdesarrollado para ayudar a los pobres o cuidar de los enfermos.

Yo, desde luego, nunca hubiera imaginado que la Biblioteca estuviera organizada así, que estuviera sujeta a tantos cuidados y observaciones, y eso es algo que aún me asombra, y todavía me asombra más que, en medio de este complicadísimo tinglado, esté yo en el puesto de la antigua directora, sin haber tenido extrañas y previas conexiones con alguna o algunas de las personas que la vigilan –aunque ya estoy viendo de qué modo, estoy empezando a ver que no hay de hecho ninguna vigilancia–, como mucha gente ha podido pensar.

Pero incluso los comisarios, aunque no sean tan solemnes y pretenciosos como los miembros del Patronato, que verdaderamente no hay quien les aguante, con todas sus teorías artísticas y literarias, con todas sus citas y referencias a escritores y personajes famosos y toda su fastidiosa erudición, incluso los comisarios tienen cierto aire de la tertulia del Somos, desde luego. En el Somos, solía haber siempre algunos chicos un poco pálidos, sudorosos –podían ser chicas también– que se empeñaban en sacar de todo enseñanzas políticas de tipo práctico, para todo querían aplicaciones y recetas. Los más intelectuales los miraban desde arriba –y trataban de mirarlos poco–, pero también con un poco de miedo, y puedo recordar que, inesperadamente, les daban la razón muchas veces, como si no se atrevieran a discutir con ellos, ¿pensaban que finalmente ellos les mandarían, les gobernarían?, ¿lo presentían y eran por lo tanto cautos y prudentes con ellos?

Sin embargo, si me dejo guiar por el complicado régimen –aunque sospecho que es algo sólo aparente– bajo el que se rige la Biblioteca, tengo que concluir que los más intelectuales se han sabido defender muy bien de los más políticos y que flotan y nadan sobre ellos, todavía menospreciándoles y temiéndoles un poco a la vez, pero con su antigua voz segura intacta.

Ahora ya sé que están todos relacionados, los comisarios, los miembros del Patronato y los miembros de la tertulia del Somos, todos pertenecen al mismo bloque. Pero entonces estaba desarmada, yo quería estar en ese bloque, por mucho que supiera en el fondo que en absoluto pertenecía a él y que mi malestar y mi dolor de cabeza tarde o temprano me iban a delatar.

Durante aquellos años –porque fueron años–, me dediqué a escuchar, leía y escuchaba y me esforzaba. Y probablemente a quien más escuché fue a Olga, porque ella me hablaba a la salida del Somos y en ese momento yo ya me sentía un poco mejor, profundamente aliviada por no haberme caído de la silla, respiraba hondo mientras ella me contaba sus aventuras, sus innumerables historias de amor.

Olga tenía una teoría sobre el amor. La había elaborado mientras sus compañeros de tertulia esbozaban teorías de mayor envergadura, las teorías sociales que interpretaban el mundo. Olga no creía en el amor duradero, sólo estaba interesada en la conquista. Cualquiera podría decir que la teoría de Olga no era ninguna novedad, todo el mundo sabe que los mayores estímulos de una pasión son el obstáculo y la dificultad y que, si nos ponemos a pensarlo, pocas historias pasionales conocemos cuyas circunstancias hayan sido fáciles. Yo misma no entendía por qué Olga le daba tanta importancia a su teoría y confieso que hasta me costó aceptar que consistiera en algo tan obvio, que, con mi pequeña experiencia, ya había yo aprendido sin asombrarme demasiado, pero finalmente concluí que lo que a Olga le gustaba era el hecho mismo de tener una teoría, de saberse en posesión de conclusiones verdaderas.

Olga, además, había encontrado un ritmo temporal en sus historias de amor. Se enamoraba en el otoño y pasaba el invierno dedicada a alimentar su pasión, pero, con los primeros aires primaverales, perfectamente asegurada la conquista, quería sentirse libre de nuevo. Su amante le estorbaba, descubría en él un defecto imperdonable que antes no había sido advertido o había sido perdonado, y consideraba entonces su anterior enamoramiento como una enfermedad de la que por fortuna se recuperaba ahora, recobrando, al mismo tiempo, las energías, la curiosidad, la fe en sí misma. En primavera y en verano se podían tener pequeñas y frívolas aventuras, historias un poco teatrales y ficticias, porque Olga sabía muy bien, en esas estaciones, que no se comprometía del todo. Eran estaciones para jugar, para perderse un poco de manera insustancial y divertida, lejos de los serios compromisos y de los ineludibles aprendizajes.

Yo la admiraba entonces, no la juzgaba, lo tengo que reconocer ahora, aunque me fastidie o me duela, me gustaba que se colgara de mi brazo a la salida del Somos y me hiciera tantas confidencias, me gustaban las historias en las que se enredaba, me gustaban sus teorías, por simples y obvias que fueran. Olga me decía que era partidaria del amor libre, aunque nadie sabía lo que eso significaba, que pensaba que la juventud no se acababa nunca, que viviríamos siempre así, de una aventura en otra, pasando las tardes en los cafés. Mientras ella me hablaba, yo la creía, me olvidaba de mis luchas y mis esfuerzos, quería creerla, tener yo también muchas aventuras y perderme, perderme en el aire ligero del verano, como me gustaría perderme ahora, cada vez que abro la ventana y me invade el presentimiento del verano.

Sí, aún la recuerdo y la admiro un poco, como era entonces y como seguramente sigue siendo, rodeada del halo de pasadas aventuras, siempre enamorada, siempre en ese juego de la conquista, el riesgo y la victoria, siempre la victoria, todas sus teorías sobre el amor le servían para seguir adelante, siempre adelante. Se inclinaba sobre la mesa de mármol del Somos y el escote de la blusa se acentuaba para que todos pudieran atisbar el tirante negro, el encaje negro de su ropa interior. ¡Ropa interior negra! El encaje se destacaba sobre su hermoso y contundente cuerpo blanco, levemente veteado por las venas que bajo la piel transparente se adivinaban, como en el mármol. Los hombres perdían la mirada en el escote de Olga. Casi todos ellos habían acariciado ese cuerpo, por lo que no suponía ninguna novedad ni debía suscitar ninguna urgencia. Sin embargo, su presencia allí, entre conversaciones serias y predicciones revolucionarias, recordaba que la vida tiene esos hermosos episodios que se quedan grabados en la memoria, permanecen en el fondo, mueven unos hilos invisibles de los que sólo de vez en cuando somos conscientes, quién sabe la importancia que tienen esas escenas, esas imágenes.

Nuestras vidas se enredaron, Olga, eso fue lo que pasó, y quizá es que las vidas se enredan siempre, no pueden mantenerse separadas las unas de las otras, se enredan aunque no lo sepan, aunque no se lo propongan. Y así surge ese día, el primer eslabón de la cadena, cuando Rafael Uribe vino por primera vez a la tertulia del Somos y en el curso de la tarde –¿quién no se dio cuenta?– perdió más de una vez los ojos en el escote de Olga.

A pesar de que estábamos en otoño, Olga no se había enamorado. Su teoría sobre el amor, me dijo, estaba fallando. Pero finalmente no falló, aquellas teorías no podían fallar. Nadie conocía de nada por entonces a aquel chico, era tan sólo un estudiante, pero ese mismo día en que perdió los ojos en el escote de Olga nos demostró que no era un estudiante más, dejó a los miembros más exigentes de la tertulia atónitos, deslumbrados. ¡Qué inteligencia, qué clarividencia las suyas! Era un fenómeno, sin duda. ¡Y qué seguridad! Pero en eso, al parecer, nadie reparó, a todo el mundo le pareció natural que aquel joven desconocido, más joven que el miembro más joven de la tertulia, llevara la voz cantante aquella tarde, que no se hubiera sentido en absoluto impresionado –sino, por el contrario, dispuesto a impresionar– por todas aquellas personas tan importantes que lo rodeaban y lo escrutaban.

A partir de aquella tarde, todo giró en torno a Rafael. Cuando aparecía, las caras se volvían hacia él. Si por casualidad no venía –durante aquella temporada faltó muy pocas veces–, todos lo echaban de menos, se preguntaban qué le habría pasado, se preocupaban por él, quizá había tenido algún problema, andaba muy metido en política, era amigo íntimo de los líderes, había habido redadas policiales, manifestaciones, hasta podían haberlo detenido. Y la tertulia languidecía; cada vez que se abría la puerta, todos miraban, nadie prestaba atención a la conversación.

Durante un tiempo, Olga calló, pero al fin me lo dijo: se habían enamorado. Su teoría del amor no fallaba. Nada significaba el retraso, ya olvidado. ¡Y qué amor! ¡En nada se parecía a los otros, a todos los rebasaba! La juventud de Rafael era una ventaja, ya estaba Olga cansada de escuchar a hombres superiores y experimentados. Aún resuenan dentro de mí sus palabras: ¡Ah, los hombres jóvenes, nada como ellos, la manera en que confían en ti, cómo te admiran, cómo te sitúan en medio de su vida y todo te lo dan y todo te lo dedican, y te llevan de aquí para allá, orgullosos y vencidos, y cómo se ponen en tus manos en los asuntos más íntimos, cómo te consultan, cómo se dejan aconsejar, qué dulces los hombres jóvenes, qué inocentes sus ilusiones, qué conmovedora su vanidad, qué humildes cuando reconocen sus defectos y se proponen agradarte!

Me sonrío un poco ahora, a solas, admirando, envidiando profundamente, la capacidad de Olga para hacer de su situación la mejor de todas. Seguro que ahora ya tiene otra teoría, otra teoría única, reveladora. Ya tenía otra la última vez que la vi.

Así Olga se convirtió en la musa de Rafael. Él la miraba como si no se lo acabara de creer. Tan joven, tan poco agraciado, aunque tan inteligente, tan ocurrente e ingenioso, desde luego, pero lo uno no quitaba lo otro, y lo otro era evidente

–Rafael no podía haber tenido hasta el momento mucho éxito con las mujeres, saltaba a la vista–, y se había hecho de forma inmediata con la mujer más guapa del Somos. La musa de todos pasó a ser su musa particular.

Olga, a su vez, nos miraba a todos con orgullo. Tener a su lado a Rafael, a quien todos en la tertulia admiraban, le infundió nuevos ánimos, nuevas pretensiones. ¡Qué de conversaciones debían tener lugar entre ellos! Comentarían las lecturas, quizá hasta leerían en voz alta, uno para el otro, examinarían los sucesos de cada día, estarían todo el rato aprendiendo. En susurros, Olga me tenía al tanto de otro aspecto de su relación, en realidad, el principal. Rafael era un absoluto principiante en los asuntos del amor, me dijo. Para empezar, la misma noche en que él, como un estudiante romántico e inexperto, le había hablado de sus sentimientos, tal y como, por lo demás, había presentido, y aun estimulado, Olga, había fallado en la prueba máxima de la virilidad. Se había puesto nervioso. Pero aprendía, aprendía rápidamente, susurraba y se reía Olga.

Aquélla fue indiscutiblemente la época de esplendor de Olga. Ser la maestra sentimental de un genio fue algo que sin duda la llenó de satisfacción. Y aunque le llevara a Rafael casi diez años –por entonces Olga rondaba los treinta–, no lo parecía. Constituían una pareja llamativa, algo extraña, pero no por la diferencia de edad, apenas perceptible, sino por el contraste entre la belleza de Olga y la absoluta carencia de atractivos físicos de Rafael. Olga, cuando Rafael Uribe se enamoró de ella, se elevó sobre un pedestal invisible y concitó todas las alabanzas, todas las envidias. Era la musa, la reina.

Pero la teoría del amor de Olga decía que tarde o temprano el amor se acaba, y una tarde de primavera Olga me comunicó su presentimiento: la historia con Rafael tenía que terminar. Como de costumbre, había algo indeterminado, algo iba mal, algo hacía que las cosas no fueran perfectas. En cierto modo, Rafael se le escapaba. Ciertamente, la había colocado en un trono pero, una vez acomodada, la había olvidado allí, entre sus atavíos y caprichos de reina. Entre tanto, él espiaba el mundo, se pasaba las horas viéndolo avanzar, retroceder, dar rodeos y desviarse del camino trazado, y se frotaba las manos cuando, al fin, volvía al cauce previsto o cuando él podía interpretar con inteligencia y lógica aplastantes cada paso que daba, cada traspié. Toda esta tarea de espionaje, por mucho que se ejerciera en presencia de Olga, resultaba un poco aburrida para ella. Sin embargo, no se decidía a plantarle. Para la convivencia era comodísimo. No sólo era ordenado sino que a veces hasta hacía la compra, ¡y le gustaba cocinar! ¿Qué hombre reúne tantas virtudes? Muchos de los amoríos de Olga habían concluido por un asunto de orden –o desorden– doméstico. No metas a un hombre en casa, aconsejaba, allí se acaba todo. En cuanto hay confianza, se acabó. Pero con Rafael había sido distinto y ahora era la confianza y la comodidad lo que mantenía a Olga al lado de Rafael.

Y así se encontraba, fluctuante, medio cansada de Rafael, acostumbrada a él, después de uno o dos años de convivencia, no recuerdo, cuando apareció por el horizonte la figura un poco derrotada de Luis Arévalo. Por esas fechas, Luis Arévalo sólo había escrito una novela, sólo tenía unos pocos lectores, puede que entusiasmados, pero tan escasos... ¿Qué más quería Olga para volver a pronunciar su frase favorita? Ésta es mi teoría sobre el amor, me dijo, si estás con un hombre de éxito, un triunfador, te sientes atraída por un perdedor.

Ojalá no hubiera estado yo allí para escuchar a Olga y compartir sus sueños, ojalá no hubiera tenido que seguir los pasos de su aventura con Luis Arévalo incluso antes de que sucediera, ojalá no hubiera yo empezado, casi sin darme cuenta, a pensar en Luis. Olga me anunció su aventura por teléfono. Su voz ya estaba colmada de emoción: acababa de llamarle, habían quedado citados para mañana, Rafael estaba de viaje, la novela de Luis era maravillosa, ¡ay!, la había conmovido tanto, bueno, de eso no se podía dudar, ella tenía criterio, sabía distinguir, sabía detectar... ¡Vaya sorpresa le había dado Luis Arévalo! ¡Y qué hombre tan atractivo era! Imposible describírmelo. Ese tipo de hombre que no tiene ni que mover un dedo para que las mujeres corran tras él. Siempre he sabido, decía Olga, que alguna vez tendríamos algo... ¡Oh, qué novela, qué novela! A su lado, todos los libros de Rafael empalidecían, porque se puede pensar mucho, divagar mucho, hilar un pensamiento con otro, pero nada como la creación, la invención, eso es lo máximo... ¿Qué pasaría mañana? Habían quedado a la hora de comer, me llamaría luego, por la noche, a la mañana siguiente, cuando fuera... Olga ya se encontraba subida en el carro de fuego del entusiasmo, de las emociones intensas.

El día de la cita no me llamó. Pasaron varios días sin noticias de Olga, lo cual hacía suponer que estaba muy atareada, que la historia con Luis Arévalo se había iniciado. Cuando al fin me llamó, tenía muchas cosas que contarme, su voz vibraba, como su corazón –me duele el corazón, decía, no sabes lo que es esto–, era difícil para ella poner orden en todo lo que había sucedido, porque aún estaba sucediendo. La fui a ver a su casa, la escuché.

¡Qué enamorada estoy!, exclamaba, interrumpiendo el desordenado relato, y fijando los ojos inmensos, brillantes, en ese punto indefinido del amor que era invisible para mí. ¡Si lo llegas a ver, allí, frente a mí, diciéndome esas cosas tan desoladoras: estoy agotado y vacío, desconectado del mundo, ya no volveré a escribir, no me interesa la vida! Esas frases tan rotundas le había dicho Luis Arévalo a Olga mientras la taladraba con los ojos, mientras le enviaba una corriente de deseo, algo infinitamente más poderoso que las palabras. Aquí estoy, eso le estaba diciendo, y si ahora me abrazas y me amas, todo podrá resolverse instantáneamente, tal vez fugazmente, pero ¿qué importa?, ese momento nos bastará a los dos, nos colmará a los dos.

¡Es horrible lo mal que resultan las cosas contadas!, protestaba Olga. ¡Si lo hubieras podido ver cuando se volvió hacia mí delante de la puerta de la pensión y me miró como pidiéndome perdón por tener que llevarme a un sitio como ése, y suplicándome a la vez que no me volviera atrás, que me necesitaba...! Las escaleras, estrechas y sucias, en penumbra, ese olor indefinido y rancio de las viviendas baratas, esos sordos sonidos –voces, televisión, radio, pasos– de los fantasmales vecinos de los pisos... Pero todo se transformaba y valía la pena, porque Luis pedía perdón y la pedía a ella, tenerla, amarla. ¡Ése es el instante por el que se lucha y se muere, la razón de las existencias erráticas de los seres humanos! Un instante que no pertenece por entero a la vida, que llega a otro lado, un instante poético... Aquí se detenía Olga, en el umbral de una teoría sobre la poesía.

Con todo, tuve miedo, me confesó Olga, en ese mismo momento tuve miedo de que todo se evaporara en seguida y que, una vez abierta la puerta de la pensión, todo se viniera abajo, en una décima de segundo imaginé un pasillo oscuro lleno de puertas a derecha y a izquierda, y la habitación... la habitación me estremecía, ¿cómo sería?, ¡una habitación de alquiler!, ¿has estado alguna vez en un lugar así? Bueno, no fue para tanto, respiró Olga, pasé el trago, sólo el olor a cafetería de estación, a paso subterráneo, a comida económica, sólo ese olor me perturbó un poco. La habitación era pasable, podía haber sido peor, eso fue lo que se dijo Olga mientras se desnudaba y trataba de asirse al instante poético vivido en el rellano de las escaleras.

¡Pero todo es tan complicado! ¿Por qué serán las cosas tan complicadas? Sí, se había enamorado de Luis, que estaba vacío y desencantado, lejos del mundo y necesitado de amor, se había enamorado de Luis por su mirada de súplica y de deseo y había pasado por alto el olor de la pensión y todos los pequeños detalles que podrían desilusionarla, había pasado por alto la misma brusquedad de Luis cuando con toda naturalidad se dirigió, desnudo, al cuarto de baño y se duchó, sin que le importara la descolorida cortina de la ducha ni el estruendo de las cañerías, como si estuviera absolutamente acostumbrado a pisar baldosas sucias, a secarse con toallas gastadas. Esos detalles no desanimaron a Olga, los olvidó en seguida, en la calle, camino de casa, porque ¡qué tarde hacía! Una de esas primeras tardes de primavera, las mejores, una tarde extrañamente larga, es el primer día en que caemos en la cuenta de esa larga duración de la tarde y nos decimos que el verano se acerca y haremos algo, un viaje, o llamaremos a un amigo que hace tiempo no vemos..., ¿dónde andará?, y volvemos a casa con desgana porque la rutina nos aburre, nos decepciona, ¡ah, si pudiéramos romper, dar un giro a nuestra vida!, y miramos y miramos a nuestro alrededor a ver si por alguna esquina aparece alguien en quien podamos reconocer esa posibilidad de cambio. ¡Pero qué buenas razones tenía Olga para sentirse feliz en esa primera tarde larga del año! Ella sí vislumbraba un cambio en su vida, ella sí había vivido algo especial, así que anduvo despacio, muy despacio, prolongando el momento de llegar a casa, saboreando su felicidad, pidiendo al destino, al cielo, a quien fuera, que eso durara, durara... Yo también leí la novela de Luis, yo también lo admiré. Quizá desde entonces pensé que un día yo viviría esa historia, casi exactamente igual, puede que desde entonces ya supiera, ya imaginara, que la aventura de Olga era un preludio de la mía.

No le puedes dar todo a un hombre solo, empezó entonces a decir Olga, siempre tienes que reservarte algo. Yo no podría vivir con Luis, desde luego que no, ¿sabes lo que sería soportar continuamente sus quejas? Que si no puede escribir más, que si no le valoran, que si todos están equivocados, engañados o corrompidos... No lo podría aguantar, pero esos ratos en la pensión me dan la vida, esa pasión a escondidas es lo mejor que tengo...

En aquellos ratos, no hablaban mucho, no hablaban, desde luego, de la mujer o la novia de Luis, ni de Rafael. No hablamos de nada, suspiraba Olga, Luis se queja, yo le consuelo, fuma mirando el techo, paralizado, pensando sólo en su necesidad absoluta de quejarse, mira al techo como si mirara al fondo de sí mismo sabiendo que nunca estará contento y que le diga lo que le diga la mujer que descansa a su lado después de haber sido deseada, acariciada, amada, poseída, sentirá siempre ese vacío, esa necesidad, porque nunca deja de estar solo, y yo no puedo hacer nada, no puedo hacer otra cosa que estar allí, y pensar también en mis propios problemas sin intentar contárselos porque él nunca me escucharía, porque todo lo mío le parecería pequeño, muy pequeño... Así que me callo y no me pongo a llorar, aunque tengo ganas de llorar y de decir tristes frases sobre la vida, la miserable vida que nos ha reunido a los dos en esa miserable habitación en la que pasamos un rato de pasión y silencio, cada vez más silencio... Es entonces cuando empiezo a echar de menos a Rafael, cuando me digo que no puedo perderlo, que tengo que huir de este vacío, esta amargura que amenaza con inundarlo todo y que yo veo en los ojos de Luis, sintiéndome extrañamente atraída, contagiada, como si fuera la única verdad del mundo, pero me separo de Luis, huyo también de él y vuelvo a Rafael y me dejo envolver en su torrente de palabras... Ya no podría prescindir de ninguno de los dos, no puedo hacer otra cosa que ir de uno a otro...

La luz del sueño se reflejaba en los ojos de Olga, sobre todo, ese momento en el rellano de las escaleras en el que Luis, que iba delante, abriendo el camino, como si las escaleras de la pensión fuesen el corazón de la selva, se volvía hacia ella, pidiéndole en silencio que no se arrepintiera, que siguiera subiendo, que la deseaba, que en seguida la tendría en sus brazos, ése era el momento por el que Olga volvía una y otra vez con Luis. Y esas escenas se me clavaron también a mí, se me metieron dentro, como si desde entonces presintiera que iba a vivirlas. Las empecé a desear sin darme cuenta, a prepararme para esa mirada de desesperación y de deseo, para todo el silencio que luego se apoderaba del cuarto y el dolor de cada separación. Mientras Olga me relataba sus encuentros con Luis, yo sentía que no eran para ella, que se había producido un error y que posiblemente bastaba con saber esperar, porque este tipo de equivocaciones –un malentendido tan básico, tan esencial– se corrigen muchas veces por sí mismas, con sólo dejar que el tiempo transcurra.

El caso fue que Olga rejuveneció; era feliz haciendo esos recorridos clandestinos para acudir a sus citas con Luis y convertirse durante unas horas en la receptora de una violenta pasión que luego declinaba hacia las quejas y la amargura para dar a la vida un tinte sórdido y sentir ganas de llorar y desesperarse, sabiendo en el fondo que dentro de un rato estaría lejos de allí y que su papel sería otro, sería la musa reconocida y adorada, la sabia consejera, la alegre compañera con la que es extremadamente fácil alcanzar la felicidad. Cuando nos veíamos, cuando hablábamos por teléfono, ella se refería a los dos, a Luis y a Rafael, como partes inevitables de su vida, como si eso, tener dos amantes, fuese lo más natural del mundo y todas las mujeres en su sano juicio, las mujeres verdaderamente sensatas, los tuvieran.

Nadie sabía lo que sabía yo, nadie veía lo que yo veía. De todas las personas sentadas alrededor de la mesa de mármol del Somos, yo, la confidente de Olga, era la única que la conocía por dentro, la única que se aventuraba en el significado de su sonrisa silenciosa y superior y, sin embargo, pese a conocerla y saber qué me quería transmitir cuando me miraba con la boca contraída en una mueca burlona, a mí también me resultaba enigmática, yo también me contagiaba de la impresión que causaba en los demás, y durante el rato que duraba la tertulia yo sabía y no sabía, medio olvidaba todas las confidencias y me sumaba a la curiosidad que siempre inspiraba Olga y me preguntaba cómo se las arreglaba para resultar tan atractiva, para que las miradas de todos los hombres confluyeran, como si fueran empujadas por la fuerza de un imán, al escote variable de la blusa de Olga, a los atisbos de encaje negro que asomaban de pronto y se esfumaban con un mínimo movimiento de los hombros de Olga, y comprendía, comprendía perfectamente, que tuviera uno y dos amantes, que hubiera tenido una o dos docenas de ellos, y no se me podía ocurrir que pudiera llegar la hora en que se viera privada de nuestra admiración.

Eso significaba entonces Olga para mí. Me sentía halagada por su amistad, pero poco a poco la amistad y la admiración se fueron desvaneciendo mientras yo perseguía verdades que no se dejaban atrapar, el camino se fue haciendo borroso, aunque yo aún me empecinaba en creer que buscábamos, que incluso teníamos, lo mismo, y que la realidad no era vista ni sentida de una forma tan diferente por Olga y por mí como para hacerme pensar que deliraba, que soñaba, que estaba loca...

No hablábamos sólo de amor, el mundo era muy ancho, infinito. Olga sólo me mostraba una parte de él, las otras partes me las contaba a veces, me las hacía atisbar. Tenía otras tertulias, otras reuniones, tenía muchos más conocidos además de los amigos del Somos. La vida de Olga estaba llena de cosas, de planes, de proyectos. Por las mañanas, mientras yo aún iba a clase en la Universidad, ella trabajaba en una editorial, dirigía una colección de poesía, lo cual le procuraba, decía, una gran satisfacción, quizá la mayor de su vida. Y siempre estaba viendo gente, siempre tenía comidas y cenas con sus innumerables amistades. Hasta seguía viendo a las monjas del colegio, que habían cambiado mucho. Casi ninguna vivía ya en el colegio y ya no llevaban hábito, vestían de calle, discretas y modosas, ropa de color oscuro, pero de calle. Vivían en pisos de las afueras, pisos muy modestos, tres o cuatro juntas, y se hacían ellas mismas la comida y limpiaban el piso. Había habido una revolución en el colegio, de repente habían visto su equivocación, no podían dedicarse a la educación de las niñas más favorecidas socialmente, las más privilegiadas, ése no podía ser su cometido, tenían que cambiarse de barrio y cambiar también ellas mismas de vida y replantearlo todo y revolucionarlo todo. ¿Te acuerdas de la madre Díaz, y de la madre Vilavequia, y de la madre Suárez y de la madre Solís...?, me preguntaba Olga, pues no te imaginas cómo están, ahora hay que llamarlas por su nombre, Begoña, Pilar, Carmen, Elisa... Están desconocidas, pero son mujeres inteligentes, yo hablo con ellas de todo, decía, he llegado a tener con ellas verdadera confianza, verdadera amistad, son mujeres estupendas, te asombrarías verlas ahora, tan comprensivas, tan abiertas a todo. La verdad era que Olga siempre había tenido mucha confianza con las monjas, habían sido casi como madres para ella, el colegio había sido su segunda casa, más bien creo que su primera casa, más grande y acogedora que la del padre viajero de quien nunca hablaba.

Yo ya no quería tener ningún recuerdo del colegio. Sólo había querido a la madre enfermera, la madre Vela, sólo a ella, que me llevaba en silencio al cuarto en penumbra y me tapaba con la manta mientras yo cerraba los ojos, echada sobre la tumbona de mimbre, mi tumbona; incluso el día en que coincidí con Olga y nos recluyeron a las dos en ese cuarto, incluso ese día, la madre Vela me hizo echar a mí en la tumbona de mimbre.

Pero ya no quería saber nada de las monjas, por mucho que hubieran cambiado, y cuando Olga me hablaba de ellas con tanto entusiasmo sentía irritación y deseos de protestar. ¿Nunca se te pasó por la cabeza meterte monja?, me preguntó Olga una vez. Yo, me dijo, el último año del colegio estaba convencida de que tenía vocación –así se decía, simplemente, vocación–, y hablé con la madre Arroyo, ya sabes, era mi madre espiritual, y ella me creyó, me dijo que siempre había pensado que yo me metería monja, que era demasiado especial para andar por el mundo, que estaba segura de que el Señor me elegiría. Fíjate lo que te digo, suspiró Olga, yo hubiera podido ser monja, hubiera podido perfectamente renunciar al mundo, sólo era una cuestión de fe, pero la perdí, suspiró, ya estoy fuera de la religión, así se lo he explicado hace poco y ella lo ha entendido muy bien, Fátima Arroyo, ¿te podías imaginar que la madre Arroyo se llamara Fátima? Me ha dicho: tú ahora tienes otra religión, Olga, pero en el fondo es la misma y más adelante te darás cuenta, ve con calma, con honestidad, haz lo que creas que debes hacer. Es una mujer muy inteligente, insistía Olga, lo que se dice una persona profunda, lee mucho, está al tanto de todo, incluso va al cine, hemos ido juntas al cine algunas veces...

¿Admiraba yo a Olga entonces? Creo que ya la odiaba un poco. ¿Le contaría a Fátima Arroyo, su antigua madre espiritual y ahora simplemente su amiga, sus aventuras, su ir de aquí para allá, de Rafael a Luis y de Luis a Rafael?, ¿le describiría la sórdida habitación de alquiler donde se reunía con Luis?, ¿le hablaría de aquella mirada de deseo puro, esencial, que Luis le lanzaba desde el rellano de las escaleras, justo antes de apretar el timbre de la puerta de la pensión?

Entonces me separé un poco de Olga, no iba ya todos los días a la tertulia del Somos, yo también tenía otras amistades. Quería acabar la carrera cuanto antes, buscar un trabajo y marcharme de casa. Ya no soportaba a mi familia. Estoy convencida de que tarde o temprano romperé definitivamente con ella, con mi familia, cada vez será más sencillo, incluso creo que no será una ruptura formal y dramática, sino que ocurrirá poco a poco, con naturalidad, como de hecho está ocurriendo día a día en estos últimos años y sobre todo desde que empecé a trabajar en la Biblioteca. Por eso pienso que el trabajo de la Biblioteca casi ha resuelto mi vida y tantas veces no me lo acabo de creer, por primera vez tengo un sueldo aceptable y puedo pagar a alguien que cuide de Guillermo si es que alguna vez necesito salir, aunque la verdad es que no tengo ninguna necesidad de salir y tampoco sabría con quién, porque últimamente he ido perdiendo muchos amigos. Mi familia desde luego ha mirado con desconfianza este trabajo mío en la Biblioteca; ellos, más que nadie, deben de pensar que no me lo merezco, no entienden cómo he conseguido un trabajo así, un puesto que parece importante, hasta se diría que no me creen, que sospechan que todo esto es invención mía, pero tampoco se han molestado en comprobarlo, ningún miembro de la familia ha ido a la Biblioteca –está bastante lejos de su casa– para verificar su existencia y mi puesto dentro de ella.

Ahora están a punto de resolverse, de acabarse de una manera natural, sin escándalos ni aspavientos, pero por entonces las relaciones con mi familia eran casi la principal de mis preocupaciones, constituían una verdadera obsesión. No tenía en la cabeza otra idea que marcharme de casa, desprenderme al fin de todos esos lazos que a lo único que me ataban era a un continuo sentimiento de incomprensión. Miraba hacia atrás, hacia la infancia, hacia los años escolares, y me decía: ¿Qué recuerdos tengo de ellos? Mi padre, casi constantemente malhumorado, siempre ha ido a lo suyo, y mi madre se ha ido dejando arrastrar por mi padre y por la vida. Es verdad que algunas veces me venía a buscar al colegio si llamaban diciendo que me había puesto enferma, pero estaba claro que eso le disgustaba profundamente, como si tuviera que rendir cuentas a las monjas de mi precaria salud. Desde luego me llevó a varios médicos, pero nunca sabía qué contarles, se quedaba callada, mirándome, levemente intrigada, incómoda. En cuanto a mis hermanos, es casi como si no existieran, el único que existe un poco es Nacho, el pequeño, pero incluso él se aparta muchas veces de mí, como si temiera hacerse aliado mío. De los mayores no sé nada, a cualquier otra persona la conozco más que a ellos, creo que son como mi padre, egoístas y malhumorados, los dos ya tienen novia, se casarán pronto y se alejarán, como si nunca hubieran sido hermanos míos.

Eso me decía por entonces, e incluso antes de acabar la carrera busqué trabajo, pero eran esos trabajos tan mal pagados que he tenido siempre y que me hacían desesperar de mi independencia. Ese mismo año me hice novia de Jacobo Ruiz, que también quería irse de su casa. Éramos compañeros de curso, nos conocíamos desde el primer año, pero de repente empezamos a estudiar juntos y a hablar y tuvimos la impresión de que, aunque él era un activista y yo estaba siempre enferma, nos parecíamos mucho. Nos habíamos mirado mutuamente de lejos, con desconfianza, pero también con curiosidad, confesamos, precisamente por todo aquello que había en cada uno de nosotros y que hasta el momento nos había parecido distinto, aunque ahora nos pareciera casi igual. Y empezamos a pensar en vivir juntos y finalmente nos casamos. Los padres de Jacobo nos regalaron un piso y los dos nos pusimos a buscar trabajo, casi siempre infructuosamente.

Aunque yo creo que él nunca llegó a buscar trabajo. Se pasaba el día de reunión en reunión, planeando actividades revolucionarias que no sé hasta qué punto se llevaban luego a cabo, porque eran actividades verdaderamente raras, inopinadas. Se dejaba guiar por Korsikov, de quien creo que nadie, o poquísimas personas, ha oído hablar. A Jacobo los clásicos –Marx, Engels, Proudhon, incluso Bakunin– le parecían desfasados, fuera de la realidad, fuera, sobre todo, de un objeto verdaderamente revolucionario. No sé cómo consiguió los libros de Korsikov, un par de libros muy delgados en francés o en italiano, no recuerdo, que él llevaba siempre encima, manoseados y subrayados casi en su totalidad, pero estaba claro que allí había encontrado un alma gemela, una fuente continua de inspiración. Nunca intentó convencerme de sus ideas, aunque estaba seguro de que la revolución de Korsikov era la única solución a todos mis males. Creo que le parecía una cosa tan evidente que no se molestaba en adoctrinarme, ni a mí ni a nadie. Sus seguidores, muy pocos, eran tan devotos de Korsikov como él mismo; en esa secta ni siquiera se admitía el proselitismo. Cuando me casé con él, aún no había descubierto a Korsikov, pero estaba en el camino adecuado para hacerlo, siempre en busca de libelos polvorientos publicados en los países más extraños, siempre con las ideas más inusitadas acerca de lo que era o no era un acto revolucionario. Hasta puede que considerara que casarse conmigo, que era tan distinta de él, fuera un acto revolucionario.

Quizá me impresionara, me digo ahora, por su independencia, por su completa seguridad. No necesitaba el consejo de nadie, no se le ocurría ni por un momento pensar en lo que los demás pudieran opinar o creer de él, todo eso que a mí me había hecho sufrir tanto. A Jacobo, por ejemplo, nunca se le pasó por la cabeza ir al Somos, aunque tampoco censurara que yo fuera; aquellas personas tan importantes que yo había conocido a través de Olga le daban exactamente igual, le parecían perfectamente superfluas, lo único que no entendía es que alguien las pudiera admirar. Con la excepción de Korsikov, Jacobo no admiraba a nadie. Íntimamente, se rebelaba contra la admiración, le parecía algo indigno. Y en justicia, tampoco podría decirse que admirara a Korsikov, de quien apenas sabía nada –sólo que ya estaba muerto–, sino que se maravillaba de sentirse tan de acuerdo con él.

Fue curiosa la reacción de Olga ante mi relación con Jacobo y luego mi boda. No le gustó. Siempre miró a Jacobo por encima del hombro, como se mira a un loco e incluso a un subnormal. Olga, a través de Rafael, era íntima de los líderes universitarios, y hasta llegaba a sugerir que ellos la consultaban, porque admiraban su sentido común, su sentido común revolucionario, si puede decirse así. Está claro que todos hablaban de la revolución como si se tratara de una verdad única, incompatible con las otras, todos se creían en posesión de esa verdad. Olga intentó hacérmelo ver. No comprendía cómo hacía caso de una persona tan equivocada, ¿no era evidente dónde estaba la verdad?, ¿por qué me empeñaba en el error? Creo que por entonces Rafael estaba en el último año de la carrera o haciendo algún curso de doctorado, pero desde luego Olga ya la había terminado hacía tiempo, aunque aún se la veía mucho por la Facultad, en las asambleas y por los pasillos, hablando con los líderes. Era cierto que la consultaban. Cuando vio que no podía sacarme de mi error y que éste llegaba tan lejos como para realizar ese acto incomprensible del matrimonio, tomó una actitud parecida a la de quien se encoge de hombros ante lo inevitable, aunque yo ahora pueda percibir, en el lejano recuerdo de sus comentarios, un matiz de ofensa personal, ella la ofendida, desde luego, ofendida porque yo me apartaba de la indiscutible verdad.

Cuando, transcurridos casi dos años, me separé de Jacobo, Olga reaccionó con la misma actitud, con ese encogimiento de hombros que tal vez quiera expresar que uno ya no entiende a los demás y que ya no se va a esforzar por entenderlos, porque hay gente que no tiene remedio y que actúa sin sentido y sin razón. Pero también ahora, al cabo de los años, puedo percibir, reproduciendo un poco los gestos y la actitud y hasta alguna frase de Olga, de nuevo un sentimiento de ofensa, porque yo esperaba un hijo de Jacobo, o sencillamente esperaba un hijo –que fuera de Jacobo era sin duda peor, pero lo esencial era el mismo hecho de estar esperando un hijo–, y eso Olga no podía entenderlo, porque un hijo me apartaba del mundo, donde se debía estar, al que nos teníamos que entregar por entero.

Pero qué lejos está ya todo eso, de lo cual me alegro profundamente. Cuando pienso en cómo era Jacobo por entonces no puedo por menos que decirme que algunas personas con el tiempo se vuelven casi irreconocibles. Una vez que nos separamos, él se fue de España y anduvo de ciudad en ciudad, estuvo en Londres, en París, en Roma, en Berlín y creo que también en Estocolmo, dejó al fin de lado a Korsikov –quizá perdió sus libros–, y amplió sus estudios, hasta el momento muy limitados, de historia. Se hizo un estudioso, un investigador. Ahora es profesor en la Universidad y, según deduzco por lo que Guillermo me dice a la vuelta de sus cortos y esporádicos encuentros, tiene siempre a su lado a una mujer joven, supongo que una alumna. Se ha hecho muy aficionado a la cocina –parece que a estas mujeres jóvenes les prepara unos platos suculentos– y entiende mucho de vinos, me dice también Guillermo, y yo, por mucho que me esfuerce, no puedo encontrar en aquel Jacobo que conocí ningún rastro de estas cualidades y aficiones. Tanto le daba comer en un sitio como en otro –comíamos, de hecho, muy mal, en restaurantes baratos, y en casa la mayor parte de las veces simplemente bocadillos–, y nunca miraba, ni mucho menos olfateaba, como parece que hace siempre ahora, el vino que bebía. Comprábamos un vino corriente de mesa y en verano, debo decirlo, Jacobo lo mezclaba con gaseosa. Pero hay gente que cambia mucho, y probablemente eso es bueno. Para Guillermo, en concreto, el cambio de Jacobo ha sido conveniente. Una vez que se ha hecho profesor, Jacobo ha empezado a querer ver a Guillermo, aunque con moderación, sin pasarse, cuando durante sus largas estancias por las ciudades más importantes de Europa ni siquiera le enviaba una simple postal. Ahora, al menos, Guillermo puede hablar con él por teléfono siempre que se le ocurra o puede verlo y sobre todo pensar que existe.

Hace un rato me dije que los miembros de la tertulia del Somos y los miembros del Patronato de la Biblioteca y los comisarios de los partidos políticos pertenecían al mismo bloque, que eran casi lo mismo, pero ahora, una vez que me ha venido a la cabeza el recuerdo de Jacobo, ya no estoy tan segura. De parecerse a alguien, Jacobo se parecería a aquellos chicos o chicas pálidos que se sentaban tímidamente en una esquina de la mesa de mármol del Somos y que luego querían sacar consecuencias de todo y no cedían ni un ápice en sus argumentaciones, hasta el punto de que los más intelectuales acababan dándoles la razón y evitando todo enfrentamiento con ellos. Jacobo, de haber ido al Somos, hubiera sido como ellos, los más políticos, porque él era un activista, sólo que era más radical que nadie y le molestaba cualquier atisbo de pretenciosidad. Yo no sé si aquellos chicos y chicas pálidos tan obstinados y discutidores han acabado siendo comisarios políticos o forman incluso parte del gobierno del Estado y de los Ayuntamientos, pero está claro que Jacobo, si es que tenía algo en común con ellos, se ha separado ya totalmente. Él está ahora mucho más cerca del grupo de los intelectuales. Este vaivén de Jacobo me hace pensar que quizá no estén todos en el mismo bloque, y que por un lado están los comisarios y los políticos y por otro los miembros del Patronato, en suma, más próximos al espíritu de la tertulia del Somos, o que no exista ningún tipo de bloque y cada uno vaya por su cuenta, aunque en el fondo creo que sí, que hay un bloque y puede que por eso haya ido Jacobo de un lado a otro con esa facilidad, porque a lo mejor no ha llegado a cambiarse de sitio.

Pero todo eso acabó, los años pasados con Jacobo concluyeron, si es que fueron años, porque me parece que no, que no llegué a vivir con Jacobo ni dos años, y si de todo eso no hubiera quedado Guillermo yo creo que lo habría olvidado, aunque no debería extrañarme tanto, la verdad, yo admiraba a Jacobo, que estaba lleno de convicciones y de entusiasmo, que no se parecía en absoluto a mí, que sin embargo –eso decía él– no tenía voluntad, y eso era, en su opinión, lo que tenía yo, voluntad de algo que ni él ni yo sabíamos lo que era –yo ni siquiera sabía que tenía voluntad–. ¿Por qué tendría que asombrarme?, Jacobo era guapo, listo, muy activo, me observaba muy interesado, quiso que nos casáramos porque de lo contrario sus padres no nos regalarían el piso, estábamos siempre muy entretenidos, comíamos en restaurantes baratos, íbamos mucho al cine, teníamos muchos amigos, aún no sé de dónde sacábamos el dinero. Cuando me quedé embarazada y se lo dije, me miró sorprendido, sin saber qué hacer ni qué pensar, porque nunca habíamos hablado de tener hijos. Creo que por entonces ya nos habíamos cansado un poco el uno del otro, ya veíamos que todo aquello que habíamos creído que teníamos en común estaba cada vez más lejano y confuso. Jacobo finalmente dijo que no deberíamos tener un hijo en ese momento de la vida. Y quizá por eso quise yo tenerlo, me empeñé en tenerlo.

Supongo que fue así, me digo ahora, cuando ya Guillermo tiene seis años, cuando me parece que la vida ha transcurrido vertiginosamente toda entera en estos seis años, tanta vida, que puede que ya se haya acabado, porque no me sentiría capaz de vivir todo esto otra vez, sólo quiero descansar ahora, y precisamente puedo hacerlo ya que tengo este privilegiado empleo en la Biblioteca. Supongo que en cierto modo utilicé a Guillermo como excusa aun antes de que naciera, me apoyé en él mientras me iba desinteresando de todo lo demás. Esa vida vertiginosa me abruma ahora, ya entonces intentaba librarme de ella, pero me sentía empujada, llevada de aquí para allá. Me separé de Jacobo y durante un tiempo viví en casa de mis padres, que daban continuamente su opinión sobre la salud, el carácter y la educación de Guillermo, luego viví con unas amigas de la Facultad, que me ayudaban a cuidar de Guillermo, y hacíamos todas turnos para todo, para cocinar, para limpiar la casa, para hacer la compra, y más tarde viví –ésa ha sido mi última experiencia– con Carlos Delgado en una urbanización de las afueras, viví una vida familiar y tranquila, de largos paseos por las calles de la urbanización, esperando la hora de ir a buscar a Guillermo a la guardería, esperando la hora del regreso de Carlos. Y todo eso que he vivido, todos esos pisos por los que he ido pasando, me pesan y me abruman, como si me hubieran obligado a vivir esas vidas –y a habitar los pisos– contra mi voluntad, como si no hubiera tenido más remedio que hacerlo aunque supiera, aunque sospechara, que no se trataba de mi vida, que eso no me correspondía, no había sido pensado, concebido, para mí. Esas vidas que he vivido y esas casas por las que he ido pasando no eran las mías y por eso me he sentido siempre mal, a disgusto, angustiada.

Claro que ahora tampoco estoy segura de que esta vida que vivo y este piso que habito sean ya los míos, pero el haber encontrado el extraordinario trabajo en la Biblioteca me parece un buen augurio, me da nuevos ánimos y respiro con alivio al decirme que toda esa vida vertiginosa está ya a mis espaldas, esa vida que se mezcló con la de Olga y en la que ahora, pensando en Olga, pienso.

Mientras iba de aquí para allá buscando trabajo, mientras me cambiaba de casa, mientras iniciaba nuevas vidas, me fui alejando de Olga. Algunas veces aún me pasaba por el Somos y a la salida hablábamos un poco. Su vida se había estabilizado a lo largo de los recorridos que la llevaban de Rafael a Luis y de Luis a Rafael. Y al fin conocí a Luis, que iba al Somos sólo cuando no iba Rafael, que en realidad era ya el alma de la tertulia. ¿Qué te ha parecido?, me preguntó Olga, colgada de mi brazo, a la puerta del Somos. Exactamente lo que me habías dicho, creo que le dije, como yo había pensado que era. Pero en aquel momento no me sentí conmovida, todavía no. Luis era como yo había pensado que iba a ser, pero yo no era, seguramente, una mujer que buscaba una aventura, sino una mujer cansada, que trataba de avanzar y sostenerse sobre un terreno pantanoso. Todo en esa época de mi vida me parece borroso, sin contornos, todo está contaminado por la sensación de fatiga infinita. Sólo sabía que no podía dejarme hundir, porque en mi hundimiento arrastraría a Guillermo. Así sucedió que, aunque yo había estado esperando ese encuentro, aunque, mientras Olga me había hecho, durante años, el relato de su aventura con Luis y yo había estado íntimamente convencida de que era una aventura reservada para mí y que llegaría a su tiempo, cuando conocí a Luis, cuando lo tuve frente a frente, apenas le miré. Me había olvidado de todas aquellas premoniciones, se habían esfumado, como tantas otras cosas.

Una mañana Olga me llamó por teléfono, quería verme fuera del Somos, tenía algo que contarme. Creo que fue la única vez que Olga me citó fuera del Somos. Olga tenía compartimentos estancos y a mí me incluyó en el del Somos, no me llamaba para ir al cine, no me decía, pásate por la editorial, ven conmigo al gimnasio... Curiosamente, me digo ahora que trabajo en una Biblioteca, nunca me preguntó una opinión literaria, nunca me pidió consejo, se sentía perfectamente preparada para emitir sus juicios y decidir qué manuscrito se debía publicar y cuál no. Antiguamente había en la Biblioteca un departamento en el que se recibían manuscritos, porque la Biblioteca fue concebida de manera muy ambiciosa, como un proyecto, supongo que puede llamársele así, total, o global, y también existía un pequeño departamento de publicaciones que daba cauce a esos manuscritos. Por falta de presupuesto o de fe o de ganas, tales departamentos desaparecieron, pero la costumbre no se ha desvanecido y hay personas que siguen enviando sus manuscritos a la Biblioteca, aunque sólo sea para que alguien les dé su opinión o al menos los reciba. La anterior directora, según me han contado, y yo, considerando la herencia que me ha dejado, puedo comprobar, era muy aficionada a leer manuscritos, lo hacía concienzudamente, y mantenía luego correspondencia con los autores, que incluso la visitaban. La verdad es que ésta no me ha parecido una mala ocupación –si es que los manuscritos merecen la pena–, y durante estos meses, en los que he recibido no sé si cinco o seis manuscritos –no es un número agobiante, son simplemente coletazos de aquellas actividades–, me he puesto a leerlos y, cuando me han gustado por una u otra razón, por este o aquel detalle, yo también he escrito cartas a los autores y uno de ellos –uno, por ahora– me ha venido a ver y nos hemos pasado un rato charlando de muchísimas cosas, si bien es verdad que he acabado muy fatigada, y aun diría que arrepentida de haberle escrito, porque el chico, un joven muy pedante, ha resultado ser de una soberbia descomunal.

¿Qué diría Olga de todo esto? No creo que sepa que yo tenga este trabajo, a no ser que alguien, no se me ocurrre quién, se lo haya contado. ¿Qué diría si me viera leyendo manuscritos y opinando, como siempre ha hecho ella y con esa seguridad y autoridad con que lo hacía y probablemente lo seguirá haciendo todo en la vida? Sus compartimentos estancos no le permitían hablar conmigo de literatura, nunca se le ocurrió que yo era una persona con gustos e inclinaciones que se podían tener en cuenta, como nunca se le ocurrió invitarme a ir con ella al gimnasio.

Creo que el gimnasio me intrigaba más aún que la editorial, que sobre todo envidiaba porque representaba un trabajo fijo, lo que yo andaba siempre buscando, y lo achacaba a aquellas amistades misteriosas y poderosas que protegían a Olga, bajo las que se amparaba Olga.

Había que tener bastante dinero, me decía yo, para ser socia de ese gimnasio al que acudía Olga para pasar una mañana o una tarde enteras, haciendo gimnasia, recibiendo masajes y tratamientos especiales de belleza, sudando en la sauna, abandonando el cuerpo a la fuerza de los chorros poderosos del jacuzzi. En ese gimnasio, según deducía yo por lo que Olga me contaba, se codeaba con unas señoras que nada tenían que ver con ella, señoras muy señoras, casadas con ministros y banqueros y alguna que otra de linaje o pretensiones aristocráticas. Olga se llevaba muy bien con ellas, porque en el gimnasio, sin maquillaje ni joyas, medio desnudas o envueltas en toallas, tenían problemas muy parecidos y no defendían ni ocultaban nada y en realidad todas querían olvidarse de sus maridos y de sus hijos; aunque hablaran de ellos y no desaprovecharan la menor oportunidad para darse aires de grandeza, siempre podía darse ese momento de indefensión total, de sinceridad, en el que también ellas miraban a Olga con admiración, envidiando su vida independiente, su trabajo, sus amistades, el halo de cultura y de intelectualidad que la envolvía, y le confesaban esos desánimos que trataban de combatir, de trivializar, de decir: son pasajeros... Eso era lo que yo imaginaba cuando Olga me hablaba del gimnasio y de lo bien que se lo pasaba allí, de la tranquilidad que le daba ese mundo de mujeres desnudas y elegantes, abatidas y despreocupadas, yo la escuchaba con curiosidad, intrigada por esas conversaciones y escenas que no podía ver, levemente celosa de aquellas mujeres.

¿Qué habrá pasado?, me preguntaba mientras acudía a la cita de Olga, en otro café, no lejos del Somos, ¿qué querrá Olga de mí? Creo que yo vivía por entonces con aquellas dos amigas de la Facultad, Lourdes y Azucena, con las que me pasaba todo el tiempo haciendo turnos para todo, hasta para cuidar de Guillermo, a quien las dos querían mucho, se inventaban juegos para él, le contaban cuentos y lo sacaban de paseo y hasta se lo llevaban de excursión y a visitar a sus padres. Seguramente Guillermo se quedó con una de ellas cuando fui a ver a Olga. Me estaba ya esperando, sentada a una mesa en un rincón del café, Olga, que nunca era puntual. Tenía los ojos rojos y la cara hinchada, sin maquillar, ni siquiera se había pintado los labios.

Ya sabes cuánto viaja Rafael, me dijo entrecortadamente, y yo muchas veces le acompaño, pero otras veces, ya me conoces, me gusta quedarme sola, hacer mi vida, ir al gimnasio, ir al cine, me pongo al día de todas las películas que no he visto, veo a amigos que normalmente no tengo tiempo de ver, ya sabes cuántos amigos tengo y la verdad es que Rafael me ha quitado mucho tiempo, me ha exigido mucho, he estado dedicada a él. Esta vez se fue a Roma, siguió Olga, y cuando tenía que volver me llamó para decirme que se quedaba, que le había surgido no sé qué, pero no me animó a que yo me reuniera con él, como hace tantas veces, él siempre ha insistido en que yo viajara a todas partes con él, dice que se aburre solo, en fin, suspiró Olga, sólo ahora comprendo que eso fue raro... Y fui tan tonta, tan tonta, decía, atónita, Olga, que lo fui a esperar al aeropuerto, nunca lo hago, no sé por qué fui. Nada más verlo sospeché algo, me miró de una forma tan rara, ya sabes, como si no se atreviera a decirme lo que me tenía que decir. Pero me lo dijo, nada más llegar a casa me lo dijo, porque no podía guardarlo, así es Rafael, lo suyo es lo primero, simplemente no existe nada más, sólo lo suyo, me dijo que había conocido a una chica en

43

Roma y que había sido un encuentro muy intenso, algo especial, algo que uno piensa que nunca le va a ocurrir, como un rayo, una revelación. Sentía decírmelo, con todo lo que yo había sido para él, todas las cosas que había aprendido de mí, lo mucho que le había ayudado en todo, nunca me olvidaría, pero ¿qué iba a hacer? No tenía más remedio que decírmelo.

Eso es lo que ha pasado, dijo Olga, Rafael se ha marchado, me ha abandonado, ésa es la palabra. Te aseguro que no sabía cuánto le quería, decía Olga, y su voz temblaba, tú sabes que me he estado viendo con Luis, y eso sí que es una pasión, pero me había acostumbrado a Rafael, no sé cómo voy a vivir ahora, nunca imaginé que esto me pasaría a mí.

Ésas fueron las frases de la tarde, repetidas con pequeñas variantes, pronunciadas en tonos distintos, unas veces con ira y con resolución, otras débilmente, frases airadas o frases resignadas y tristes que salían lentamente de la boca de una Olga paralizada frente a la taza de té y el cenicero. Pensé en todas sus amistades, tan importantes, tan poderosas, pensé en las señoras del gimnasio, en las mujeres inteligentes que antes habían sido la madre Estévez, la madre Solís, la madre Díaz, la madre Vilavequia, la madre Domingo y que ahora se llamaban Begoña, Carmen, Elisa, Fátima, Pilar. Llama a Fátima Arroyo, estuve a punto de decirle, ve al gimnasio, refúgiate en tus seguridades, esa cantidad de seguridades que tienes, Olga.

Sin embargo, quién sabe por qué, eligió llorar en mi hombro. Y yo, que no paraba de fregar platos, suelos, cuartos de baño, de hacer turnos para todo, la escuché aquella tarde en que Rafael Uribe la abandonó y supongo que traté de consolarla. Pero sólo la vi desconsolada esa tarde, luego Olga se recuperó, se volvió a maquillar, se pintó los ojos y los labios, llamó a sus amistades, otra vez desapareció.

Me llamó mucho más tarde, quizá dos meses más tarde, dos meses en los que, debido a mis obsesionantes turnos, a mi continua búsqueda de trabajo, a la presencia constante de Guillermo, no aparecí por el Somos. Me pidió que fuera a verla a su casa y allí me contó, con bastante serenidad, la otra pérdida de su vida, la pérdida de Luis. Sí, me dijo, lo tenía que reconocer, una vez que Rafael la había abandonado, había intentado aferrarse a Luis. Siguió acudiendo a sus citas, siguió subiendo las escaleras de la pensión, todavía con el recuerdo del primer día de las citas, cuando Luis se volvió en el rellano y la miró, un poco incrédulo de que ella estuviera allí, detrás de él, dispuesta a entrar en ese piso algo sórdido, los dos envueltos en el olor indefinido de las pensiones, ese olor que recordaba a las cafeterías de las estaciones, y al metro, a los pasos subterráneos... Aquella mirada que la había atravesado de parte a parte, que la había clavado en el suelo, desnudándola para él, esa codicia, esa avidez en los ojos de Luis ahora tenía más valor que nunca, porque borraba el abandono de Rafael y Olga se hacía el propósito de vivir siempre con una cita con Luis, sólo por esa sensación valía la pena...

Hubo una tarde en la que Olga abrazó a Luis con más fuerza, con un dolor interno, incomunicable y placentero, y cuando él perdió los ojos en el techo mientras se llevaba a la boca el cigarrillo y el humo se elevaba en columnas deshilachadas, acompañando a la mirada de Luis, se sintió feliz en la desgracia de haber sido abandonada por Rafael y apenas escuchó las palabras de Luis cuando inició su letanía de quejas: ya no iba a escribir más, había perdido la fe en sí mismo, no era un verdadero escritor, carecía de paciencia y perseverancia, en el fondo, había buscado la aprobación de los otros y no la había obtenido, ése había sido su error, pero ya no podía rectificar porque él era así, débil e inseguro, y al verdadero escritor no le importa la opinión de los demás. Olga, que aquel día esperaba algo más, se preguntó si Luis no le decía siempre esas cosas para que ella le contradijera y le animara, y repentinamente se encontró sin palabras, se quedó absolutamente callada, sin nada que decir, y fue Luis quien volvió a hablar, y dijo: nos casamos hace un par de semanas, Rosa está embarazada. Y Olga cogió su ropa y se fue al cuarto de baño, abrió el grifo de la ducha y sus ojos tropezaron con la cortina de plástico descolorida y sintió asco y repulsión, así que se vistió sin ducharse, ya sólo quería marcharse cuanto antes de allí y volver a su casa, donde siempre la esperaba Rafael, su casa que estaba ahora vacía. Volvió al dormitorio, donde Luis seguía echado sobre la cama, seguía fumando, mirando al techo.

Tengo mucha prisa, dijo Olga. El que me haya casado no cambia las cosas, dijo Luis, yo quiero seguir viéndote. ¿Por qué?, preguntó Olga. Luis se incorporó y la miró fijamente. No sé lo que sientes, dijo despacio, no sé lo que esperas de mí. Tengo la sensación de que no me necesitas mucho. En cierto modo, sé que te defraudo.

Y Olga estuvo a punto de volverse atrás, porque aquellas palabras le gustaron, pero ya había tomado su decisión, ya sabía el poco valor que tenían esos encuentros y lo mucho que, despreocupadamente, estaba dando a cambio. Ojalá me hubiera dicho algo parecido hace tiempo, se dijo Olga, entonces me hubiera enamorado de verdad de él, pero ya es tarde, ahora tengo que salir de aquí y seguir adelante. Tomaron silenciosamente una copa en el bar de la esquina y se despidieron sin decirse si iban a volverse a ver. En su casa vacía, Olga se sentó frente al televisor y se dijo: no voy a pensar en nada, voy a mirar la televisión, pero de repente se encontró llorando, sintiéndose la persona más desdichada del mundo, la más sola, la más abandonada, la más absurda, y se compadeció de sí misma por no poder aceptar que el tiempo pasaba y que la juventud tenía un límite, por los vestidos que llevaba, las faldas de flores y las blusas escotadas y transparentes, los pañuelos de gasa y los anillos de piedras azules, y todos los amoríos inventados, y las muchas cosas que había inventado en su larga, larguísima vida, larguísima y pobre, deshabitada, vacía, para creerse que era interesante y rica, para que todo el mundo pensara que era una vida admirable.

Después de aquella noche triste, lúcida y desesperada, Olga tuvo que permanecer en cama un par de días porque mientras se decía que su existencia era ridícula, inútil y dolorosa, se bebió todos los restos de la reserva de alcohol que quedaban en la casa. Desde que Rafael se había marchado no había sino restos, porque él era quien se ocupaba de mantener la despensa bien provista de botellas. Olga fue a la despensa y vació todas las botellas de ginebra, de whisky, de licor, que encontró y se lo bebió todo y al fin se quedó dormida, clavada en la cama sin poder mover la cabeza.

Más tarde, al día siguiente, o al otro, llamó a su médico,

otro de los misterios de Olga; muchas veces lo mencionaba como si fuera su consejero, su amigo, y sólo pronunciaba su nombre, del que no me acuerdo, en un tono íntimo que hacía imaginar muchas cosas. Afortunadamente, eso había pasado, me decía ahora, muy serena. Ya había superado el dolor, ya estaba a salvo, como si la mezcla de aquellos restos de alcohol que quedaban en las botellas hubiera resultado ser un brebaje curativo, un conjuro, y Olga, que era una mujer fuerte, hubiera eliminado, con la póctima, todas las malas sensaciones y los malos humores y hubiera recuperado su capacidad para ver y concentrarse en lo bueno. De golpe, había perdido a los dos hombres de su vida, pero ¡cuántas más personas existían en el mundo! No había sino que mirar un poco a su alrededor. Y sonreía, mientras se tomaba lentamente un whisky. A veces hay que olvidarse del amor, ésa era su teoría.

Recuerdo un atardecer de verano, una de las pocas veces que fui al Somos aquel año. Como tantos otros anocheceres, anduve con Olga junto a la verja del Retiro, disfrutando de la claridad y de la tibieza del aire. Olga dijo: Hay que ir hasta el fondo de la vida, no nos podemos dejar vencer, aunque no haya amor. Y yo disfruté en silencio de todo lo que estaba perdiendo –ya me sentía muy lejos de Olga–, de ese placer ya tan debilitado de estar en su compañía y admirar su andar siempre un poco apresurado, la cabeza algo adelantada como si el olor de la vida la empujara, la vibración de su cuerpo al caminar que hacía ondular su falda de flores, envuelta en un sonido de metales, pulseras, collares, anillos, en el perfume que, caro y abundante, impregnaba su cuerpo, disfruté quizá por última vez del optimismo y la alegría que veía siempre Olga en la vida y que en aquel cálido atardecer de verano eran patentes e intensos junto a la verja del Retiro, protegidas por las copas frondosas de los árboles. ¡Qué más daba el amor en ese instante! La vida estaba por encima, dándole la razón a Olga, y yo se la di también, aún sin despedirme del todo de ella.

Ojalá todo hubiera quedado así, me digo ahora, ojalá ese verano hubiera transcurrido de otra manera y no me hubiera conducido, como en línea recta, hasta Luis. Pero es que, entonces, nada más separarme de Olga, de saber que su aventura con Luis había terminado, sentí llegada la hora de la mía. Las premoniciones volvieron, con fuerza redoblada. La certeza de que los encuentros con Luis estaban, en realidad, predestinados para mí, me invadió. Y anduve por las calles, a pesar del calor, muy deprisa, me moví más que nunca, no paré hasta que me lo encontré. Varias veces me lo encontré en el sofocante mes de agosto en la ciudad que los veraneantes habían abandonado. Nunca llegué a decirme que esos encuentros eran improbables, no me asombraron, no tuve tiempo de llegar a impacientarme. Todo me llevaba a Luis, como si nuestros territorios hubieran confluido obedeciendo a una orden superior. Y eso era lo que yo había creído siempre que iba a suceder.

Una tarde de final de verano subí, tras los pasos de Luis, las escaleras de la pensión. Yo conocía esos olores a fritura, a cafetería de estación, a paso subterráneo, Olga me los había descrito tantas veces que yo había llegado a acostumbrarme a ellos. A pesar de todo, me ahogaron y me pesaron mientras subía las escaleras, tratando con todas mis fuerzas de empujar las piernas, los pies, hacia arriba, esperando la mirada de Luis, que él se volviera y me mirara cuando llegara al rellano de la pensión antes que yo.

Se volvió, antes de llamar al timbre de la puerta, se volvió. Su mirada giró, dio vueltas, anuló a Olga, se llevó por delante a todas las mujeres a quienes había mirado Luis, a todas las miradas que me habían dirigido a mí. Lo vi, mis ojos lo recorrieron de la cabeza a los pies, hubiera querido que se quedara allí, delante de la puerta, mucho rato, para que yo pudiera seguir mirándolo, diciéndome: esta mirada es para mí. Vi cada parte de su cuerpo, cada pedazo de su ropa, vi sus gestos, sus manos, las quejas que me esperaban, las novelas escritas y por escribir, los fracasos, los silencios, su ambición, sus dudas, su debilidad, su necesidad de escapar de la vida y de los abrazos de las mujeres.

Le abracé, me dejé abrazar, escuché sus quejas, vi el humo de su cigarrillo elevándose, deshaciéndose en el aire, me duché tras la gastada cortina de plástico de la ducha, me sequé con la toalla desflecada. Yo no era tan escrupulosa como Olga. Yo no estaba segura de nada, yo no tenía unas metas tan claras, no tenía un trabajo en una editorial ni importantes amistades, podía perderme en la pasión, podía dormir y ducharme en pensiones baratas, ¿es que importan esos detalles? Incluso los detalles me gustaban: el polvo que cubría la desolada bombilla, la mesilla de formica con quemaduras de cigarrillos, el suelo frío, con un par de esteras que podían deshacerse si las empujabas, la colcha de felpa de color indefinido, de felpa indefinida.

Miraba a Luis, con los ojos cerrados lo miraba, mientras me duchaba lo miraba, mientras él fumaba con los ojos clavados en el techo, lamentándose del rumbo que tomaba el mundo, sabiéndose demasiado débil para luchar, para no desgastarse en inútiles batallas si se ponía a luchar, sin saber qué parte de sí mismo debía mantener incorruptible, incontaminada, qué secreto.

Me faltaban las palabras para darle mi apoyo, ¿qué apoyo podía darle yo?, tenía miedo de hablarle de mí misma. No recuerdo ninguna de mis palabras, sólo el peso del silencio y de mis pensamientos.

Empezó la historia para mí, la eterna espera de su llamada, de una nueva cita. Acallaba el deseo de llamarle, de retenerle, de indagar en su vida. A veces marcaba su número de teléfono, contestaba una voz de mujer –sin duda era Rosa, su mujer–, yo colgaba, me quedaba un rato paralizada allí, delante del teléfono.

Incluso ahora, pasado tanto tiempo, sé que jamás me ha invadido una emoción como aquélla, jamás una emoción que me ha llevado tan lejos de mí misma. Sufría y me desesperaba, pero Luis era mi objetivo, como nunca lo había sido Jacobo, como quizá nadie lo había sido, no soportaba vivir pendiente de su llamada, pero así vivía, así pasaban los días y las noches, en las que apenas dormía. Ahora ya ni siquiera puedo imaginar lo que creía que Luis podía darme, o no lo creía, lo soñaba. Ya no lo puedo imaginar. Fui invadida, poseída. A lo mejor fue porque los turnos con Lourdes y Azucena me cansaban, porque los casi dos años que había vivido con Jacobo me cansaban también, y los largos años del colegio aún me cansaban más, me pesaban muchísimo, y me pesaban los años que había vivido con mis padres. Acababa de asomarme a la vida, y ya no podía más, ya había dado pasos falsos, ya estaba perdida. La enfermería del colegio estaba lejos, la tertulia del Somos era en realidad indescifrable, los activistas de la Facultad –con uno de los cuales había llegado a casarme– eran obstinados y tercos y finalmente simples, insensibles, miraban el mundo con orejeras. A lo mejor había algo en la novela de Luis, a lo mejor había algo en el mismo Luis, pero sobre todo creo que me lo inventé porque ya no sabía qué hacer. Ganar dinero era difícil, fregar los suelos, que no era difícil, era casi peor. Me quedé a la espera de las citas con Luis y nunca le dije a nadie que mi vida se había reducido a eso.

Como a Olga en la época de sus citas con Luis, a mí no se me ocurría pensar que pudiera acceder, a través de los cortos encuentros en el cuarto de alquiler, a toda su vida, la vida entera de Luis. Yo sólo tenía esos ratos y todo lo demás, su amplia vida, no me pertenecía, se me escapaba. Me limitaba a desear que los encuentros se sucedieran, que a uno siguiera otro, que jamás se acabaran. En esos sueños me perdía a veces, ésa es la verdad, y entonces rompía todas las fronteras y las normas que me había trazado, y pensaba que sí, que un día accedería a la vida entera de Luis, porque yo no era como Olga, yo pedía y esperaba más, lo esperaba y lo deseaba todo; yo estaba destinada a comprender a un hombre difícil y torturado como Luis, y a ser entendida por él. Existe el amor, me decía, existirá el amor al fin, y todas nuestras angustias se resolverán, porque leeremos cada uno en el interior del alma del otro, y nos olvidaremos cada uno de uno mismo y nos sentiremos colmados con el amor del otro. Sólo me atrevía a soñarlo, pero a veces lo soñaba, porque nunca me había sucedido, nunca me había sentido invadida por unas emociones tan intensas, tan devastadoras. A Jacobo no le había amado así, quizá porque había sido él quien primero se había fijado en mí, quien me había escogido, o porque entonces no me sentía tan perdida y amenazada. Recordaba que Olga había dicho, refiriéndose a su aventura con Luis: esto es una pasión, esto es algo que sucede muy pocas veces, dos o tres, muy pocas, por eso hay que vivirlo. Una pasión, me repetía yo, ¿es esto una pasión?, ¿tener los ojos cerrados al mundo y no desear sino escuchar una voz, sino sentir el contacto de una piel, el olor de una persona?

50

Durante mucho tiempo, no supe nada de Olga. Luego alguien me dijo que Olga vivía, y al parecer iba a casarse, con Leandro Aguiar, el abogado. Sí, Leandro Aguiar se había separado de su mujer, había sido un escándalo, un matrimonio tan sólido, ¿cómo no me había enterado? Había sido yo quien le había dado a Olga el número de teléfono de Leandro Aguiar y le había recomendado que lo llamara, y aun le había llamado antes yo misma diciéndole que Olga, Olga Francines, amiga mía, lo iba a llamar porque tenía un asunto que consultarle. Ya entonces sospeché, aunque muy fugazmente, que Olga tendría una aventura con él. Supongo que es el único hombre que yo le he presentado a Olga, me digo esta tarde, curiosamente, el hombre con quien se ha casado.

Y muy poco después, Olga me llamó. Estoy entusiasmada, me dijo, ¡me caso!, yo que creía que nunca me iba a casar... Tú desde luego no puedes faltar a la boda, en cierto modo, tú eres la culpable, tú nos presentaste, me lo recomendaste, ¿te acuerdas? ¡Y todo lo que hemos hablado del amor tú y yo!, ¿cuántas horas habremos dedicado a hablar del amor? Pero una cosa así yo creía que no me iba a pasar, estoy tan segura, soy tan feliz, completamente feliz...

Completamente feliz, Olga, me dije al colgar el teléfono, como siempre lo has sido, y sentí una punzada de dolor por las muchas veces que había escuchado esa frase de los labios de Olga sin que ella se diera cuenta de que nunca la había escuchado de los míos. ¿Nunca? A lo mejor la había pronunciado en uno de esos atardeceres de verano, envuelta en el aire cálido con ráfagas de olores perfumados, pensando en alguien que me amaba o a quien amaba yo, pensando en mis pequeñas, tan grandes, ambiciones, mis sueños, creyendo que podría alcanzarlos, que tenía que confiar... A lo mejor sí había tenido al menos la ocasión de decir, soy feliz, completamente feliz, pero, de nuevo escuchada esa frase de labios de Olga, me daban ganas de gritar, o de callar profundamente, de retirarme. ¡Cuántas veces la felicidad se me había escapado de las manos! En aquel mismo momento, día a día la buscaba y la esperaba y se me estaba escapando. Sólo Lourdes y Azucena estaban al tanto de mis citas con Luis, y ninguna de las dos acababa de enten-

.

51

der que yo sufriera tanto, como ahora mismo ya no lo entiendo yo. No le dije nada a Olga, desde luego, apenas tuve tiempo. No sé si llegué a decirme que quizá en la boda se lo diría, ¿llegué a pensar en la reacción de Olga si yo se lo decía? Aún ahora creo que no le hubiera gustado.

El día de la boda, a la salida del juzgado, Leandro Aguiar me estrechó la mano con fuerza. Te lo debemos a ti, me dijo, ante los ojos complacidos de la novia. Olga tenía más de treinta años, pero seguía pareciendo muy joven, y Leandro Aguiar, con más de sesenta años, también estaba rejuvenecido. Y supongo, por lo que sé, que así siguen los dos, felices y rejuvenecidos conforme el tiempo pasa y ellos están cada vez más convencidos de que acertaron, de que aquella decisión que produjo cierto revuelo les pertenecía por completo. ¿Quién los juzgaría ahora?

Después de la comida, Olga se me acercó y, como tantas veces en el Somos, fuimos juntas al lavabo. Se cogió de mi brazo, cuánto he bebido, se rió. Rafael me ha enviado unas flores, me dijo. ¿Sabes que Susana le ha dejado? Ya ves, la vida da tantas vueltas, siempre están pasando cosas. Ahora vive solo. Tiene un hijo, que vive con Susana. Él lo ve los fines de semana.

¿Sabes una cosa?, me preguntó, ya en el cuarto de baño, mirándose al espejo, peinándose el brillante, todavía muy brillante, pelo negro, el otro día vi a Luis, a Luis Arévalo, ¿no te acuerdas de él? Y yo sentí miedo de lo que iba a decirme, miedo por mí misma. ¿Qué sabía Olga de mi historia con Luis, mi historia secreta?

Pero Olga siguió. Olga siguió, sin esperar a que yo le contestara, que le dijera que desde luego me acordaba de Luis Arévalo, yo, que vivía pendiente de las llamadas de Luis.

Había llamado a Luis, se habían visto, de nuevo había acudido Olga a la habitación de alquiler donde se reunían en el pasado, o a una habitación muy parecida, en todo semejante a aquélla, el olor, los ruidos, la luz. Y fue mejor que nunca, como nunca había sido. Ah, exclamó Olga, ya todos los demás recuerdos se me han borrado, ¿te acuerdas?, te lo he contado muchas veces, el silencio de Luis, el humo que flotaba hacia el techo, sus quejas cuando hablaba, el que jamás se interesara por mi vida, el que nunca me preguntara nada... Todo se me ha borrado ya, ahora tengo un recuerdo perfecto. No sabes cómo fue, lo mucho que hablamos...

Y Olga, desde el espejo, apartó la mirada de sus ojos y la fijó en los míos y creí que iba a decirme: esto es lo que pienso finalmente sobre el amor, porque finalmente el amor se consigue, ésa es mi teoría sobre el amor. Pero no dijo nada, me miró y quizás supo que yo también perseguía un momento así, tal vez tuvo una fugaz sospecha, y en seguida se apartó del espejo y me cogió del brazo, de un manotazo invisible apartó de su corazón cualquier atisbo de sospecha, cualquier pensamiento que no la afectara enteramente a ella.

¡Pero de ninguna manera eso ha sido una infidelidad respecto a Leandro, como puedes comprender!, exclamó luego Olga, son cosas distintas, ya lo sabes, y no pienso volver a ver a Luis, desde luego que no, él no creo que me llame, siempre he sido yo la que llamaba, pero ya me doy por satisfecha, me quiero quedar con este recuerdo perfecto.

La empujé hacia el pasillo para que no siguiera hablando. Yo había visto a Luis hacía unos días, seguramente en la misma habitación en que lo había visto Olga, y yo sí había tenido silencio, y humo de cigarrillos que se elevaba hacia el techo, ojos vacíos, palabras de queja, la incomprensión del mundo en esa habitación, las ambiciones más frustradas, el desengaño. Hasta el punto de que había llegado a pensar, ¿no acudiré a estas citas con Luis sólo para comprobar que yo no estoy aún tan desengañada y amargada como él? Aunque siempre sospechaba que mentía, que se quejaba con verdadero placer, que todo lo que hacía, cada paso que daba, en realidad le gustaba mucho, y se inventaba la incomprensión de los otros porque así le gustaba más la vida y se veía a sí mismo desdichado y heroico. Pero incluso en ese momento, ¿de qué hubiera podido quejarme yo?, ¿no cabía siempre entre nosotros esa posibilidad, la de que Luis me traicionara con otra mujer, incluida Olga?, ¿qué compromiso existía entre nosotros, qué acuerdo?, ¿no estaba Luis, además, casado?, ¿no vivía con Rosa?, ¿no podía decirse que en realidad nunca dejaba de traicionarme?

Olga, maldita Olga, dije a media voz, ya de vuelta a casa, un

53

poco tambaleante a causa del vino y los licores de la comida, sintiéndome ofendida y ultrajada, ¿no te basta con casarte, con haber sacado de su casa a un hombre ya casado y llevarlo ahora al juzgado?, ¿por qué has tenido que contarme lo de Luis?, ¿por qué tuviste que hacerlo? ¿Por qué, sobre todo, he sentido que ese rato que tú has pasado con Luis días antes de tu boda con Leandro ha tenido más significado para él que todos los ratos que yo le he ido arrancando a lo largo de los últimos meses, como tú lo habías hecho hacía años, pequeños ratos que él me dedicaba en rápidas, apresuradas tardes, que se me iban de las manos mientras intentaba retenerlas, como si tuvieran prisa por desaparecer, como si estuvieran empeñadas en no dejar la mínima huella, mientras yo sabía perfectamente que estaba cometiendo un error, que había escogido a un hombre equivocado y que jamás sabría qué había dentro de su alma y de su corazón cuando él fijaba los ojos en el techo y el humo de sus cigarrillos ascendía lentamente, y yo ya había dejado de pensar que estaba viviendo la escena tantas veces descrita por Olga, que era una herencia suya, un extraño legado que ella había depositado sobre mis hombros para que yo lo descifrara? La escena ya se había separado de Olga y había llegado a pertenecerme. Ahora volvía a Olga, ella la recuperaba, la guardaría para siempre en la memoria y estaría para siempre en el fondo de su mirada enigmática.

Te los regalo, Olga, le dije, y quizá hasta lo repito ahora, todavía esta tarde lo repito, te regalo mis recuerdos, el bullicio del barrio, el olor de las escaleras, la cortina gastada de la ducha, el humo del cigarrillo de Luis perdiéndose en el techo como todo lo que yo perdía minuto a minuto en aquel silencio que me ahogaba.

En aquel día tan feliz para Olga, mientras mi mirada se congelaba frente al espejo del cuarto de baño del restaurante donde habíamos comido celebrando la boda de Olga, todo mi cuerpo se congeló; el alma se me fue encogiendo y el corazón era un órgano perdido que trataba torpemente de empujar la corriente de sangre que recorría mis venas con inconmensurable lentitud. Sólo vi eso, mi corazón casi frío, esforzándose por continuar, dándome ese mínimo de fuerzas para que mi cuerpo se moviera, mi boca dijera algo y pudiera arrancar los ojos del espejo donde Olga se complacía en sí misma, se admiraba a sí misma, a punto de decirme: el amor justifica la existencia. Esa mirada de Olga en el espejo se me clavó y ahora es aún lo que más recuerdo, más que todos los recuerdos de Luis, que me resultan extraños, irreconocibles. No volví a ver a Luis, de eso sirvieron las palabras de Olga, no le llamé, no hubo más citas, eso le debo a Olga. De repente, vi mi pasión, lo que yo creía que era mi pasión, de lejos, y me pareció ridícula, me pareció absurda e inservible la infinita paciencia de estar esperando todo el tiempo un nuevo encuentro con Luis, esos encuentros que no eran nada, que no significaban nada, que pasaban tan rápido por la vida como un chiste fugaz, una broma que luego no puede recordarse. Eran como los sueños de los niños, en los que nadie repara, de los que los mayores se sonríen. Sentí vergüenza y dolor y, sobre todo, odio, porque no había sido tenida en cuenta por nadie y mis encuentros con Luis eran la más pequeña e insignificante historia. Yo había sido dejada de lado, apartada de la corriente principal de la vida y de repente no soportaba verme allí, orillada, humillada. Luis se esfumó, mi odio lo borró, ni siquiera pude lamentar la pérdida de la pasión, ya no había pasión, nunca había habido pasión. Esto le debo a Olga, me dije.

¿Hacia dónde iría cuando ayer por la mañana se cruzó conmigo?, ¿qué hacía en este barrio? Seguramente iba de compras, a lo mejor tenía invitados para cenar porque, según me dijeron, y hasta ella misma me lo comunicó, en cuanto se convirtió en la mujer de Leandro Aguiar, se entregó por entero a su tardío y recién estrenado papel de señora de la casa, le gustaba invitar a la gente a cenar y demostrar, ante sus conocidos de siempre, ante las amistades de su marido, que era una anfitriona atenta y delicada, que ninguno de los dos, ni Leandro ni ella, se había equivocado, que el largo camino de dificultades y obstáculos que habían tenido que recorrer, y también las renuncias, los sacrificios, las heridas causadas a los otros, todo eso estaba justificado porque lo que había allí era tan grande, tan único, tan excepcional, que finalmente debía olvidarse, perdonarse, no hacer ningún reproche al destino, sino agradecer y celebrar con todas las fuerzas, con todo el corazón, haber logrado un amor así. Y si había una teoría sobre el amor era ésa, que había siempre que celebrarlo.

Alguna vez me llamaba por teléfono y me daba el parte de sus ocupaciones y de su alegría. Se había convertido en la secretaria de su marido, una secretaria muy especial, muy poderosa, no se trataba de que le escribiera las cartas, ella decidía qué cartas escribir y a quién, ella definía los casos importantes, los secundarios, los desechables, ella, en fin, marcaba las pautas, dirigía. Leandro se dejaba llevar.

Esto es lo perfecto, recuerdo que me dijo una vez, no te imaginas lo que es estar casada con un hombre que te lleva tantos años, un hombre que podría ser tu padre. Siento por él un respeto extraño y profundísimo, ese respeto que sólo te inspiran los mayores, los que han vivido más que tú y saben más cosas que tú, y, a la vez, y esto es lo mejor, una ternura infinita, porque sabiendo todo lo que sabe se pone en mis manos, y tengo la impresión de que lo hace jugando un poco conmigo, con cierta, ¿cómo te diría?, ¿malicia?, ¿picardía?, algo así, es como si me hubiera dicho seguramente en sueños: los dos sabemos que yo soy el más sabio, pero no lo vamos a decir, vamos a hacer como que yo no sé nada y tú tienes que ayudarme, tú tomas las riendas, es así como seremos felices y, en el fondo, ¿quién sabe?, ¿es que estamos tan seguros de que soy tan sabio, yo, este pobre anciano torpe e indefenso?, ¿no me he unido a ti porque he visto en tus ojos el brillo de la verdadera sabiduría?, ¿no está en tu belleza la clave que he venido buscando durante toda mi vida? Bueno, seguía Olga, sé que esto te puede parecer un poco exagerado, Leandro no es ni mucho menos un anciano y no dice estas cosas tan poéticas, no es nada poético, ciertamente, a fin de cuentas es abogado, pero en el fondo sí, yo sé que sí, en el fondo a él le gustaría poder decirme esas cosas. El caso es, concluía, que esta situación es absolutamente perfecta y si algún día se te ocurre volverte a casar no dejes de hacerlo con un hombre mayor que tú porque no hay consideración ni ternura ni halagos comparables a los que recibes de quien te supera en edad, saber y gobierno, y esto es tan así que de haberlo yo sabido no hubiera amado sino a hombres que me excedieran en la edad por lo menos un tercio de la mía, pero el amor es algo que no se puede prever ni planear, y tal y como se presenta, así hay que cogerlo.

Por entonces, yo aún iba al Somos algunas veces, ahora que se habían acabado mis citas con Luis y que aún necesitaba escaparme de vez en cuando de los turnos con Lourdes, Alicia y Azucena. Alicia sustituyó a Lourdes, y nunca supimos si el cambio fue verdaderamente bueno. Lourdes y Azucena eran muy amigas y hacían muchos planes juntas, en cambio Alicia no hacía ninguna vida de comunidad. Antes, casi todas las noches cenábamos las tres juntas con Guillermo y casi parecíamos una familia o por lo menos una comuna. Lourdes era muy alegre y expansiva, como de hecho lo era Azucena, aunque tenía la obsesión de los cosméticos, siempre pensaba que se los cogíamos, que los usábamos, los tirábamos o los escondíamos. Siempre no, hay que reconocerlo, yo creo que fue un proceso lento y no nos dimos cuenta hasta muy tarde, estuvimos haciéndole bromas a Lourdes con lo de los cosméticos durante mucho tiempo y recuerdo que ella se reía, hasta que dejó de hacerlo y empezó a enfadarse de verdad, a pensar verdaderamente en serio que se los quitábamos. Algunas veces le echaba la culpa a Guillermo –al principio nunca, quería mucho a Guillermo, y él era intocable para Lourdes–, pero al final la tomaba con nosotras y hasta dejaba de hablarnos. Decía Azucena que todo era por culpa de los novios, la cantidad de novios que la habían dejado porque a ella sólo le gustaban los guapos, y los guapos eran unos creídos y unos presuntuosos con los que no se llegaba a ninguna parte. Un día Lourdes se enfadó tanto que se fue. Hizo el equipaje, recogió todos los cosméticos y se despidió. A Guillermo le dio un abrazo muy fuerte, como si le doliera mucho dejarlo, casi como si fuera hijo suyo y no mío, y como si lamentara que él tuviera que quedarse con nosotras, incluso le prometió que lo vendría a ver, cosa que desde luego no hizo. A nosotras ni nos miró a los ojos.

¡Qué raro lo de Lourdes!, decía de vez en cuando Azucena, ¿a mí qué me importaban sus cremas ni sus maquillajes ni sus sombras de ojos? ¡Si yo no me pinto nunca! Era verdad, Azucena nunca se pintaba. Su obsesión era el deporte. En casa, iba siempre en chándal y para hacer recados por el barrio no se le ocurría quitárselo, hasta podía ir al cine en chándal. Azucena esquiaba, jugaba al baloncesto, nadaba y hacía footing. Todas las mañanas hacía footing, y los fines de semana no paraba en casa, o se iba a esquiar o tenía partidos y competiciones. Tenía varias copas de plata, desde luego. Alguna vez Guillermo y yo fuimos a verla jugar o nadar –Lourdes también venía con nosotros– y nos sentíamos muy satisfechos al comprobar que era la mejor. ¡Con qué agilidad corría por el campo, sin parecer nunca fatigada!, ¡qué natural resultaba su crol y cuánto avanzaba por el agua con aquellos movimientos tan sencillos, tan poco esforzados!

Cuando Lourdes se enfadó y se fue, vino Alicia, que si estaba en casa se recluía en su cuarto, que comía sola y a horas rarísimas, porque seguía siempre un régimen de adelgazamiento y que con Guillermo no se llevaba ni bien ni mal. Apenas lo miraba. Muy pocas veces se quedó sola con él, y recuerdo perfectamente que a mi regreso a casa, en unas de esas raras ocasiones en las que Guillermo se quedó con Alicia, me los encontré a los dos absolutamente callados, frente al televisor, o cada uno leyendo un libro, a buena distancia el uno del otro. No le pregunté a Guillermo si lo había pasado bien, preferí callarme yo también.

De repente, en medio de los turnos, fregando los platos, sacando la ropa de la lavadora, yo me acordaba del Somos, de toda esa gente que seguía hablando y discutiendo sobre el futuro de la humanidad, analizando los cambios y las permanencias, buscando signos e interpretaciones, sacando conclusiones sobre todo. Me acordaba y le pedía a Azucena –casi siempre a Azucena– que se quedara con Guillermo. Iba al Somos una vez al mes, o una vez cada dos meses. No era ya de las asiduas, ni mucho menos.

Casi ninguna de las personas que ahora acudían al Somos había participado en los tiempos gloriosos de la tertulia, sus años dorados, y yo podía percibir, por las miradas con que se me recibía, que mi misma aparición era considerada como un signo de continuidad, ya que yo había conocido de cerca a aquellos personajes míticos que finalmente habían logrado un puesto en la vida pública, alejándose así de la vida corriente de las tertulias de café, algunos, enfermos o cansados, se habían recluido en sus casas y otros, también eso, habían muerto. En cierto modo, estas personas de ahora eran mucho más naturales que las personas que conocí en la primera época de la tertulia, por las cuales sentía admiración y respeto, pero también algo de miedo, porque parecían convencidas de ser los líderes de la historia y de tener siempre la razón; en cambio, al cabo de los años, en una tertulia casi totalmente nueva, imperaba el pesimismo y la desconfianza. Los nombres que se citaban eran otros, los viejos puntos de referencia habían desaparecido. ¿Quién confiaba ya en las ideas? El mundo se regía por sospechosos móviles personales; vanidad, egocentrismo, deseos de poder y de riqueza: eso era lo que movía la historia.

Pero yo empecé a sentir nostalgia de las ideas. No de las teorías ni de las interpretaciones del mundo, sino de las ideas. De regreso a casa, meditaba sobre la regularidad de los movimientos pendulares de la historia, que me cogían siempre en el medio, siempre lejos de unos y de otros. Hacía unos años, cuando los más relevantes miembros de la tertulia hablaban de las ideologías con esperanzas de redención, yo no me lo acababa de creer, tendiendo a pensar que esos sueños eran producto de unas mentes exaltadas y atacadas de no poca megalomanía –aunque me casé y conviví casi dos años con un activista–, y ahora que los sueños empezaban a desvanecerse, yo sentía la necesidad de levantarme, de elevarme sobre todas las miserias personales –por lo que se veía, todo eran miserias, todo era ruin y miserable.

Surgió una vez el nombre de Rafael Uribe, que hacía tiempo se había despegado de la tertulia, como tantos otros. Vivía solo, dijeron, confirmando lo que Olga me había dicho de él el día de su boda, y dejaron caer alguna broma y algún que otro comentario malicioso sobre su vida privada –¿había que deducir de ellos que Rafael era homosexual, bisexual?–, ya se permitía todo en la tertulia, lo cual no significaba que estas nuevas personas no valoraran a Rafael, cuyos libros leían y comentaban, sino que sencillamente ya no sentían ninguna clase de respeto personal hacia nadie, ya no tenían mitos, y se complacían en expresar su relativismo.

Hablaron del último libro de Rafael, que yo no había leído. Creo que me lo compré al día siguiente, y sea por lo que fuere, quizá porque desde hacía tiempo no había leído yo un libro de ensayo, ya que en aquella época no tenía tiempo para nada y todo lo más leía novelas, me sentí bastante sorprendida. Lo que Rafael Uribe decía en ese libro no era muy diferente de lo que pensaba o sospechaba yo, de todas esas vagas conclusiones sobre el mundo que se habían ido formando poco a poco desde que había salido del colegio. Me sentí tan sorprendida, casi diría, tan reconfortada –y esta palabra me fastidia un poco– que no se me ocurrió otra cosa que escribirle unas líneas a Rafael diciéndole lo mucho que me había gustado su libro. No me daba cuenta, mientras escribía esas frases entusiastas –horriblemente entusiastas, pienso ahora–, que estaba metiéndome de nuevo en la vida de Olga, me había olvidado por completo, así de olvidadiza puedo llegar a ser, de que Rafael y ella habían vivido juntos varios años, de que Olga había sido su musa. Y tampoco me daba cuenta, desde luego, como ahora me doy, de que había cierto paralelismo entre esa conmoción mía al leer el último libro de Rafael y la emoción que Olga había sentido, años atrás, cuando había tenido entre las manos la primera novela de Luis; las dos habíamos sido sacudidas por las palabras, y avanzábamos hacia ellos, los hombres que las habían pronunciado y escrito, en busca de algo, cada una lo que fuera, cosas muy distintas cada una; sin duda, yo no buscaba lo que buscaba Olga, ella nunca podría imaginar lo que buscaba yo, porque sobre todo yo huía, no ya de los turnos, del silencio de Alicia y de la incesante actividad deportiva de Azucena, que llegaba a ponerme nerviosa, o incluso de mi responsabilidad para con Guillermo, sino otra vez de mí misma, de todo el cansancio acumulado de haber ido de aquí para allá sin encontrar nada, cada vez más perdida.

Rafael contestó a mi misiva con cierta rapidez y me tendió una vaga cita. El jueves iba a dar una conferencia y después, a eso de las diez, se pasaría por un bar llamado El Casino. Si yo estaba allí, si aceptaba su invitación, podíamos cenar juntos. ¿Por qué no?, me pregunté, mientras leía su nota, y mientras, dos días después, me dirigía, cerca de las diez de la noche, hacia El Casino. Sospechaba cómo podía concluir esa cita, pero, aunque nunca me había gustado Rafael, aunque no me había sentido nunca atraída por él, tampoco eso me preocupaba, quizá pensaba que lo importante era estar con alguien con quien me sintiera un poco de acuerdo.

De mi breve historia con Rafael, que sólo duró esa noche, es el preámbulo lo que todavía me interesa, o lo que aún comprendo, cuando me sentí conmovida por la inteligencia y el entendimiento, esas categorías abstractas que de repente me amparaban. Aún ahora, no me asombro demasiado de esta historia en la que de nuevo me acerqué a Olga. De hecho, a cierta hora de la noche, Olga entró en la conversación, hablamos de ella, vieja amiga de los dos, hablamos vagamente, guardando cada uno nuestros secretos, y me dije que no era del todo raro que las dos hubiéramos tenido en común más de un amante puesto que el círculo de nuestras amistades y conocidos era en parte común, y aun pudiera ser que alguna de las chicas que deambulaban por allí hubiera tenido sus propias historias con Rafael y con Luis, sin que nosotras lo llegáramos a saber y sin saber ellas que nosotras las tuvimos, como yo sé, en fin, que Olga las tuvo, mientras ella, a lo que imagino, lo ignora de mí. La vida es mucho más sencilla de lo que damos en pensar algunas veces, el orden y el concierto que imaginamos en ella no existen, y todo sucede un poco porque sí, sin demasiadas razones, sin una única razón.

Yo creo que cuando mandé mi carta a Rafael no pensé en Olga, le escribí porque quise, porque su libro me gustó, por huir. Y la verdad es que aunque ahora, esta tarde, comprenda por qué escribí a Rafael y por qué acudí a su cita en El Casino, puede que aún me arrepienta un poco, habiendo terminado la noche como terminó, pero ya da igual que me arrepienta o no, no sé si da igual, pero no debería arrepentirme, me debería quedar con todo lo que he hecho, hasta con lo un poco vergonzoso o irritante o simplemente molesto.

Aquella noche comprobé que Rafael había sido un excelente alumno de Olga en los asuntos del amor, a pesar de lo cual me dije que no volvería a verlo, porque había en él algo que me hacía sentirme avergonzada, sin que pudiera determinar exactamente lo que era. Se trataba de algo que cobraba forma en lo físico –y por eso se producía rechazo físico–, pero que provenía de una especie de avidez interior, de una oscuridad deshabitada. A lo largo de las horas que pasé con él –y sobre todo después, al recordarlas–, tuve la sospecha de que lo que buscaba era salir de esa oscuridad y ese vacío y apoderarse de toda la claridad que hubiera en mí, de todo lo que yo tuviera. Lo que me asombró fue su absoluta falta de pudor; él hacía declaraciones bajo las que se ocultaban sus propósitos, pero éstos no quedaban lo bastante ocultos como para que no los percibiera yo. Por más que hablara de sí mismo con seguridad, yo podía palpar su oscuridad y su vacío, y por más que me alabara a mí –era de esos hombres que necesitan pensar que la mujer con la que pasan el rato y a la que momentáneamente aman es la más valiosa del mundo–, yo podía ver sin sombra de duda que su mirada no alcanzaba mi interior. Su juego era tan burdo que asombraba que un hombre inteligente lo practicara. Volví a casa envuelta en la sensación de nada y de vacío de la que Rafael trataba de salir, aferrándose a las personas, como había hecho conmigo esa noche, aferrándose, con más provecho, a mi parecer, a las ideas, a la actividad mental. Y no sólo me resistí a volver a verle –me llamó un par de veces con mucho entusiasmo, con la misma urgencia que yo había palpado durante las horas que pasamos juntos– sino que, cada vez que leía su nombre en el periódico, fuera porque alguien lo citara o porque firmase él algún artículo, mis ojos huían de él, de un golpe se cerraban y se apartaban de esas letras, a las cuales, a ese nombre que hasta el momento había significado muy poco para mí porque estaba referido a Olga, ya le había dado yo una entidad concreta y repulsiva.

Pero creo que ha llegado ya el momento de no rechazar ni siquiera estos pequeños incidentes de sabor ambiguo. Quizá tengan alguna misión a la que, de pronto, al cabo de los años, podamos acceder de manera súbita, y algún día sepamos que, si no se hubieran producido, tampoco habrían venido, detrás, otros que fueron agradables o hermosos o no habríamos sido nosotros capaces de descubrir esa belleza o esa felicidad que nos conmovió poco después. ¿Quién sabe en realidad lo que nos ha capacitado para los buenos momentos, los momentos reveladores?, ¿es que estamos seguros de que si eliminamos todo el dolor y toda la vergüenza padecidos seríamos ahora más felices? Así que también debería de quedarme contigo, Olga, y dejar de hacerte reproches. El tiempo del rencor pasó, el tiempo de las cantinelas de los daños recibidos, de los silencios, de todo lo que no te conté y lo que no me preguntaste. No dejes que cargue sobre tus hombros este peso de amargura por todas mis decepciones y fracasos. En esta tarde silenciosa, aislada del mundo, me gustaría poder ser generosa, sin ninguna razón, tal vez porque mi conciencia se encuentre tan solitaria como la tarde y crea que tengo muy pocos amigos.

Ahora caigo en la cuenta de que no tengo la radio encendida, no suena ninguna música; yo, que normalmente cuando estoy sola no soporto el silencio, llevo ya mucho rato sin escuchar otra música que esta que forman las palabras que se encadenan, que van de Olga a mí y de mí a Olga, sólo escucho esta música de palabras que se abre paso en mi interior. ¿Es esto lo que le hubiera contado a Olga si ayer me hubiera reconocido al cruzarse conmigo por la calle y se hubiera detenido a saludarme, a hablar un rato conmigo?, ¿hubiéramos entrado en una cafetería o en un bar y hubiésemos dejado pasar las horas sin prisas, aplazando todos los recados, dejando Olga de lado esa cena que sin duda tenía esa noche?, ¿hubiéramos hablado, al fin, de Luis, del cuarto de la pensión que las dos habíamos conocido, de los olores que espesaban el aire, se pegaban a la ropa, al pelo, a la piel? Aún están, Olga, en el aire los olores de Luis, el olor de sus viejas quejas. Pero ahora ya no debe quejarse, ya ha publicado su segunda novela, ha triunfado. ¿Habrá cesado su necesidad de lamentarse, su sed de admiración, su búsqueda constante de las mujeres que se tienden, silenciosas, a su lado, amándolo, esperando siempre que él les diga algo íntimo, verdadero, que deje de quejarse, que deje de pensar únicamente en él...? Puede que el éxito no haya sido suficiente, no sé si su sed puede colmarse.

Pero eso se terminó, aquel daño se borró, Olga. Ni siquiera sé si ahora, en este momento de la tarde que declina, te guardo ya rencor, estás demasiado lejos para guardarte rencor. Finalmente, nada nos une.

Desde aquí, veo, sobre otra mesa, la libreta de los teléfonos, y sé que en ella está apuntado el tuyo. En la F de Francines hay varias tachaduras: los pisos por los que has ido pasando. Podría llamarte, decirte: te vi ayer por la mañana, ibas muy deprisa..., pero se pasó el tiempo de hablar contigo. Ahora soy yo la que no tiene nada que decirte, ya no tengo ganas de que irrumpas de nuevo en mi vida, prefiero hablar a solas, aquí en mi cuarto, en este primer día de calor, en esta tarde eterna, como todas las tardes de domingo. Otras tardes de domingo he hecho lo que estoy haciendo hoy, me he sentado frente a la vieja máquina de escribir a ver si me salían las palabras que oigo siempre dentro, que algunas veces es cierto que me acompañan, pero que otras me aturden y me pesan y acaban asfixiándome, y es curioso que sólo hoy, guiadas por el recuerdo de Olga, por su paso fugaz junto a mí ayer por la mañana, hayan podido encadenarse durante horas y apenas me doy cuenta ahora de que casi ha concluido la tarde y debo ir ya a recoger a Guillermo.

El otro día, mientras nadaba, tuve una sensación muy parecida. Desde los tiempos en que acompañaba a veces a Azucena a la piscina –sólo fui dos o tres veces, creo, a pesar de lo mucho que ella insistía–, no había vuelto a nadar, no en una piscina cubierta. Sólo durante los veranos nadaba un poco –en los largos días del verano en el Club, el territorio único de nuestros veranos–, y siempre con fatiga, porque no sabía coger el ritmo de la respiración, y sobre todo con miedo, porque aquella piscina llena de gente, aunque me atraía y envidiaba a los nadadores que con tanta naturalidad se movían por ella, me horrorizaba también, porque los nadadores levantaban verdaderas olas que me salpicaban y me ahogaban. Y envidiaba a mis hermanos mayores, tan buenos nadadores. Pero me habían dicho que, en la misma parada del autobús en la que me bajo para venir a la Biblioteca, se coge otro que lleva a un polideportivo nuevo, muy moderno, cuya piscina, me habían dicho también, tiene una cubierta acristalada, y algunas veces he pensado en ir porque más de un médico me ha recomendado que practique algún deporte y la misma Azucena me lo decía muchas veces, para ella el deporte era la solución a todos los males y, sobre todo, el agua, los deportes del agua. Si yo fuera Azucena, me he dicho muchos días, ya habría cogido ese autobús, ya habría visitado ese polideportivo, ya lo habría investigado todo, me conocería todas las dependencias y posibilidades del polideportivo y sobre todo conocería ya muy bien la piscina y esa luz que sin duda se refleja en ella. Algún día iré, me he dicho, ¿qué tengo que perder?, cogeré el autobús y entraré en el polideportivo, pagaré la entrada y entraré, esa piscina por fuerza tiene que ser mucho mejor que aquella a la que Azucena me llevó dos o tres veces.

Aquella piscina, a la que íbamos en metro, estaba en el puro centro de la ciudad, era ya una instalación antigua, deteriorada y estaba abarrotada de gente. Azucena iba siempre al mediodía, pero aun así, en cada una de las calles que, separadas por una hilera de corchos, dividían la piscina, habría por lo menos una docena de personas. Azucena, que nadaba estupendamente, se las arreglaba para imponer su ritmo dentro de aquel enjambre de nadadores de todas clases, la mayoría personas mayores que simplemente chapoteaban; ella iba a su aire, iba y volvía, rozándolos a todos, algunas veces hasta chocando con alguien, imperturbable, a lo suyo. La verdad es que Azucena era feliz desde el mismo momento en que pisaba los vestuarios, dejaba la bolsa de deporte sobre el banco, cogía su percha y empezaba a cambiarse. Estaba claro que aquél era su ambiente, le gustaba esa humedad que ya se respiraba en los vestuarios, y hasta el desorden que imperaba allí, todas esas mujeres que se disponían a sumergirse en el agua o que acababan de salir de ella, y que reían y gritaban, expansivas, mientras se cambiaban de ropa, se duchaban y se secaban el pelo. Algunas mujeres venían de hacer la compra en el mercado, pegado a la piscina, y se llevaban sus bolsas allí, que dejaban al cuidado de la recepcionista. A mí todo aquel jaleo, aquel suelo lleno de charcos, aquel deterioro –las perchas medio oxidadas que se caían frecuentemente al suelo, produciendo un gran estrépito, las bolsas y la ropa desparramada por los bancos, los zapatos y las zapatillas de goma por los suelos– me intimidó y me agobió, casi diría que me horrorizó, y no sé cómo pudo

Azucena arrastrarme hasta allí dos o tres veces, pero ahora, con el recuerdo de mi reciente visita a la otra piscina, empiezo a comprender a Azucena.

Al fin, el otro día me decidí. A la hora de comer, salí de la Biblioteca con la bolsa de deporte que ya había preparado hacía días y que había dejado allí, y cogí el autobús que lleva hasta el polideportivo. Cuando llegué, no había nadie en los vestuarios, que estaban perfectamente limpios, y mientras me cambiaba me sentí, aunque esto no se pueda entender por quien no lo haya experimentado, como si me estuviera librando de algo, como si al quitarme la ropa me quitara cosas de mí misma, cosas fastidiosas y pesadas y luego, ya con el traje de baño puesto, y las gafas, los tapones de cera y el gorro bien colocados, me eché al agua, en una calle entera para mí y la sensación de liberación aumentó de forma increíble, portentosa y, como estaba sola, fui cogiendo un ritmo uniforme en la respiración y no me cansaba nada, de manera que de repente perdí la cuenta del rato que llevaba allí y cuando miré el reloj –un reloj grande que hay en una de las paredes del pabellón–, me quedé sorprendida, atónita, llevaba más de una hora nadando. No conozco otra sensación más placentera que esta de que el tiempo transcurra así, de una manera inconsciente y feliz. Sí, inconsciente y feliz, aunque parezca una contradicción, y probablemente feliz por ser inconsciente.

Y de esta forma ha transcurrido la tarde de hoy, respirando los primeros calores del verano y hablando sola para mí, y de esta forma transcurrió aquella hora larga en la piscina hace unos días. Cuando salí, apenas podía sostenerme, de tanto como había nadado, y tuve que vestirme muy lentamente porque no tenía fuerzas en los brazos, pero me sentía muy bien, como si estuviera flotando y sentía un cosquilleo muy agradable por todo el cuerpo. En ese agotamiento me encontré como hacía mucho tiempo no me había encontrado, yo no sé si pensaba en muchas cosas o no pensaba en nada, pero me parece que sí que pensaba y todos mis pensamientos me parecían bien, todo casaba. Al día siguiente, y aun al otro, tuve agujetas, porque no estoy acostumbrada a hacer tanto ejercicio, pero ¿qué me importan a mí las agujetas?

De manera que he llegado al fin a comprender a Azucena. A ella le pasaba siempre lo que me pasó el otro día a mí. En medio del bullicio y del desorden, de la humedad, de los olores a cremas y colonias baratas, Azucena podía concentrarse en lo esencial, y mientras se cambiaba de ropa ya empezaba a librarse de algo y por eso empezaba a canturrear y a reírse, y cuando ya se metía en el agua lo hacía dispuesta a perderse, a desprenderse de todo, y no se fijaba en todas las personas que se rozaban con ella, que la salpicaban, que interceptaban su paso y contra las que algunas veces se chocaba; estaban a su alrededor y claro que las veía, y evitaba desde luego empujarlas y abalanzarse sobre ellas, pero en cierto modo no las veía, no le importaban lo más mínimo, ella sólo quería nadar, y nadaba, tenía esa capacidad de abstraerse.

Me gustaría decírselo. De repente te he comprendido, Azucena. Pero no tengo ni idea de dónde andará ahora Azucena. La última vez que la vi fue en la urbanización de las afueras en la que viví con Carlos Delgado. Nos vino a ver a Guillermo y a mí, se pasó toda la tarde con nosotros, jugando con Guillermo, hablando de mil cosas. Era un excelente lugar para hacer footing, comentó, ¿por qué no me animaba a hacerlo?, ¿por qué no aprovechaba esa oportunidad, ahora que casi podía decirse que yo vivía en el campo? Había sacado ya el título de profesora de gimnasia y daba clases en un colegio, tenía un novio, también deportista, con quien solía ir a esquiar los fines de semana, seguía haciendo footing todas las mañanas, desde luego, aunque ya no jugaba al baloncesto y nadaba mucho menos, sólo los fines de semana en los que no se iba a esquiar; no tenía tiempo. Pero aún no pensaba en casarse. La gente cambia tanto, dijo, ¿te acuerdas de Lourdes? Éramos íntimas amigas y ya ves cómo se transformó, ¿tú crees que pensaba de verdad que le robábamos las cremas y toda esa cantidad de estuches con sombras de ojos y lápices de ojos y lápices de labios que tenía? Me parece que era ella misma la que los escondía, bueno, se volvió medio loca, tarifó, y es que la gente cambia, la gente no se aguanta a sí misma, yo, desde luego, de momento prefiero arreglármelas sola, aunque echo de menos a este niño, decía, echándose de un salto sobre Guillermo, que se dejaba arrollar y que durante toda la tarde no se despegó de ella.

Pero ya no la volví a ver, y no sé si se habrá casado con aquel novio deportista con el que se iba a esquiar. Hubiera podido llamarla, como hubiera podido llamar a tantas otras personas cuya amistad he ido perdiendo, pero creo que hasta me he complacido en ir perdiendo amigos, me he replegado tan a conciencia que no me han importado excesivamente las consecuencias. La verdad es que no me iba a poner a analizar las consecuencias cuando estaba concentrando tanto empeño en replegarme. Perder amigos me daba igual, casi me parecía conveniente.

Pero esta tarde lo lamento un poco. Debe de ser por esta primera oleada de calor que me remite a mis primeros sueños, cuando todas las pérdidas estaban por llegar, aunque ya se anunciaran algunas veces. Y Olga andaba por ahí, siempre anduvo por ahí. Y no sé por qué imagino que ahora está en medio de la calle, andando presurosa, como andaba ayer, con la mirada fija en un punto remoto, y la veo levantando la mano para detener un taxi o entrando en un café o saliendo de una casa... Tal vez no ande muy lejos de aquí, tal vez tenga un nuevo amante que vive cerca de mi casa y haya pasado la tarde con él y ahora esté cruzando el umbral de la puerta hacia la calle... ¿Seguirá viviendo con Leandro Aguiar? Nadie me ha dicho nada, a mi alrededor nadie ha pronunciado su nombre en mucho tiempo... Hasta puede que se haya ido de viaje, porque Olga solía perderse algunas veces, solía desaparecer, sin que nadie supiera bien adónde iba, sin que nunca me propusiera que la acompañara, para eso estaban sus amigas de siempre, las mujeres inteligentes que antes llevaban hábito de monjas y ahora vivían en estrechos pisos de barrios humildes, o algunas de las señoras del gimnasio o su misterioso médico. A lo mejor ahora se encuentra en la estación o en la sala de espera del aeropuerto, rodeada de su equipaje de buenas maletas, o, si es que ya se ha desprendido de ellas, ya las ha facturado, con un pequeño neceser a sus pies, impaciente, en todo caso, por estar ya dentro del tren o del avión que la sacarán de esta ciudad recalentada.

En algún lugar se encontrará la apresurada Olga, pero ya no voy a buscarla. Porque la vida sigue, Olga, como sigue tu paso ligero. Y esos hombres que las dos conocimos, que se enredaron en nuestras vidas, también seguirán andando por ahí, como tú, apresurados y obstinados. Rafael seguirá preparando libros y conferencias, escuchándose a sí mismo, admirándose siempre de su inteligencia. Luis Arévalo ha publicado ya su segunda novela, ese segundo libro que tanto le atormentaba, y dado que se ha hecho muy famoso y todo el mundo lo celebra, andará este verano dando conferencias y escribiendo artículos, al fin con más seguridad y menos reproches a la vida. Pero hace mucho tiempo que me olvidé de él, que ese episodio de mi vida casi se borró, porque el amor se acaba, Olga, el amor es siempre pasajero, incluso el indestructible amor amargo; ése también se desvanece y se esfuma para que mucho más tarde miremos hacia atrás y nos asombremos de nuestra inocencia, nuestro entusiasmo y nuestra entrega, y apenas nos reconozcamos en nuestros recuerdos... ¿Serán de otra persona?, ¿hemos vivido eso alguna vez? Lo más probable es que todo haya sido un sueño, algo que nos contaron, una historia que se ha ido repitiendo, transmitiéndose, y ya no tiene nada que ver con la original, ya no sabemos nada de sus protagonistas, no vemos sus caras ni sus gestos, nos hemos olvidado del tono de su voz, ¿quiénes eran?, ¿de verdad estuvieron enamorados o eran sombras que perseguían sombras y en un recodo se salieron del camino y llegaron hasta aquí, como fantasmas, inquietándonos, asustándonos con sus pasos ingrávidos, sus susurros, las penas que arrastran, la extraña música sin eco que los acompaña...?

Pero estas historias me ligan a ti, Olga, estas historias resucitadas esta tarde flotan a tu alrededor, como tu perfume, como el ruido de metales de tus anillos y pulseras, como flota la falda de gasa y el pañuelo. Si es que todavía existes, si al llegar al extremo de la calle no te desvaneces sino que doblas la esquina y sigues andando, envejecida y un poco patética, pero real y verdadera, aún puedo decirte que estoy ligada a ti y a los hombres que se ligaron a ti, y, al mismo tiempo, ya desligada de ti y de ellos. Cualquiera podría decir que te he ido persiguiendo detrás de las sombras de los hombres que amaste, pero lo más probable es que todo haya sido producto de la casualidad, de esta naturaleza dúctil e inaprehensible de nuestras vidas que andan, vagan y navegan por el mismo espacio, y en él chocan o se apartan con fuerza, se rozan suavemente, se apoderan de un pedazo de otra vida, se desprenden de una carga incómoda.

En esta tarde en la que ya se presiente el calor del verano, me quedo con esto, apresurada Olga, libre ya de rencores y reproches, porque no puedo ir desgajando del núcleo compacto de mi vida los momentos amargos, las indefinibles tristezas, todo cuanto nos amenaza silenciosamente desde las tinieblas, advirtiéndonos de que los peligros siguen y la paz nunca se logra del todo. Y creo ya que fue casualidad que nuestras vidas se mezclaran tantas veces, seguramente aún más veces que éstas que hoy evoco. ¡Cuántos trazos, cuántas vueltas, qué extraños dibujos compone la línea que va de ti a Rafael, de ti a Luis, de ti a mí, de mí a Luis, de mí a Rafael, de mí a Leandro, de Leandro a ti, muchos más de las que ahora puedo ver! O esa línea que se inició en la enfermería del colegio, en el cuarto en penumbra al que nos llevó la madre enfermera y en el que nos quedamos toda la tarde, yo echada en la tumbona de mimbre, tú sentada en una butaca, tú hablando y contándome cosas que ya no recuerdo, yo asombrada de estar sola contigo, escuchándote, casi sin poderte escuchar, esa línea que se inició allí y que se ha quedado tendida en el aire, interrumpida.

Sigue, sigue adelante, remota Olga, porque la vida no te debe arrastrar, no te debe dejar de lado, no mires atrás, no vuelvas la cabeza, no me saludes, no vale la pena, Olga, ya es tarde para que nos podamos entender en una conversación de verdad, hay todavía muchas teorías por delante y todos los esfuerzos de tu vida por alcanzar la felicidad no han sido en vano, no lo han sido, no, tú lo sabes; en tu mirada fija, invencible, fanática, ha ido quedando el poso de todos tus logros, no prestes oído a los desprecios, los insultos, la indiferencia; hay mucho resentimiento y mucho rencor y todos, todos, aunque ahora lo nieguen, aunque lo hayan olvidado, en un momento de su vida te admiraron. Que no digan ahora que el deseo es evanescente y frágil. Porque solamente lo fugitivo permanece y dura, sólo lo que pasa como soplo ligero sobre el aire estancado de esta primera tarde de calor, sólo eso intento alcanzar en la penumbra de mi cuarto, lo que quiere marcharse, elevarse, salir de aquí, volar...

2

Cuando esta mañana, en la Biblioteca, he visto en el periódico la esquela que comunicaba la muerte de Leandro Aguiar y daba noticia de su entierro, el recuerdo de Olga, ya tan lejano, ha vuelto a mí y me he sentido empujada a ir al entierro, me he dicho que debía ir y estar junto a todos los amigos y conocidos de Olga, a su alrededor, porque ella ha pertenecido a mi vida y es así como debemos comportarnos con las personas que hemos conocido un poco de cerca. De manera que inmediatamente he vuelto al despacho, he pedido un taxi y he llegado al cementerio justo a tiempo, cuando la gente ya se agrupaba alrededor de la tumba donde iba a ser enterrado Leandro Aguiar. Al fin he visto, al cabo de los años, a Olga, de quien hacía tanto tiempo no sabía nada, de quien me fui apartando –y ella se fue apartando también de mí– hace ya muchos años, si es que no estuvimos siempre un poco apartadas la una de la otra, a pesar de la admiración que yo le profesaba.

Como de costumbre, yo me encontraba esta mañana en la sala de la prensa, a la que me gusta ir a primera hora, cuando está aún muy solitaria. Prefiero leer u hojear los periódicos allí, con las escasas personas que en ese momento se encuentran en la sala y a quienes ya conozco, que sola en mi despacho. Los sillones son cómodos, hay buena luz, y los otros lectores resultan una compañía amable, silenciosa. Se escucha el sonido, pequeños crujidos, de pasar las páginas, el ruido de toses y carraspeos e incluso de breves comentarios en voz baja, algún suspiro, alguna breve risa también, pero estos primeros ocupantes de la sala son todos ellos muy discretos, seguramente vienen muy pronto a la Biblioteca para estar solos o casi solos en la sala y leer tranquilamente los periódicos sin que gente más escandalosa –toda esa pequeña avalancha que empieza a llegar a media mañana– les moleste. Nos miramos, nos saludamos con un murmullo, y nos sumergimos en nuestra lectura o en nuestro hojear las páginas impresas, satisfechos todos de ser siempre tan pocos y casi siempre los mismos.

Allí estaba, en la sala de prensa, a primera hora de la mañana, cuando he visto la esquela y he leído el nombre, en grandes letras de molde, de Leandro Aguiar, y luego he leído, en letras más pequeñas, el de Olga, Olga Francines. Y he recordado entonces que alguien me había dicho que Leandro Aguiar estaba enfermo, sí, esa noticia sí había llegado hasta mí, y también me habían dicho que Olga, que durante esos años había sido la más eficiente de las secretarias, organizando el trabajo de Leandro a la perfección, disponiéndolo todo y dando continuamente su parecer sobre todos los casos y cuestiones, y que había sido también una más que perfecta ama de casa, se había convertido, durante la larga enfermedad de Leandro, en la enfermera más solícita y entregada. Me lo habían dicho, pero yo apenas lo había escuchado, quizá porque cada vez escucho menos, o puede ser que aun por defenderme de Olga, por no tener que decirme que todos esos comportamientos eran previsibles, eran papeles que ella escogía y representaba para impresionar a los demás y también para impresionarse a sí misma y estar segura de algo, de su capacidad de llamar la atención... No lo había escuchado por no querer saber ya nada de ella, en realidad.

Con el periódico entre las manos, al mismo tiempo que decidía ir al entierro de Leandro Aguiar, sospeché ya que si iba al entierro probablemente tendría que ir luego también a casa de Olga y pasar un rato con ella, mezclada con sus amistades, mezclada con su mundo, de nuevo, del que hacía tanto tiempo había salido, como he salido de otros mundos y ya no tengo ningún deseo, ninguna necesidad, de volver a ellos. Todo esto me dejó de repente paralizada, y luego de decirme que debía ir al entierro porque eso es lo que hace la gente cuando se muere alguien a quien se ha conocido o cuando se conoce a los familiares de los muertos –y en ese momento me encontraba en los dos casos–, me dije que no podría ir, que yo ya no quería de ninguna manera volver atrás, ni siquiera sentía ya un mínimo atisbo de curiosidad. No, ya no quería acercarme a Olga ni a tantas otras personas de quienes me había ido alejando. Podía mantenerme allí, en mi mundo apartado, y no volver a salir de él. Y en realidad esta noche no entiendo por qué finalmente he ido al cementerio, qué es lo que me ha empujado y luego, como había previsto, me ha llevado también a casa de Olga, donde me he quedado un rato, mezclada con sus amistades, mezclada con su mundo.

Yo sabía todo el tiempo, tanto en su casa como en el mismo cementerio, que no debía estar allí, que otra vez las piernas se me pondrían a temblar o la vista se me nublaría o el peso insoportable de la cabeza crecería hasta estallar, cualquier cosa, cualquier síntoma que me remitiría a las tardes en la enfermería del colegio y a las tardes sentada en las rígidas sillas del Somos y a todos los esfuerzos inútiles y dolorosos que me he impuesto y que casi me derrumban y que ya quiero olvidar. Al menos ahora están muy circunscritos a mis territorios, no tengo por qué ir de aquí para allá con la amenaza de los mareos y del dolor a cuestas, no tengo por qué transportar todas esas angustias por el mundo. En casa de Olga, yo sabía que estaba cometiendo un error, pero no podía volverme atrás, porque así han sido todos los errores de mi vida, los he visto y no he podido corregirlos, o me ha costado mucho tiempo y muchísimo esfuerzo salir de ellos, de manera que al final me he quedado tan rendida y acabada como si el mismo error me hubiera vencido desde el primer momento.

Quizá Olga, me dije esta mañana en el cementerio y me repetí en su casa, ejerza aún algún poder sobre mí, quizá todavía yo crea que ella me necesita o que agradece de algún modo mi presencia y yo tenga por mi parte todavía algún resto de ingenuidad, de buena fe con respecto a ella, totalmente irracional, desde luego, ya que mi mente me dice con toda claridad que no debería estar aquí.

¿Es verdad que no tengo ya ninguna curiosidad?, me pregunté también esta mañana, mientras miraba un poco a mi alrededor y reconocía a algunas de las personas que estaban en el cementerio, a casi nadie, eso es lo cierto, algunas caras me resultaban familiares, pero la mayoría no me decía nada. A lo mejor estoy aquí porque aún quiero saber algunas cosas del mundo exterior, me dije, o aún quiero explicarme algo del pasado, de mi propia vida, pero el caso es que allí permanecí y que luego ni siquiera fui capaz de ir inmediatamante a la Biblioteca sino que acepté la invitación de Olga de ir a su casa. Nadie me obligó, sin embargo. Hubiera podido perfectamente coger un taxi y darle la dirección de la Biblioteca. En cambio, me metí en el coche de unos conocidos que se dirigían a casa de Olga y tuve que escuchar su conversación, sus continuas loas a Olga por su dedicación y su entereza. Yo, desde luego, asentía. Yo, que hubiera debido estar ya en la Biblioteca, asentía a todos esos comentarios y frases de admiración que eran perfectamente razonables porque el comportamiento de Olga los merecía, yo no lo hubiera podido negar. Pero tampoco podía añadir nada, sólo podía escuchar en silencio y meditar en silencio y sentir miedo al mareo y al dolor, sin poder de todos modos irme de allí.

Puede que haya sido una prueba que yo misma he querido imponerme, todo lo absurda e insensata que se quiera, pero al fin una oportunidad, un reto. Llevo ya muchos años negándome a los riesgos, defendida de los peligros, y es probable que me haya lanzado a esta brecha para saber si soy capaz luego de volver.

Allí, alrededor de Olga, estaba la atmósfera del opresivo y angustioso pasado. Las personas que la rodeaban la miraban con admiración. Creo que nadie se atrevía a compadecerla, creo que todos eran conscientes de que una vez más Olga era el centro de atención y se limitaban a estar ahí por si ella los necesitaba. Al menos por unas horas, esa atmósfera me atrapó, me entregué a la observación, a contemplar de nuevo gestos conocidos, a escuchar palabras iguales a otras casi ya olvidadas, a reconocerlo todo poco a poco, como si entrara en un sueño. Allí estaban, alrededor de Olga, los miembros de la tertulia del Somos, al fin disuelta, según he creído entender, y to-

75

dos expresaron su nostalgia, todos coincidieron en señalar aquellos años como los más felices de su vida. A partir de entonces, exclamaban, ¡cuántas ilusiones perdidas! Claro que ellos se mantenían, ellos seguían luchando a su modo, independientes, satisfechos, otra vez elaboraban teorías y se consideraban superiores a los demás. Entre Leandro Aguiar y Olga, estaba claro que se quedaban con Olga, cuya influencia sobre Leandro había sido fundamental y beneficiosa. Y, valorando tanto a Olga, no podían llegar a compadecerla, porque estaban convencidos de que Olga se hubiera merecido mucho más y quién sabe si no podría al fin conseguir todo lo que verdaderamente se merecía.

Y allí estaba también, alrededor de Olga, alguno que otro de aquellos viejos líderes de la Facultad con quienes Olga andaba siempre por los pasillos. Seguían con su mirada huidiza y la frente un poco sudorosa, seguían hablando en susurros para que nadie les entendiera del todo, para que la gente se les quedara mirando con intriga. Parecían atribulados ahora, no sólo por el dolor y el cansancio de Olga, sino porque ya no eran líderes de nadie y todas sus palabras, que quizá seguían repitiendo, ya no significaban nada. Y estaban también las monjas, desde luego, desprovistas ya de tocas y de hábitos, misteriosamente eternas, atemporales, con la misma edad que habían tenido en el colegio, estaban Fátima Arroyo y Elisa Suárez, quienes jamás me habían mirado con simpatía y quienes en realidad me inspiraban mucho miedo y que ahora me saludaron bastante efusivas, como si verme y saber de mí al cabo de los años fuera un acontecimiento. Miraban, calladas y sonrientes, a Olga, le cogían una mano, la retenían entre las suyas, suspiraban, resignadas, pero nunca tristes, porque nunca habían sido tristes. Eran algo mucho peor, me dije, eran tétricas, sólo querían impresionarnos y asustarnos, esas mujeres inteligentes que luego se habían hecho tan amigas de Olga. Y una de ellas, creo que Elisa Suárez, la madre Suárez, con quien no había tenido en el colegio más que remotísimos contactos, se me quedó mirando con complacencia y me dijo: Qué niña tan rebelde fuiste, en el tono de quien sabe bien de qué habla, de quien conoce perfectamente a las personas y está sumamente

76

satisfecha de su percepción, de su capacidad de captar al vuelo la personalidad de los otros.

¿Rebelde?, me pregunté en silencio, ¿era eso lo que yo le había parecido a la madre Suárez, con quien no recordaba haber hablado jamás? Olga, que estaba en ese momento junto a nosotras, me dedicó una fugaz mirada, como si también a ella le hubiera sorprendido un poco aquella sentencia de Elisa Suárez. Olga sí había sido rebelde, había hecho en el colegio lo que había querido, y sin duda se extrañaba de que se le aplicara a otra un adjetivo que le pertenecía por completo. Pero las monjas, aunque ya no llevaban hábitos ni tocas, parecían más seguras de sí mismas que nunca, como si hubieran alcanzado, en esa prueba de integrarse al mundo del que habían vivido apartadas tantos años, un estado de calma sobrenatural.

Y entre todas esas personas podían estar también las amistades de Olga que yo nunca había conocido, gente muy bien vestida, envuelta en una nube de perfume o agua de colonia, gente que permanecía poco tiempo en la casa, que abrazaba a Olga y se marchaba en seguida, a un despacho importante, a recados ineludibles, al gimnasio. Y vi que estas personas, cuyo halo de poder y riqueza se extendía también sobre Olga, aunque se dirigían a ella con gestos y palabras muy expresivos, aunque sus abrazos fueran amplios, casi ostentosos, se sentían aliviadas al despedirse, al separarse de los demás, al dejar a sus espaldas la atmósfera que se respiraba alrededor de Olga, y que ellas en su fuero interno consideraban sofocante, porque desde la puerta lanzaban una mirada hacia el interior de la casa, donde todos los demás permanecíamos, y fruncían un poco el ceño sin querer saber mucho de lo que dejaban atrás porque toda esa reunión les producía un instintivo horror.

¿Estaré yo ahora más cerca de estas personas bien vestidas que se iban aliviadas y que siempre habían sido misteriosas para mí?, me pregunto ahora, al cabo del día, un poco extrañada de haber reconocido en ellas algo que también veo en mí misma, aunque yo me haya quedado toda la mañana atrapada allí y no haya podido, como lo han hecho ellas, despedirme en seguida. Ahora sé que ellas siempre han mirado el mundo de Olga con ese leve, pequeño, pero inconfundible horror y que se las han arreglado para mantenerlo a distancia del suyo. El dueño de la editorial en la que Olga había trabajado, por ejemplo, y cuyo rostro me resultaba familiar, seguramente por haberlo visto en fotos reproducidas en los periódicos, después de retener entre sus manos la cara de Olga y de susurrarle no sé qué cosas al oído, lanzó a su alrededor, hacia todos nosotros, una mirada que era claramente de desprecio, como si todos fuéramos una única e insignificante persona a quien no había por qué prestar la mínima atención. Él había ido allí para abrazar y decirle a Olga unas palabras de consuelo, pero no iba a mezclarse con los demás, ésa no era la gente con la que él solía tratarse.

Y no es que él tenga razón, no es que sus gestos y miradas de superioridad me inspiren ninguna simpatía, pero ¿quién era en realidad esa gente, todos esos elaboradores de teorías, esos grandes lectores de los libros de moda, esos viejos líderes universitarios? ¿No me habían mirado a mí en el pasado con la suficiente superioridad como para que yo ahora me alegrara un poco de que alguien los mirara a ellos así? A las monjas sin hábito y sin toca incluidas, desde luego.

La verdad es que esa gente se ha dado a sí misma mucha importancia, me dije, y al cabo de los años no se ve ninguna razón que justifique aquellos aires, aquel endiosamiento, aquel mirar a todo desde arriba. No sé qué es lo que hace ahora cada una de estas personas, pero me da la impresión de que no han llegado a donde querían llegar. Ni siquiera han llegado hasta aquí, hasta el Patronato de la Biblioteca, que no es mucho llegar, pero que es algo, a juzgar por la satisfacción que las reuniones mensuales proporcionan a sus miembros. No lo sé, quizá no debería aventurarlo, pero me parece que los viejos miembros de la tertulia del Somos y los viejos líderes universitarios se han quedado sin nada entre las manos, nada de lo mucho que perseguían, porque estaba claro que perseguían algo o que habían soñado que un día tomarían decisiones importantes y que todo el mundo los tendría en cuenta. Y será por eso también por lo que su admiración por Olga se ha mantenido casi intacta, porque probablemente, en su opinión, ella sí ha conseguido algo. A través de Leandro Aguiar, tuvo poder.

Olga es para ellos una especie de consuelo, puesto que ella no les ha abandonado, puesto que a su manera aún los necesita. Así, he escuchado esta mañana muchas frases alabando el comportamiento de Olga y sobre todo la grande y beneficiosa influencia que ejerció sobre Leandro Aguiar, un simple social-demócrata que, desde que tuvo a Olga a su lado, hizo cosas y gestos casi revolucionarios, comprometidos.

Así como Fátima y Elisa, que antes eran la madre Arroyo y la madre Suárez, y que ahora son dos mujeres de edad indefinida, de caras muy pálidas con muy pocas arrugas, vestidas con ropa de color pardo, peinadas sobriamente, como con temor, me han reconocido y saludado inmediatamente, algunos miembros de la tertulia del Somos y algunos viejos líderes, me hayan reconocido o no, ni siquiera me han saludado. Yo creo que ni siquiera han tenido la oportunidad de reconocerme, porque nunca me han mirado de frente. Andaban cabizbajos, concentrados, como si estuvieran muy preocupados por Olga, como si la muerte de Leandro Aguiar les hubiera dejado a ellos mismos desprovistos de algo. Y es que por lo que he podido escuchar esta mañana, algunos de ellos se habían hecho verdaderos amigos de Leandro. Es posible que Leandro estuviera tan entusiasmado con Olga, se sintiera tan agradecido por su rejuvenecimiento, que hubiera abierto los brazos a las amistades de Olga, fuera por generosidad o por inconsciencia, por indiferencia, por puro contento de sí mismo y de su vida.

Así era Leandro Aguiar, por lo que he podido intuir, un hombre que lo agradecía todo, que lo aprovechaba todo, un hombre sin muchos matices, y es posible que sin mucha fe, pero un hombre que disfrutaba de la vida y que no se molestaba demasiado en buscarles peros a las cosas. Habría aceptado a los amigos de Olga sin más, tanto le daba que fueran ésos como otros, estaban allí y él se rodeaba de ellos, porque a Leandro le gustaba hablar, beber, comer, era un vividor, y los vividores, sin proponérselo, facilitan muchas veces la vida a los otros, ofrecen a los demás lo que a ellos les sobra, y algunos de los beneficiados quedan agradecidos para siempre. Sin duda, esos hombres y mujeres taciturnos y cabizbajos que deambulaban por los salones de la casa de Olga como si tuvieran un peso terrible de dolor sobre los hombros habrían pasado muy buenos ratos con Leandro, comiendo, bebiendo, fumando habanos, discutiendo de mil cosas con aparente pasión, porque Leandro levantaba mucho la voz cuando discutía, y eso los arrastraba a todos a alzar también la voz, a gritar, a exponerlo todo. Sin duda, se habían considerado amigos de Leandro, confidentes, y miraban ahora a Olga sin saber qué decirle porque ellos se encontraban desvalidos y tristes y tenían que seguir confiando en ella, al fin y al cabo responsable de la amistad que acababan de perder.

Sea como fuere, a excepción de Fátima Arroyo y de Elisa Suárez, muy poca gente me ha saludado esta mañana en casa de Olga, sea porque yo haya cambiado mucho y no me hayan reconocido, sea porque ni siquiera me hayan mirado. En cambio, yo, que en el cementerio no había reconocido a nadie, en casa de Olga he ido retrocediendo al pasado y asombrándome al comprender de pronto quiénes eran esas personas entre quienes me encontraba. La verdad es que no sabía muy bien qué hacer, en qué habitación quedarme, si sentarme o permanecer de pie. Olga iba y venía, se detenía a hablar con alguien, susurraba, hasta lloraba un poco, y en seguida se enjugaba las lágrimas y seguía yendo de aquí para allá. Las monjas estaban en la cocina, los amigos íntimos en el dormitorio. Por el salón, el comedor y el pasillo deambulábamos los demás, algunos sentados, otros de pie. Yo me sentaba un rato y me levantaba en seguida, pero como estar de pie me cansa muchísimo en seguida me tenía que volver a sentar.

Y me acordé de pronto de otra visita de pésame, muy lejana –yo era una niña–, que había hecho con mi madre. No sé por qué razón, quizá para no sentirse completamente sola, mi madre quiso llevarme con ella. Tengo incluso el vago recuerdo de haber entrado, de la mano de mi madre, en un portal oscuro y pequeño y el de haber percibido, a través del entrelazamiento de las manos, el malestar de mi madre. Subimos las escaleras andando, porque no había ascensor, y mi madre, que por entonces nunca se quejaba, iba haciendo leves muecas de esfuerzo y de fastidio. Una vez en el piso, nos hicieron pasar a una sala en la que había algunas personas sentadas y silenciosas.

La mujer que nos había abierto la puerta sirvió a mi madre una taza de algo, café o té, algo oscuro, que mi madre ni siquiera probó, y luego puso sobre mis hombros una mano grande y ruda y me preguntó si querría tomar algún refresco. Naturalmente, yo iba a aceptar, a decir que sí en seguida, pero mi madre se interpuso y dijo en tono terminante que yo no necesitaba nada, con lo cual aquella palabra –refresco– y todo lo que prometía, se evaporó, se alejó de mí. La mujer, que me había mirado con cariño –eso había sentido yo–, bajó los ojos y se fue. Mi madre se había sentado en una butaca y a mí, nada más entrar, me había indicado una silla, de manera que allí permanecí, sentada en aquella rígida silla, en aquella reunión de personas silenciosas, yo, que tanto odiaba las sillas. Tengo la impresión de que estuvimos allí largo rato y de que mi madre apenas despegó los labios. Me sentía llena de rencor hacia mi madre, que me había privado del entrevisto refresco, y cada vez tenía más sed. Hubiera querido ser capaz de pedir un humilde vaso de agua a la mujer que aparecía de vez en cuando por el salón para retirar o traer una taza, pero la actitud de mi madre me intimidaba, estaba segura de que, si lo hacía, me arrojaría una mirada de profunda condena. Intuí que para mi madre pedir algo en aquella casa, a aquella mujer, era rebajarse, y me pareció que, en todo caso, con la negativa a que me sirvieran el refresco, mi madre había tratado mal a la mujer que había posado la mano sobre mi hombro.

Volvimos a casa aún en silencio, no sé si andando o en tranvía, lo que sí recuerdo es que, ya en casa, mi madre explotó. Oí que le decía, furiosa, a mi padre, con la voz deformada por las lágrimas que sin duda corrían por su cara: ¡Ni siquieran me han dejado ver a Cándida!, un nombre así, Cándida o Casilda. Me han tratado, se quejaba mi madre, como a una cualquiera, como a una criada. Entonces, yo, aunque no la perdoné –todavía pensaba en el refresco prohibido–, la compadecí un poco porque al parecer, sin que yo me diera cuenta, había sido humillada.

Y deambulando por el salón y el pasillo de la casa de Olga, con el recuerdo de aquella remota visita de pésame, palpé de nuevo la humillación y la indignación de mi madre, y decidí al fin marcharme. Me despedí de Olga muy deprisa, sin apenas decirle nada. No me fui con aquella indignación que había acometido a mi madre en casa de Casilda o de Cándida, con aquella ira que había estallado nada más llegar a nuestra casa, sino con un profundo sentimiento de lejanía, de estar ya muy lejos del pasado. Ahora se me hacía patente que siempre había estado lejos, como si ese pasado nunca hubiera llegado a ser del todo presente. Esta noche, la ira de mi madre me vuelve a estremecer. No la he entrevisto más que en muy contadas ocasiones, puesto que mi madre, que finalmente ha estallado, como estalló aquel remoto día, de regreso en casa, después de la visita de pésame, ha condenado siempre las quejas, empezando por las propias.

Ahora creo que la abrumaban las quejas de su madre, mi abuela, que pasó los últimos años de su vida apenas sin salir del dormitorio, víctima de fortísimas jaquecas. Yo entraba a verla sólo un momento, y ella apretaba débilmente mi mano. Aún tenía el recuerdo de su buen carácter, de su buen humor, de aquellas tardes en que me dejaba abrir su armario lleno de cajones y de cajas donde se guardaban los más extraños e inservibles objetos. Porque mi abuela no tiraba nada. ¿Para qué guardas todo esto?, le preguntaba, enfadada, mi madre, esto no sirve sino para ocupar espacio. E incluso la amenazaba con poner ella orden en aquel armario. Pero la abuela, con razón, no la creía, y me señalaba y me miraba a mí, sin molestarse en dar más explicaciones; todas sabíamos que para mí abrir e investigar en aquel armario era el mejor de los premios y, desde luego, para la abuela, eso justificaba la acumulación de los extraños objetos que lo llenaban. Yo creo que siempre consideré a esta abuela como a una niña pequeña, aún más pequeña que yo, y sabía, mientras jugaba con todos los objetos contenidos en el inmenso armario, que la abuela era feliz viéndome jugar desde la cama, como si fuera ella la que estuviera jugando. Me decía, ¿has encontrado ya las cuentas de marfil?, ¿y el broche de la miniatura de la niña rubia con el cierre roto?, ¿has mirado en el pequeño cajón de la derecha, el de arriba?, ¿en la caja de carey? Siempre creía que todo iba a encontrarse al fin en la caja de carey, su caja preferida. Yo se la llevaba a la cama y la examinábamos juntas, volvía a contarme la pequeña historia de cada objeto, de esos restos, esos trozos de joyas, de bolsos, de ya no se sabía qué.

Pero las enfermedades de la abuela y mi constante debilidad, mi inacabable desfile por las consultas de los médicos, confluyeron a la vez e irritaron a mi madre. Sentía la ira de la soledad, de quien no cuenta con la ayuda de nadie para resolver los problemas que se le vienen encima o que ella, más o menos conscientemente, ha elegido. Su madre no podía ayudarla y la otra abuela, a quien no le hubiera importado echarle una mano a mi madre, la ponía nerviosa, porque era tan activa, tan habladora, tan dominante, que la superaba por todos los lados. En secreto, mi madre la admiraba y hubiera deseado ser como ella, pero no la soportaba, en su presencia se sentía examinada y censurada. Sólo ahora puedo ver que quizá había en aquel recelo y desconfianza de mi madre algo de justificable. En la infancia no lo percibí, porque mi abuela paterna, a quien no veíamos con demasiada frecuencia, era muy simpática conmigo, me miraba como si quisiera descubrir en mí muchas virtudes, como si reconociera la huella de su sangre, y me hacía regalos y estaba siempre dispuesta a llevarme de aquí para allá, no como mi madre, que salía a la calle casi siempre sola.

Pero está claro que mis dos abuelas, de quienes guardo buenos recuerdos, no ayudaron a mi madre.

Y con aquel recuerdo de la ira de mi madre abandoné finalmente la casa de Olga. Veinte años cambian mucho a las personas, me digo ahora, aún con la imagen de todas las personas reunidas allí grabadas en mi interior. Veinte años es mucho tiempo. De hecho, no puedo por menos que sentirme profundamente sorprendida de que hayan transcurrido casi veinte años desde los tiempos de la tertulia del Somos. ¿Cuánto tiempo llevo trabajando –por mucho que todavía no sepa cuál es exactamente el trabajo que hago– en la Biblioteca? Tanto tiempo, que la Biblioteca ya se ha hecho parte de mí, que ya he llegado a olvidar cómo era mi vida antes de acudir a la Biblioteca todos los días.

Pero lo que verdaderamente mide el tiempo es la edad de Guillermo, que acaba de cumplir dieciocho años y ha alcanzado la mayoría de edad. Y si esta mañana, en casa de Olga, he sentido el peso de ese tiempo que ya nos ha separado y he palpado también –al recordar de pronto, deambulando por el pasillo y los salones, la ira de mi madre que, sin embargo, no llegó a nublar los momentos felices de mi infancia– todo el inmenso tiempo transcurrido desde mucho antes, todo ese pasado en el que jamás se piensa, pero que sin duda determina aún nuestra mirada, esta noche siento y palpo otra clase de tiempo, el tiempo que ha definido Guillermo, porque éste ha sido el tiempo más importante para mí, el tiempo que he escogido yo. En cierto modo, mi vida, la vida que cuenta, la vida que tengo siempre presente, empezó con Guillermo, y todo lo anterior les pertenece a los demás más que a mí, e incluso ahora, al pensar en mi madre y en mis abuelas tengo la sensación de que les estoy devolviendo algo, porque durante mucho tiempo se me borraron, desaparecieron de mi memoria, como si sus existencias no hubieran tenido nada que ver conmigo. Vacié mi vida de recuerdos y le di a Guillermo todo ese hueco. Los recuerdos no me servían, ese lejano mundo en el que había habitado había dejado de existir; si pensaba en él me parecía que soñaba, que me lo estaba inventando. Guillermo cayó sobre el vacío y lo invadió y mi vida entera dependió de él. Y así como he olvidado muchas otras cosas, no he olvidado ni la infancia ni la adolescencia de Guillermo ni la cantidad de espacio que han ocupado en mi mente, en mis sentidos, en mis emociones. Hasta creo que lo he hecho de manera consciente, porque el vacío me asustó y me alegró poder inundarlo de forma tan avasalladora.

El propio Guillermo ha llegado a darse cuenta de que ha sido un escudo para mí y algunas veces me lo reprocha, como si al haberlo utilizado de manera continua para no salir de casa ni sobre todo de mí misma no hubiera podido evitar producirle cierta sensación de ahogo y pedirle finalmente demasiadas cosas. El temor de ser una madre demasiado absorbente siempre me ha perseguido. O si no muy absorbente –me he esforzado por dejarle cultivar terrenos propios, personales, en los que he tratado de no inmiscuirme, he luchado por no ser una madre invasora, omnipresente–, sí de una madre que pide demasiado apoyo. Pero ésta es la clase de madre que he sido y que aún soy, una vez que Guillermo tiene ya dieciocho años y que hablamos de muchas cosas, estando casi siempre asombrosamente de acuerdo en nuestras opiniones.

Pero siempre he sabido, al mismo tiempo, que ese único camino que yo podía emprender estaba lleno de riesgos, no sólo para Guillermo sino para mí. He vivido aterrada con la idea de que le sucediera algo a Guillermo y volviera a encontrarme cara a cara con el vacío que ahora sería más vacío que antes puesto que había conocido la plenitud. He vivido con esa sensación, con ese terror constante dentro de mí. Es impresionante, me digo esta noche, con todo el miedo que he pasado, y Guillermo ya tiene dieciocho años; no parece que mi forma de ser y de vivir le hayan traumatizado, porque tengo la impresión de que sabe quién soy o cómo soy y que eso no le pesa, no lo lleva de aquí para allá, pegado siempre a él. Por fortuna, no ha podido imaginar el miedo que he pasado y del que aún no me he podido desprender.

El recuerdo de todos mis miedos constituye un peso que me asfixia. No sólo sufría cuando se ponía enfermo y tenía cuarenta grados de fiebre, sino que frecuentemente me acometía un temor inconcreto, difuso, a perderlo. Cuando era pequeño y lo dejaba por las mañanas en la guardería, volvía a casa o a mi lugar de trabajo o a donde fuere con el corazón encogido, como si me hubiera desprendido de él de forma irremediable, como si estuviera segura de que allí lo iba a pasar muy mal, y cuando iba a buscarle me ponía enferma de inquietud, temía que ocurriese algo, un accidente de tráfico, por ejemplo, que me hiciera retrasarme y que él tuviera que esperarme desconcertado durante mucho rato, temía que le hubiera pasado algo, que se hubiera caído o que tuviera fiebre, y también temía que simplemente no estuviera en la guardería, que hubiera desaparecido, se hubiera ido con alguien, se hubiera perdido por las calles. Sólo pido que esté entre el grupo de niños que aguardan a sus familiares en la sala de espera de la guardería, me decía mientras me acercaba, que esté allí y yo vea en seguida su cara. Y cuando al fin lo veía me llevaba tal alegría que apenas podía hablar, me acercaba hasta él y lo cogía de la mano y durante un rato sólo sentía eso, que su mano pequeña estaba dentro de la mía.

Luego esos miedos se transformaron, se cambiaron por otros. Guillermo regresaba del colegio en autobús y yo lo esperaba siempre en casa, y aunque es verdad que el más leve retraso me impacientaba y me hacía asomarme mil veces a la ventana y salir al descansillo e incluso bajar a la calle, como si con mi movimiento pudiera acelerar el suyo, ya no pensaba seriamente que había podido perderse, porque ya era mayor y sabía muy bien cómo volver a casa. Me preocupaban otras cosas. Muchas veces lo veía pensativo, meditabundo, y me decía que a lo mejor había reñido con un amigo o que un profesor o una profesora le habían hecho un comentario hiriente o algo le había desilusionado y yo entonces temía que le diese a todo demasiada importancia, que el mundo lo cegara y lo obstruyera y lo asfixiara, de manera que lo observaba con verdadero temor. Pasé entonces más miedo del que había pasado cuando pensaba que no iba a estar en la guardería cuando iba a buscarle, que se podía perder por las calles y desaparecer. Que no se quede ahí, me decía, pedía, encerrado en sus miedos y desilusiones, que encuentre apoyos, ojalá tenga buenos amigos y buenos profesores; que le ayuden, que no le dejen solo. Lo he ido vigilando, espiando, sin querer abrumarle con mi propia preocupación, tratando de que mi sombra vigilante no cayera sobre él y aún le pesara más el mundo. Lo he visto luchar y debatirse, irse abriendo paso, soportando las frases y los comportamientos hirientes de los otros, soportando sus propias frases y comportamientos y pensamientos hirientes, contra sí mismo y contra el mundo, y he pasado miedo, un miedo horrible de que todo eso le venciera, pero empiezo a ver que no, que nada ha podido con él. Es distinto y es mucho más fuerte que yo, reconozco asombrada, tiene más fe en sí mismo, más confianza, y a pesar de esa profundidad que se palpa en él y que me suscita tanta admiración como espanto, es inusitadamente inocente, lo que por un lado me alivia y por otro me vuelve a espantar. Sin embargo, no ha habido, ésa es la verdad, ninguna otra persona en quien yo haya confiado tanto. Pudiera ser que simplemente no haya confiado en nadie más.

Empiezo a ver ahora que he tenido razón al confiar, pero lo cierto es que el miedo no se me ha pasado del todo. Aún vivo con él, aún creo que será muy difícil desprenderme totalmente de él. Algunas noches me despierto empapada en sudor, recién salida de una de aquellas pesadillas en las que deambulaba por calles desconocidas en busca de Guillermo, con aquella insoportable sensación de haber llegado tarde al colegio a recogerle, con la angustiosa conciencia de que él me había estado esperando hasta desesperarse y que al fin se había decidido a salir a la calle porque ya no podía aguantar más. Es evidente que el temor de perder lo único que tengo no ha desaparecido, y supongo que por eso me aferro con tanta obstinación, como si fuera un asunto de vida o muerte, al ritmo fijo de mis días, a los horarios de la Biblioteca, a las idas y venidas de la piscina, para que todo se mantenga, para que quede claro que yo estoy poniéndolo todo de mi parte, que estoy cumpliendo la parte del trato que me corresponde. No voy a alterar nada, voy a seguir realizando todos los actos de la vida, voy a seguir viviendo, ése es el acuerdo, me parece.

Pero ¿cómo eliminar el miedo? Muchas veces me despierto en mitad de la noche con la boca completamente seca, tanto, que me duele la garganta y apenas puedo tragar saliva, y sé que llevo un buen rato hablando en sueños con Guillermo, diciéndole a gritos todos mis miedos, se los he expuesto muy bien, con todo detalle, yo misma atemorizada mientras se los relataba. Por una décima, una milésima de segundo, recuerdo todo lo que le he dicho, y me alegro de haber podido explicárselo tan bien, pero en seguida todo se me borra y ya no recuerdo absolutamente nada, ya sería incapaz de explicar por qué tengo tanto miedo.

No deja de asombrarme esa claridad con la que a veces se ven las cosas en los sueños. Hablo en ellos con toda clase de personas y soy capaz de sincerarme de forma absoluta, aunque muchas veces con rabia. Les digo todo el daño que me han hecho, les echo en cara todo lo que he sufrido por su causa, y también les digo que ya es tarde, que nada puede hacerse ya para remediar el daño. Hay noches en las que no paro de hablar, de gritar, y me despierto con la boca seca, extenuada.

¡Con cuántas personas he hablado en mis sueños! He hablado con mi madre, con mi padre y mis hermanos, con las monjas del colegio y con profesores y compañeros de la Facultad y con conocidos de la tertulia del Somos, con Jacobo y con Luis Arévalo y algunas veces también con Olga, desde luego, e incluso con personas desconocidas, a quienes en los sueños trataba como si las conociera perfectamente. He hablado hasta quedarme sin voz, y me he despertado siempre con la incómoda, desapacible sensación de que aún estoy llena de rencor, quizá de odio, y llena de miedo, como tantas veces le digo a Guillermo en mis sueños. Siento el peso del miedo sobre mis hombros nada más despertarme, y durante todo el día tengo la impresión de que algo grave ha pasado, de que aún vivo con un problema irresoluble.

El rencor no me parece nada al lado del miedo, y prefiero pasarme la noche haciéndole reproches a mi madre o a cualquier otra persona conocida o desconocida que perderme en una de esas pesadillas en las que deambulo por calles desconocidas sin encontrar a Guillermo, sabiendo que él, como yo, deambula por calles también desconocidas, convencido de haberme perdido para siempre. Otra vez estoy perdiendo cosas, me digo al despertarme, pierdo cosas continuamente y ya no puedo más, me voy a quedar absolutamente despojada. Ante todo siento perplejidad, estupor, y luego un dolor profundo, porque no se puede vivir así, perdiéndolo todo.

Cuando me despierto de alguno de estos sueños de miedo o de rencor, no acabo en todo el día de salir de ellos, su realidad me parece más poderosa que la de la vigilia y vivo ya todo el día como en otro sueño, un sueño borroso que luego no se puede recordar, uno de esos sueños sin sentido que seguramente ocupan la mayor parte de la noche y que luego son barridos por la impresión que nos causa el último sueño, el que ocurre segundos antes de despertar, que es el que, según dicen, se nos queda grabado por unos instantes, y de todos los otros guardamos recuerdos fragmentarios y confusos, por eso nos parece que eran sueños sin ningún sentido. Durante todo el día, con la fuerte impresión de los gritos de horror dentro de mí, ando como una sonámbula, lejos de todo lo que me rodea.

Hago las cosas mecánicamente, y si de algo me asombro es de que nadie se dé cuenta de mi estado. Es curioso que sea precisamente en alguno de estos días tan irreales cuando he recibido algunas frases de reconocimiento y hasta de felicitación por haberse resuelto un asunto, por haber dicho yo algo al parecer muy pertinente y esclarecedor, lo que me lleva a pensar que cuanto más me alejo de la realidad, cuanto más indiferentes me son las cosas y los problemas, más sencillos resultan, más favorables.

Esta noche veo el miedo un poco más lejano, como si ya, una vez que Guillermo tiene dieciocho años, no hubiera ya nada que temer. Pero el miedo ha estado tan dentro de mí, tan instalado, que su huella no se puede borrar.

Todo en mi vida ha sido supeditado a la tarea de observar, vigilar, asistir, cuidar de Guillermo. Durante todos estos años, he salido de la Biblioteca a las cinco de la tarde para estar puntualmente en casa cuando él regresara del colegio. Hasta hace muy poco, ni siquiera un año, he hecho horario continuo, o semicontinuo, un horario especial, para poder pasar las tardes en casa con Guillermo. Eso no ha sido ningún problema para mí ni para nadie en la Biblioteca, donde rige un sistema de horarios muy flexible, pero ya no tengo ninguna necesidad de pasar las tardes en casa porque Guillermo, que está haciendo el curso preuniversitario o como quiera que ahora se llame, pasa muchas tardes fuera de casa y yo llevaba tiempo pensando que debía de cambiar mi horario en la Biblioteca, hacerlo todo con más calma. Salgo de la Biblioteca al anochecer, y ahora que en pleno mes de marzo los días ya se están alargando y parecen casi infinitos, pongo un cuidado especial en hacerlo todo, en moverme, muy despacio, diciéndome todo el tiempo que no tengo ninguna prisa por llegar a casa.

Ahora puedo ir a la piscina con toda tranquilidad, tomándome todo el tiempo del mundo. Voy, como siempre, a la hora de comer. Desde que tengo coche, hace ya algunos años, disfruto enormemente del trayecto. Estos campos casi yermos que debo atravesar por la carretera que conduce a la piscina han empezado a gustarme un poco. Cambian mucho con la luz. En el interior del coche, lleno con la música que emana de la radio, me siento aislada y conectada a la vez, porque estoy allí, en medio de la carretera, como tantos otros conductores de coches, camionetas, camiones y autobuses, y no necesito hablarles ni explicarles nada, eso ni siquiera se podría hacer, no cabe esa posibilidad, pero está claro que me dirijo hacia alguna parte y que vengo de alguna parte, que tengo una dirección y una meta, como todos los demás. Me conozco muy bien este trayecto, los hitos y las señales que vislumbro y luego supero, fábricas, enormes naves de almacenaje, supermercados, casas de campo rodeadas de árboles, hondonadas en las que se han ido formando agrupaciones de casas, se han plantado árboles, y parecen un pequeño pueblo. Me conozco de sobra las desviaciones y señales que no debo seguir y en las que de repente por fortuna desaparece un camión o una hormigonera. Y cada vez que veo mi desviación y mi señal, cada vez que entro al fin en la pequeña carretera que me lleva a la piscina, tras dar unas vueltas por las calles no muy transitadas, pero casi siempre en obras, de un pueblo, un poblado o un barrio de un pueblo, no sé muy bien, siento un gran alivio, porque todo sigue en su lugar y yo he sido capaz de encontrarlo y de recorrer el trecho que me separa de él.

Nunca me ha gustado conducir, y de hecho aprendí muy tarde, justo antes de comprarme el coche, nunca he sentido ninguna fascinación por los coches, pero estaba cansada de hacer esos trayectos en autobús, rodeada de gente que me empujaba y hablaba muy alto, a gritos, gente malhumorada que trataba de alcanzar los asientos libres antes que yo, de manera que al fin, y como tenía dinero suficiente, me decidí y, tal y como había previsto, mi vida ha cambiado por completo.

Nadie entendió –ni Guillermo, ni sobre todo Carlos, que por entonces vivía con nosotros en una de esas temporadas en que, tras haber vivido alejados, volvíamos a pensar que, separados, todo se había hecho más arduo y penoso, y decidíamos vivir de nuevo juntos, llenos de buenos propósitos– cómo pude aprobar a la primera el exámen de conducir, más aún cuando lo hice bastante mal. No sólo se me caló el coche un par de veces, sino que en la maniobra de hacer el recorrido marcha atrás por la esquina de un bordillo me separé escandalosamente del bordillo una vez que di la vuelta a la esquina. Mi propio profesor, en cuanto supo que yo había aprobado, se puso rojo de indignación y no se lo podía creer. Y ya con el carnet en la mano, fui con Carlos a comprarme el coche. Nunca se me había pasado por la cabeza que yo iba a tener un coche, ni tampoco una casa, francamente, y ahora que tengo las dos cosas me pregunto si éstas son cosas que cambian la vida y la mejoran y por eso tanta gente las persigue. Entre la casa y el coche, casi me quedo con el coche, porque tener coche sí me ha cambiado bastante la vida. En cambio, he vivido siempre en pisos alquilados y ser ahora propietaria de uno no me ha producido una especial satisfacción sino casi una carga, porque creo que me he equivocado comprando este piso que no es nada del otro mundo y me he ligado demasiado a él y a veces tengo la impresión de que ha sido una especie de trampa. Muy probablemente, lo venderé y me iré a vivir a otro piso de alquiler, por mucho que mis consejeros financieros digan que así se pierde dinero y que debo hacer buenas inversiones, aunque sólo sea por mi hijo.

Pero el coche sí, el coche me ha dado una libertad y una independencia impresionantes. Y no es que yo haga ahora cosas distintas a las que hacía antes, no es que yo ahora, por ejemplo, haya empezado a viajar, que es lo que antes hacía la gente cuando se compraba coche y yo recuerdo que mi padre y mis tíos hicieron, sino que ya me he desembarazado del mundo del autobús. No tengo que ponerme a esperar en la parada, pasando frío o calor y siempre cansancio, porque en las paradas no hay bancos donde sentarse, cosa que siempre me ha indignado –es verdad que hay bancos en algunas paradas, pero están siempre ocupados por personas mayores a quienes comprendo perfectamente, a pesar de que la mayoría ni siquiera espera el autobús–, ni tengo ya que mezclarme con toda esa gente que no para de ir de aquí para allá y que me abruma con sus conversaciones, con su forma de mirarme, con su manera de ser. Algunos están malhumorados, pero la mayoría parece no hacerse ninguna pregunta ni plantearse ningún problema, parecen perfectamente adaptados a su vida de viajeros de autobús, y eso es algo que, inexplicablemente, e injustamente, me doy cuenta, me desanima mucho. No sé qué ganaría yo si todos estos viajeros de autobús anduvieran disgustados y rebelándose y protestando por todo, pero su pasividad me produce estupor y luego infinita tristeza, sobre todo al atardecer. Los veo allí, sentados en sus asientos, con los ojos fijos dentro de sí mismos, cansados al final del día, encerrados dentro del autobús, camino de sus casas, con ganas de estar ya en ellas y absolutamente desganados de todo a la vez, casi dispuestos a seguir el resto de la tarde y toda la noche en el autobús, a quedarse siempre allí. No hay nada que me produzca mayor desolación que esos últimos viajeros de los autobuses al cabo del día, pasada ya la hora punta del regreso a casa, esos viajeros rezagados y descabalados, que no se sabe de dónde vienen y que en el fondo parece que no quieren llegar ya a ninguna parte. Durante muchos años de mi vida, yo he sido una viajera de éstas, y probablemente ha sido por haberme cansado tanto yendo de aquí para allá, en busca de trabajo, y yendo y trayendo a Guillermo de la guardería, por lo que ahora no puedo mirar a todos estos viajeros sin sentirme invadida por una oleada de tristeza, el recuerdo de todos mis cansancios.

Pero ya me he librado de eso, de ir en autobús y de ir en metro, que más que tristeza me produce claustrofobia, por lo que lo he evitado siempre que he podido, y cuando el coche se encuentra en el taller, por una avería o por simple revisión, suelo coger un taxi para ir a la Biblioteca, aunque luego no me libro del autobús que me lleva a la piscina, pero al fin éste es un autobús de extrarradio y nunca lo he cogido al atardecer.

Aunque tampoco es que me sienta nada cómoda en los taxis. El mero hecho de tener que alzar el brazo me produce a veces una violencia inexplicable y siempre creo que ningún taxi se va a detener y que me voy a quedar así, en medio de la calle, con el brazo en alto, y nadie va a entender qué hago allí. Y no es un miedo tan improcedente, porque algunas veces me ha ocurrido efectivamente que los taxis han pasado por delante de mí como si no vieran mi señal o no la reconocieran. Prefiero ir a una parada de taxis para no arriesgarme a sentirme tan desconcertada, hasta un poco humillada por haber tenido que sufrir ese extraño rechazo para el que no puedo encontrar ninguna explicación, pero, por lo que he ido concluyendo, los taxistas se rigen por normas que desconozco, que no puedo descifrar. Pero incluso en la parada de los taxis las cosas no están siempre claras. Yo solía dirigirme al primer taxi de la cola, pero muchas veces el conductor me ha lanzado un grito, un gruñido, como si yo estuviera cometiendo un descomunal error, y me ha mandado al taxi siguiente, o al tercero, o al cuarto, dándome estas órdenes muy deprisa, como si le fuera por completo indiferente que yo le entendiera o no le entendiera y de un modo, además, muy desabrido. Ahora, antes de entrar en el taxi, le pregunto siempre al primer conductor que veo, esté él dentro o fuera de un taxi, si sabe cuál es el taxi que debo coger, y sigo sus indicaciones al pie de la letra, así me mande a la cola. Una vez dentro del taxi, doy la dirección de la Biblioteca, si es que salgo de casa, o la de mi casa, si es que regreso de la Biblioteca, y me quedo absolutamente callada, pase lo que pase y diga lo que diga el conductor y tampoco le pido que ponga la radio más baja, si, como es habitual, suele atronar, o que cierre la ventanilla o que la abra y que, sobre todo, se calle y me deje en paz porque no me interesan nada sus opiniones políticas ni sus filosofías de la vida ni sus quejas sobre los precios que no paran de subir y los sueldos que no paran de bajar y lo bien que viven entre tanto nuestros gobernantes. Porque todos se aprovechan de nosotros y nos engañan y nos mienten con toda premeditación, desde luego, todos nos dicen y prometen muchas cosas y hacen, venga o no venga a cuento, declaraciones de honradez, y acaban, todos, robando y aprovechándose de nosotros, unos y otros y los de más allá, todos son exactamente iguales, eso ya no hay quien lo niegue. Sólo dejo escapar, para no parecer muda –puesto que el taxista sabe que no soy muda, ya que le hablé al principio de todo, nada más meterme en el coche–, algún monosílabo. Es un pequeño calvario este breve viaje con este hombre desconocido que se toma tantas confianzas conmigo y me hace tantas confidencias, como si me conociera de toda la vida.

La última vez que tuve que coger un taxi pasé un miedo mortal, porque el taxista era uno de esos conductores, muy numerosos, seguramente los más numerosos, que no se sienten satisfechos si no adelantan a todos los coches que les preceden, lo que convierte el trayecto en una carrera vertiginosa. Pero creo que nunca me había tocado un taxista tan osado como este último y me dije que esta vez sí era verdaderamente probable que tuviéramos un accidente mortal. A pesar de todo, me callé y no le pedí que fuera más despacio. En un cruce en que por experiencia sé que hay que ir con sumo cuidado porque vienen coches de todas las direcciones, tuvo que dar un frenazo espectacular, puesto que no había aminorado la velocidad, y casi me doy con la cara en el respaldo de su asiento. Un olor a quemado se extendió inmediatamente por el aire. Tampoco dije nada. El taxista, cosa rara, quizá contagiado de mi silencio –y sólo por eso mi silencio resultó provechoso–, tampoco hizo ningún comentario ni insultó a nadie. Cuando al fin me dejó en la puerta de casa y le pagué, y aun le di algo de propina para no quebrar ninguna de mis costumbres, me dio las gracias en un tono que me pareció sincero. Puede que él también fuera consciente de que nos habíamos librado por muy poco de morir, de morir juntos.

Por eso me siento muy aliviada cuando ya tengo el coche arreglado y me encamino hacia la Biblioteca, hacia mi casa o hacia la piscina completamente sola en él hablando en voz alta, si quiero, o para mis adentros, y escuchando la música de la radio y mirando las calles y el paisaje, reconociendo todos los hitos y señales de mis itinerarios.

Libre en fin de la vergüenza de tener que levantar la mano para detener un taxi, libre de la vergüenza que me han dado siempre todas las relaciones personales, por fugaces que sean, por mínimos que sean los compromisos que suponen, como ocurre en este asunto de los taxis. Por actos tan pequeños como éste de levantar la mano para detener un taxi he pasado yo muy malos ratos en mi vida, ratos de increíble sufrimiento, con la conciencia, además, de que era un sufrimiento absurdo, desproporcionado, lo cual aún me hacía sentir peor. Me he sentido atrapada en una situación que sólo veía yo y que incluso yo misma había creado, porque sabía que la mayoría de las veces los otros no la habían buscado conscientemente para herirme ni para avergonzarme. La cara y las manos me ardían, y si las manos las podía esconder, la cara, como es inevitable, se quedaba allí, a la vista de todos, y se podía leer en ella mi horrible estado de pánico, que ya casi se había independizado de la remota causa que lo había originado y que cada vez más era simplemente la vergüenza de ser así, una persona capaz de sentir tanta vergüenza. Cuanto más quería desaparecer, hacerme invisible, más sangre fluía a mi cara y más me miraban los demás, casi siempre sin entender por qué me sentía tan avergonzada. Pero algunas veces yo sabía que ellos lo adivinaban, que conocían perfectamente, mejor que yo misma, las razones de mi vergüenza, y en cierto modo mi vergüenza les parecía bien porque me dejaba en mi lugar, era parte del orden del mundo.

He odiado a estas personas con toda intensidad, quizá las he odiado más que a las personas que me han hecho sufrir por otra clase de razones seguramente de más importancia. Las personas que han disfrutado al ponerme o al verme en ridículo han sido las más odiadas por mí y nunca las he podido perdonar porque aún no puedo entenderlas. Esto es lo primero que yo les he pedido a las personas, antes de que me quisieran o me dieran premios y recompensas, que no me pusieran en situaciones de vergüenza. Ahora sé que eso es algo que no puede pedirse, porque las personas no llegan tan lejos, y vivir así me ha mantenido en un estado de alerta continua, agotadora, y me ha hecho ser muy exigente con todo el mundo y finalmente muy poco tolerante. Por eso he perdido tantos amigos.

Pero dentro de mi coche, estoy libre de esa vergüenza, o mucho más defendida. Sólo utilizo el coche para esto, para ir a la Biblioteca y a la piscina, y siempre voy por el mismo camino. Y cuando tengo que ir a lugares desconocidos e insólitos, como ha sucedido, por ejemplo, esta mañana, una vez que he decidido ir al entierro de Leandro Aguiar, no tengo más remedio que coger un taxi, porque sé que me perdería camino del cementerio y de todos esos lugares que no puedo localizar exactamente y prefiero asistir enmudecida a la perorata del taxista que encontrarme desorientada en una parte de la ciudad que me parece de pesadilla, que me recuerda a todos esos sueños angustiosos en los que me veo deambulante y perdida. Es curioso, pero a veces me pregunto si la gente que me mira, por rápidamente que sea, con una simple ojeada, cuando voy conduciendo mi coche por las calles y las carreteras, pensará que soy una mujer dinámica y decidida, plenamente integrada en la sociedad, una de esas mujeres a quienes no se les pone nada por delante y que disfrutan salvando obstáculos y barreras. Es curioso, es impresionante, lo mucho que podemos equivocarnos en nuestros juicios.

Lo que de verdad me gusta no es conducir sino estar sola en el coche con la radio puesta mientras me digo, camino de la piscina, que estos campos yermos no son tan horribles, que, bajo la luz del mediodía, tienen algo, un recóndito y desolado encanto. Pero no conduzco bien, eso todo el mundo me lo dice, Guillermo, Carlos y las pocas personas a quienes he llevado alguna vez en el coche. Al parecer soy muy brusca cambiando las marchas y muy indecisa en los adelantamientos, que finalmente resuelvo con excesiva rapidez, con atolondramiento. La verdad es que no se sabe cómo no he tenido más accidentes, aunque he tenido algunos, ninguno muy grave, pero incómodos y perturbadores todos. Odio los accidentes y odio a los conductores agresivos y ofendidos de los otros coches, que me insultan con enorme soberbia aunque no siempre sea yo la culpable del accidente. Algunas veces me he defendido y he gritado e insultado yo también, pero sé que es siempre preferible callar y tratar de aguantar el temporal porque cuanto menos contacto se tenga con estos conductores furibundos mejor, luego me he quedado pensando si en lugar de eso no le hubiera debido responder eso otro, algo más hiriente e injurioso que me hubiera dado a mí al menos la victoria verbal. Es mejor callar, anotar lo que haya que anotar –esos datos que piden las compañías de seguros y que los otros conductores, por muy ignorantes que parezcan, conocen a la perfección–, y marcharse de allí cuanto antes, si es que no hay que esperar a la grúa, como me pasó una vez. Yo trato de ser prudente y de respetar todas las normas de circulación para no tener estos accidentes que me obligan a entablar contacto con los conductores y que luego producen mil incomodidades. Lo más recomendable es no perder la calma mientras se conduce, no hacer caso de las innumerables provocaciones de los otros, dueños de calles y carreteras, no hacer caso de sus gestos, de sus empujones, de sus prisas, no ceder a todas esas presiones entre las que ellos se mueven tan a gusto, como si estuvieran hechas a su medida, adecuadas a sus intereses.

Con todos sus inconvenientes, el coche me ha facilitado la vida y me parece que ya no tengo tantos accidentes como al principio. Pero ahora que Guillermo tiene ya dieciocho años y puede sacarse el carnet de conducir, me complazco con la idea de que alguna vez me llevará a la Biblioteca y desde luego conducirá él cuando algún sábado o domingo vayamos juntos a la piscina. Ya me veo a su lado, despreocupada, habiendo declinado toda responsabilidad, acompañada y sin necesidad de hablar, si no queremos, contemplando el campo yermo y escuchando música, la música sideral que ahora le gusta a Guillermo y que también ha acabado por gustarme a mí.

El tiempo pasa, me digo ahora, al cabo del día, el tiempo ha ido transcurriendo, como he podido palpar esta mañana en casa de Olga, mientras iba reconociendo a las personas que me rodeaban, como lo percibo ahora pensando en la edad de Guillermo y en los pequeños cambios de mi vida dedicada a su observación, cuidado y vigilancia.

No he visto a Luis Arévalo ni a Rafael Uribe esta mañana, me he dado cuenta al final, cuando Olga me ha dicho que había recibido un telegrama de Luis, que se encontraba de viaje, y una llamada de Rafael, también fuera de España en este momento. Una coincidencia, una casualidad. Estos dos hombres de la vida de Olga, y también de la mía, no han estado aquí para darle el pésame en el primer día de su viudez. Pero hasta que Olga no me habló de ellos a mí no se me había ocurrido echarlos de menos, hasta tal punto los he borrado de mi vida.

Ahora, en la soledad de la noche, me alegro de no haberlos visto y creo que el que los dos estuvieran de viaje en este momento y así no hayan podido asistir al entierro de Leandro Aguiar, al que con toda probabilidad hubieran acudido de haberse encontrado aquí, ha sido una suerte para mí, porque no quiero que esas historias resuciten.

Son historias lejanas, pero aún me producen incomodidad.

La de Luis me causó dolor y dañó mi orgullo, pero se acabó de golpe. Alejarme de Luis fue muy fácil. En cambio, alejarme de Rafael fue absurdamente difícil. Cada cierto tiempo, Rafael me llamaba e insistía en que nos viésemos, y la verdad es que ahora veo que hubiera debido negarme incluso a hablar un rato con él. Pero muchas veces sus llamadas surgían en momentos en que yo no tenía a nadie con quien hablar y me asombraba que alguien me hiciera caso y se interesara por mí. Aún tenía necesidad de quejarme y desahogarme. No le vi muchas veces, apenas recuerdo nuestros breves encuentros, pero me acostumbré a sus llamadas de media mañana, me daba ánimos, me daba consejos, aunque luego acabara hablando él e insistiendo finalmente en que nos viésemos, a lo que yo casi nunca accedía, porque el sabor de aquel primer encuentro, que había sido un desencuentro para mí, no había desaparecido. Tantas veces me he negado ya a verle que sus últimas llamadas, desde las que han pasado por lo menos un par de años, fueron impertinentes, casi ofensivas, como si no le entrara en la cabeza que yo no quisiera verle y mis negativas fueran absurdas y sin sentido, por lo cual se sentía en el derecho de acosarme y fastidiarme.

Pero la Biblioteca, que es evidente que ha resuelto mi vida, no ha sido suficiente, y la piscina, que desde luego me ha salvado, tampoco me ha servido todo el tiempo, o porque he tenido que interrumpir la natación a causa de una gripe o un enfriamiento, o porque la piscina ha estado cerrada por obras, y a mí, en este último caso, me ha costado mucho esfuerzo decidirme a ir a nadar a otra piscina, aunque al final he llegado a hacerlo. Y en estas ocasiones se ha recrudecido mi temor por los miedos y desilusiones de Guillermo y me he sentido dominada, inmersa, en una avalancha de impotencia, de incapacidad, en un intenso deseo de renunciar a todo, de no hacer ya absolutamente nada, de dejar que las cosas se acaben por sí mismas, por su propio peso, y ceder, ceder a todo. He tenido la visión de mí misma recluida hasta el fin de mis días en una clínica para enfermos irreversibles y deshauciados, me he visto vestida simplemente con una bata blanca de algodón grueso, andando tambaleante por un pasillo, con el pelo rapado, la espalda encorvada, las manos temblorosas, los ojos perdidos, cruzándome con otros enfermos que tienen los ojos tan perdidos e inexpresivos como yo, que sin embargo me dicen algo, o yo les digo algo, un murmullo, todavía una protesta, quizá todavía haya algo de desesperación. En cambio, los enfermeros apenas me miran cuando pasan a mi lado, ya me conocen de sobra, ya no pueden ofrecerme ningún remedio. Me he visto así, un cadáver que anda renqueante, un alma ya casi acabada aún en pena, y he sentido horror. No me puedo dejar llevar por esta idea, me he dicho, pero no se me ocurría nada, porque la piscina estaba cerrada y yo aún no tenía fuerzas para aventurarme en otra o tenía fiebre y verdaderamente no podía nadar.

En momentos así, he dejado que alguien entrara en mi vida, y así entró Rafael, aunque sólo fuera un poco, algunos ratos y casi siempre por teléfono, pero al final llegué a comprender que su irritación era peligrosa, amenazante, y creo que llegó a hacerme daño. Lo sospeché porque uno de los miembros del Patronato, una vez concluida una de las reuniones mensuales, se me acercó, me cogió un poco por el brazo y me recomendó en tono sincero y preocupado que si yo conocía a Rafael Uribe era mejor que me mantuviera alejada de él porque le constaba que andaba por ahí diciendo cosas sobre mí que podían perjudicarme. Sea lo que fuere lo que usted le haya hecho, que no es de mi incumbencia, me dijo en tono confidencial, él está furioso, es un hombre muy orgulloso y se siente ofendido. ¿Sabe usted?, estos hombres ofendidos están dispuestos a cualquier cosa. ¿Y qué puedo yo hacer?, le pregunté, repentinamente abrumada, sobrepasada, sin reflejo alguno para defenderme, para decir que yo no le había hecho nada a Rafael. Callar y resistir, me dijo.

De manera que ahora me alegro de no haberme encontrado esta mañana a Rafael en el cementerio o en casa de Olga, porque no sé cómo me hubiera comportado, con todos esos extraños rumores que al parecer había lanzado sobre mí. Algunas veces en las reuniones del Patronato he podido observar algunas miradas de suspicacia, he podido escuchar ciertos indescifrables comentarios que me otorgan a mí no sé qué relaciones y conexiones. He mirado entonces al miembro del Patronato que me advirtió una vez que me alejara de Rafael Uribe, lo cual

99

era un consejo totalmente innecesario, aunque ni siquiera tuve tiempo o capacidad de reacción para decírselo, y he vislumbrado en sus ojos un brillo de entendimiento, y también, y eso me ha estremecido, de cierta morbosidad, como si quisiera saber qué había de verdad en todos los rumores que gravitaban por ahí. De todos modos, en momentos así, he seguido el consejo que me dio, callar y resistir.

Todo esto me ha producido fastidio y arrepentimiento y esta convicción que tengo ahora de que por mucho que queramos no podemos huir de nuestros errores, no podemos huir nunca de la vida, que lo abarca y lo contiene todo y nos muestra lo que somos en multitud de espejos distintos. ¡Si pudiera elevarme de golpe sobre todos los errores de mi vida! Pero no han sido errores, sino pasos, la vida nunca puede calificarse de error, por mucho que nos pese. Así es, como al cabo del tiempo, miro hacia atrás y trato de no sentirme arrepentida. No quiero pesos ni arrepentimientos.

Y pienso en Carlos ahora, mientras me digo esto, pienso en Carlos que siempre se me escapa, como sé que yo me escapo de él. Pensar en Carlos me produce un poco de melancolía, me deja una sensación de frustración, de algo que se nos va ante nuestros propios ojos, porque no tenemos el medio de alcanzarlo, se eleva por los aires o se aleja como si se lo llevara la marea, y no podemos sino mirarlo con impotencia y desesperación.

Creía que ya lo había vivido todo o casi todo y creía que ya no me quedaban casi fuerzas, cuando lo conocí. No podré seguir, me decía una y otra vez, y la verdad es que ya le había cogido manía a Azucena y hasta me ponía nerviosa que anduviera siempre en chándal y con la bolsa de deporte colgada del hombro, tan llena de energías y de buen humor, y Alicia, que había sustituido a Lourdes, me resultaba francamente antipática, tan callada y reservada, con sus yogures sagrados en la nevera –cada cierto tiempo, abría la nevera y los contaba– y aquellas ensaladas tan variadas y extrañas que se hacía durante horas, cortándolo todo en trozos pequeñísimos, no sé cómo le podía compensar tanto trabajo ni qué ventaja sacaba de tomarse la ensalada con cuchara. Luego la nevera se quedaba llena de esos restos de ensalada que ella no se decidía a tirar. Les tenía manía a las dos, a Azucena y a Alicia, pero no tenía dinero suficiente como para vivir sola con Guillermo.

A veces me decía que si Jacobo volvía a aparecer, debería intentar un acuerdo con él, hasta llegué a pensar que podríamos compartir casa, cuidar los dos de Guillermo en la misma casa. Sabía que era una idea absurda, pero como era tan irrealizable a veces la consideraba. Jacobo se había marchado de España y no tenía noticias de él. Me llegaba el rumor de que se encontraba en Londres, en París, en Roma... Sus padres me llamaban de vez en cuando para preguntar por Guillermo y algunas veces insistían en verle, de manera que yo me iba con Guillermo a visitarles, pero nunca lo dejé solo con ellos. Tenía la seguridad de que intentaban quitármelo y que un solo día que lo dejara con ellos lo aprovecharían para ponerlo contra mí, para hacerle todo tipo de regalos, para conquistarle. Se lamentaban del comportamiento irresponsable de Jacobo, me decían, me confesaban, atribulados, dolientes, que eso era para ellos una gran desgracia, un gran fracaso –hablaban como si ellos lo sintieran mucho más que yo, como si fuera a ellos y no a mí a quienes se les había roto o complicado muchísimo la vida–, y me ofrecían su ayuda, querían que yo contara con ellos. Pero yo conocía perfectamente sus condiciones, aunque no las expusieran claramente, y no cedí. Me quitarían a Guillermo poco a poco, sin que apenas me diera cuenta, me irían poniendo facilidades, hasta dándome dinero –eso estaba implícito– y de repente un día se quedarían con él porque habrían conseguido que él quisiera quedarse con ellos. No tuve la menor debilidad, pasé algunas tardes merendando pacientemente con ellos, escuchando sus consejos, viéndoles emplear todos los ardides para conquistar a Guillermo delante de mí, y viéndoles fracasar. Ahora que Guillermo tiene ya dieciocho años y ha pasado por completo todo peligro, va a verles algunas veces y, escuchando sus comentarios, aún me felicito de mi vieja intransigencia, de haber podido sortear con tanta determinación los peligros.

Cuando conocí a Carlos, lo único que tenía yo era ese aferramiento a Guillermo, que a veces hasta llegaba a asustarme.

Lo conocí en mi propia casa, vino con un amigo de Azucena y desde ese mismo día nos pusimos a hablar entre nosotros y a separarnos de los demás. Y a los dos nos costó un poco darnos cuenta de que nos habíamos enamorado, tan absortos estábamos, tan sorprendidos, en nuestros diálogos. Pero de repente enloquecí y me empeñé en conquistarlo, en que el amor que sintiera por mí fuera excepcional. Todavía no me había divorciado de Jacobo –fue entonces cuando iniciamos los trámites, lentos y complicados en aquel tiempo, de la separación–, y la familia de Carlos incluso se negaba a conocerme. Una mujer separada que, además, tenía un hijo, no era una novia adecuada. Pero a mí todos esos obstáculos me enardecieron. Carlos casi rompió con su familia y al fin nos fuimos a vivir juntos a una casa de una urbanización de las afueras que sus padres habían comprado para él.

Y esta noche, pasado ya tanto tiempo, lejos de Carlos, y mucho más lejos aún de Jacobo, me digo que tanto el uno como el otro me llevaron a las casas y pisos que sus padres les habían regalado, puesto que a mí nada me dieron mis padres, que no podían darme nada, ni casa ni piso, aunque no fuera eso, desde luego, una casa o un piso, lo que yo les hubiera pedido. De manera que me fui a vivir con Carlos a una urbanización de las afueras y traté de seguir sus consejos. Deja de esforzarte, me decía, deja ya de una vez de ir en busca de trabajos horribles, quédate todo el día en casa, si quieres, cuida del jardín, pasea, no vivas con tantas obligaciones y tantas cargas. Como me asombraba y me gustaba tanto todo lo que decía, cometí el error de creer que ya todas las pesadumbres, todos los malestares y angustias de mi vida se iban a acabar, yo sólo tenía que seguir los consejos de Carlos, dejarme llevar por él, ponerme literalmente en sus manos.

Cuando recuerdo el tiempo que viví con Carlos en aquella urbanización de las afueras, aún me envuelve cierta sensación de felicidad. Sobre todo, recuerdo las noches, la hora de cenar. No sé qué hacía yo exactamente durante el día, pero creo que ni siquiera hacía la compra porque Carlos solía llegar a casa a última hora de la tarde con una bolsa de comida y entonces nos poníamos a cocinar. Para Guillermo, Carlos ha sido el primer padre que ha tenido, y aún creo que tiene todavía más confianza con él que con Jacobo.

La vida es larga, así lo siento esta noche, porque creo que viví tres años con Carlos en aquella urbanización y están ya muy lejos, y cuando los viví ya había otras cosas que quedaban lejos. Ya casi no podía recordar cómo había sido mi vida con Jacobo, y en seguida se me borró mi vida con Azucena, con Lourdes y con Alicia, y ahora me asombran esos tres años tan lejanos, aunque haya vuelto después a convivir con Carlos, pero desde entonces ya siempre en pisos donde antes vivía yo, porque ya no he querido volver a confiar en sus consejos, ya no he querido volver a poner mi vida en sus manos.

Pero aquella primera vez que vivimos juntos, trasladados Guillermo y yo a aquella casa de la urbanización de las afueras, yo pensaba todo el tiempo que Carlos me había rescatado. Mi vida había dado un giro radical. Me sentía protegida y ya no tenía preocupaciones. La vida, que había sido difícil y vertiginosa, se volvía sencilla. Y quizá fue ese sentimiento mío lo que lo estropeó, lo que ha echado a perder ésa y otras veces nuestra relación, nuestra vida en común. Aún no comprendo cómo he podido nunca llegar a pensar que una persona puede rescatar a otra, pero eso es lo que una y otra vez me ha pasado con Carlos y, al mismo tiempo, eso es lo que me ha rebelado, lo que finalmente aún ha dejado las cosas peor de lo que estaban. No sé cuándo me di cuenta de que, a pesar de vivir en aquella casa tan agradable, rodeada de un jardín que cuidaba Carlos mucho más que yo, a pesar de que Guillermo parecía un niño feliz que hubiera vivido desde el primer día de su vida con aquel improvisado padre que acababa de aparecer en su vida, a pesar de no tener que ir de un lado para otro en busca de trabajo ni de tener preocupaciones de dinero ni ninguna otra obligación, no me sentía especialmente aliviada sino, en determinado momento, al final del primer año, cada vez más cansada y llena de dolores. Eso nos desconcertó a los dos, a Carlos y a mí. Entonces empezó un nuevo desfile por las consultas de los médicos, que me remitía a la infancia, cuando mi madre miraba a los médicos con escepticismo mientras éstos me miraban a mí con incomprensión.

Carlos me acompañaba a las consultas de los médicos y luego me hacía seguir al pie de la letra las instrucciones que me habían dado y hacía que tomara todas las medicinas a sus horas, pero se desanimaba mucho más que yo cuando veía que los tratamientos no funcionaban y que los dolores no desaparecían o, si desaparecían, volvían al cabo de unos días, y muchas veces, aunque no lo dijera, me echaba a mí la culpa y estaba enfadado conmigo, convencido de que yo no quería curarme, y casi dejaba de hablarme y se apartaba de mí, haciendo ya su vida sin prestarme atención, fastidiado y resentido contra mí. No estás enferma, me decía, todos esos dolores son imaginarios, no tienes que hacerles ningún caso. Naturalmente, eso me dolía y me exasperaba –más aún, porque, cuando él se ponía enfermo, se creía que se iba a morir y había que clavarse al pie de su cama para llevarle continuamente medicinas, agua, el termómetro, para llamar al médico cien veces al día, para calmarle– y acabábamos, después de habernos insultado y gritado, disgustados y lejanos. Así pasábamos unos días, o quizá unos meses, hasta que, repentinamente, me proponía que consultáramos a otro médico del que alguien le había hablado muy bien y volvíamos a las consultas, yo sin fe, y él esperando un milagro.

Pasado el tiempo, me doy cuenta de que Carlos pertenece a la estirpe de personas que creen que todo dolor tiene curación, porque deriva de una causa concreta, de un órgano dañado que puede sanar o, en caso irremediable, extirparse. Precisamente la estirpe a la que pertenece mi familia, tanto mi madre como mi padre. Siempre que podían, sacaban a relucir, como ejemplo incontestable de su teoría, el caso de mi abuela paterna, que en toda su vida sólo padeció un dolor, unos días de dolor. Y mi madre, que evidentemente no sentía ninguna simpatía hacia esta abuela, cuya ayuda no solicitaba jamás, no dudaba entonces en remitirse a su ejemplo, como evidente demostración de sus convicciones.

De repente, a la abuela, con toda su fortaleza y su esplendorosa salud, la acometieron horribles dolores de cara, del lado izquierdo, creo, y al parecer eran tan espantosos que daba alaridos y se arrancaba el pelo a puñados –imagen que, cierta o no, me estremecía, y se me quedó grabada para siempre–. Visitó a varios médicos y nadie encontraba nada, de manera que todos concluían que debía de tratarse de una enfermedad de los nervios, una de esas dolencias del alma ante las que la medicina convencional se muestra impotente. Pero la abuela no podía admitir esta interpretación y salía indignada de las consultas de los médicos. Por aquellos días se hablaba mucho del misterioso método que el doctor Asuero, un médico de San Sebastián, utilizaba para combatir el dolor. A él acudía gente desesperada, con los más variados dolores, que nadie había podido curar. La abuela no dudó en recurrir al doctor Asuero y consiguió al fin una cita con él. Mis padres estaban recién casados, pero, por lo que fuere, fue mi padre la persona designada para acompañar a la abuela –al evocar este punto del episodio, mi madre torcía el gesto, pues una vez más se demostraba la insensibilidad y el egoísmo de la abuela, su enemistad para con ella: la abuela no invitó a mi madre a que viajara con ellos, no tanto por falta de dinero como de generosidad, estaba claro que prefería ir sola con su hijo–. Y ya tenían los billetes del tren y la reserva del hotel cuando, en una crisis de dolor, y faltando aún una semana para el viaje, la abuela, desesperada, visitó a un dentista –vecino suyo, por lo demás–, que localizó una pequeña infección en la raíz de una muela. Arránquemela, pidió la abuela. Y el dentista no tuvo más remedio que obedecerla. Y así concluyó todo, pues el dolor, que alcanzó su punto culminante la noche de la extracción, y fue tan intenso, tan insoportable, que la abuela creyó que se iba a morir, cesó inmediatamente después. El viaje se canceló y mi padre permaneció junto a mi madre. Pero todos utilizaron este episodio –mi madre más que nadie– como respaldo para sus teorías: todo dolor responde a una causa concreta. El resto son imaginaciones. Y cada vez que a mis hermanos o a mí nos dolía algo que luego el médico podía localizar fácilmente, dictaminando que había que extirpar el órgano enfermo –las amígdalas, el apéndice–, ellos asentían, convencidos y casi satisfechos, porque sus teorías se confirmaban.

Entre consulta y consulta a los médicos, Carlos me daba consejos, cada vez más irritado. Me miraba con ojos de reproche porque ya había comprobado el poco caso que le hacía. De todos modos, él insistía. Debía aficionarme a la jardinería, decía, una vez que no había podido vencer mi resistencia a que siguiera cursos de cocina, debía ser sistemática en mis lecturas y escuchar buena música, asistir a conciertos y conferencias, ver exposiciones, quizá debiera entrar a formar parte de una asociación cultural. Me traía abundante información sobre todo eso y yo le prometía que, si al día siguiente me encontraba bien, iría a alguno de esos sitios, pero nunca fui porque nunca llegué a encontrarme bien. Al menos, puedes pasear, decía, no te quedes encerrada en casa. Pero pasear sola me daba miedo, ése era el problema. Había buenos sitios para pasear alrededor de la urbanización, pero nadie paseaba por aquellos campos y, en cuanto se perdían de vista las casas de la urbanización, a mí me daba la sensación de que era la última habitante del planeta. No sé qué sentía con más fuerza, miedo o soledad. Llévate a Black contigo, me aconsejaba Carlos. Black era su perro. Se hizo muy buen amigo de Guillermo, pero conmigo no quería saber nada. Yo tampoco le hacía ningún caso, de manera que cuando una tarde me aventuré a seguir el consejo de Carlos y salí con Black a pasear volví verdaderamente agotada. Al pasar por delante de las otras casas, los otros perros ladraban y se llegaban hasta la verja, amenazantes. Black tiraba de la correa con tanta fuerza que me costaba sostenerme en pie. Cuando llegamos al campo, lo solté, y luego fue casi imposible volverlo a atar. Fue una experiencia espantosa, que me enemistó definitivamente con Black.

Tampoco conseguía aficionarme a la música. Carlos, en cuanto se despertaba, ponía una sinfonía y envuelto en esos acordes se duchaba, se vestía y desayunaba. Yo me levantaba un momento, para despertar a Guillermo y vestirle, y luego los dejaba desayunando en la cocina, porque les costaba salir de casa y yo estaba deseando volver a la cama. Oía el ruido de la puerta al cerrarse y al cabo de un rato la conclusión de la sinfonía. Aquel silencio de repente me producía un inmenso alivio y me parecía que el día entero iba a ser estupendo, un día al fin distinto, sin sufrir ningún tipo de dolor, porque era un día de sol y se escuchaba el canto de los pájaros, y Black debía de estar dormido al fondo del jardín, porque no se le oía, y yo era libre y podía hacer lo que quisiera.

Al fin me levantaba y, en medio del desayuno, me pesaba de golpe el silencio en el que todos los pequeños ruidos se podían distinguir con tanta nitidez, se me caían encima todos esos sonidos que en realidad sólo servían para subrayar el silencio y la soledad que me rodeaban. Entonces ponía la radio, porque me ataba un poco al mundo y porque no tenía una música predilecta que me gustara escuchar. Las sinfonías, que Carlos escuchaba con tanta entrega, moviendo muchas veces el brazo, como si llevara él la batuta, no me gustaban, me abrumaban y me agotaban. Y el pop norteamericano, al que Carlos era también muy aficionado, me cansaba y me aburría. Quizás es que yo no tengo gustos musicales, me decía, aunque algunas de las canciones que ponían por la radio repentinamente me producían una gran emoción. A Jacobo le gustaba la música francesa y las canciones napolitanas y cuando yo escuchaba algo que me las recordaba, pensaba que a mí también me gustaban, más las napolitanas que las francesas que, mientras había vivido con Jacobo, sonaban en nuestra casa sin parar y que me habían aburrido y cansado como ahora me aburría y cansaba el pop, sólo que ahora estaban lejos y por eso me reconciliaba un poco con ellas.

Yo no había tenido tiempo para saber qué música me gustaba. Sin embargo, alguna de esas canciones de repente me conmovía. Y de toda la música que he ido escuchando mientras viví con Jacobo y luego con Carlos, y siempre con Guillermo, tan aficionados a la música los tres, aparte de alguna de esas canciones napolitanas de las que Jacobo tenía una gran colección, e incluso alguna de las canciones pop preferidas de Carlos y hasta de alguna balada de las pocas que tienen los grupos de rock duro al que mi hijo Guillermo es tan aficionado, no sé por qué, de entre todo eso, me quedo con la música reagge, porque me resulta una música invasora, o porque los cantantes parecen poseídos de verdad o de fe o de algo esencial cuando la cantan, y yo quisiera estar poseída como ellos. Aunque mi afición no me ha llevado nunca a una tienda a comprarme música reggae. En realidad, no ha hecho falta. Guillermo tiene una buena colección de música reagge, aunque no sea su preferida. Yo convivo con la música que le gusta a Guillermo, que le ha ido gustando a lo largo de los años, como he convivido con las que les gustaban a Jacobo y a Carlos, y la verdad es que los gustos de Guillermo no me parecen peores que los de Jacobo o los de Carlos, aunque estoy segura de que tanto uno como otro se escandalizarían de ellos y encontrarían esta música que pone continuamente Guillermo demasiado ruidosa. Últimamente es una música que parece sideral, como si procediera de un lugar inhabitado, extraterrestre. Y a mí ha llegado a gustarme esta música sideral.

Cuando estoy sola en casa, casi siempre conecto el dial de música clásica, pero lo cambio en cuanto ponen una sinfonía. Por la época en que vivía con Carlos, me gustaban mucho los cuartetos de cuerda, y aún me gustan, como me gustan las sonatas y algún que otro concierto para piano. ¡Qué días tan largos aquéllos, sólo con la compañía de la música de la radio, cambiando de dial cuando una u otra clase de música me cansaba!

Carlos, en cambio, tenía muchas aficiones, no sólo la música, o pasear a su perro y hablar con él como si fuera una persona, sino que de repente le acometía una pasión por algo. La fotografía, por ejemplo. Se compraba todo tipo de adminículos para la cámara de fotos, y nuevas cámaras de fotos, hasta llegó a instalar en casa un laboratorio de revelado. Me sacaba fotos que él consideraba muy artísticas y expresivas y, aunque a mí nunca me han sacado muchas fotos, puedo decir que las que me sacó Carlos por aquella época son las peores que me han sacado nunca, en las que se me ve más espantosa y de algún modo desahuciada.

¿Qué hacía yo durante todo el día? No lo recuerdo. Sólo esperar la hora de ir a buscar a Guillermo al colegio.

Al fin, tuve una amiga, que vivía dos calles más arriba, y que también iba al colegio por las tardes a recoger a sus hijos. Tenía cuatro. Algunas veces venía a pasar la tarde en casa, otras iba yo a la suya. Clara tampoco vive ya en esa urbanización, la dejó unos meses antes que yo, convenció a su marido de que volvieran a vivir en el centro de la ciudad, donde habían vivido antes. Clara ahora me cansa terriblemente, no sólo por las innumerables veces en que se queja de la vida, sino más aún cuando se encuentra en ella como pez en el agua, y se ríe, al otro lado del hilo telefónico, sin ton ni son, y ha visto una película estupenda, que por lo que dice me parece horrible, y ha leído una novela estupenda, que también por lo que me dice tiene una pinta espantosa, y ha salido a cenar con unos amigos estupendos, con quienes no ha parado de reírse, y a mí, sólo de imaginarlos, a tenor de sus bromas y chistes, se me ponen los pelos de punta. Y lo que más me cansa de todo es cuando me habla de su marido, del que continuamente se está quejando, porque es de un egoísmo descomunal y además siempre ha tenido la sospecha de que le es infiel, pero al que de repente alaba y elogia de una manera que me resulta repulsiva, y dice que en el fondo es el hombre más bueno del mundo, el más generoso y desprendido, el más inteligente, el que suscita siempre la admiración en las reuniones sociales a las que con tanta frecuencia asisten. Es el que mejor expresa sus opiniones y quien lo analiza todo con más claridad, ya sean asuntos de política como de economía y hasta de arte, asunto éste en particular del que pondría yo la mano en el fuego que el marido de Clara Ríos no entiende nada en absoluto; es, en fin, el que tiene más conversación, el que hace las observaciones más oportunas y mueve las manos con más elegancia.

Mientras la escucho, mientras la veo hablar, tengo que hacer un esfuerzo para recordar de qué hablábamos Clara y yo en las lentas tardes que pasábamos juntas en aquella urbanización donde las dos vivíamos. Y sobre todo para recordar que entonces yo no me cansaba nada al escucharla sino que, por el contrario, estaba convencida de que había tenido mucha suerte de encontrarla allí, tan cerca de mi casa, y poder pasar así las tardes juntas. Ella también me lo decía, la suerte que había tenido de conocerme, porque nunca había conocido a nadie como yo, con quien poder hablar de tantas cosas sin dar muchas explicaciones, nunca había conocido a nadie que la entendiera tanto y que comprendiera todas sus angustias e insatisfacciones. Seguramente hablábamos de nosotras, de nuestras vidas, seguramente intercambiábamos recuerdos y sensaciones, y las dos queríamos que nuestras vidas cambiaran de repente, siempre lo habíamos querido, y siempre también habíamos tenido miedo.

Sí, la recuerdo, recuerdo a Clara Ríos como era entonces y lo que significó para mí, lo importantes que eran esas tardes en las que el tiempo se detenía y se repetía y las dos teníamos la sensación de estar presas en aquella urbanización, en nuestras casas con jardines. ¿Viviremos siempre así?, nos preguntábamos, ¿por qué esta vida nos produce tristeza? No éramos felices ninguna de las dos y nos pasábamos las horas diciéndolo, reclamando algo.

Pero ya no puedo escucharla, ni mucho menos verla. Nos vimos algunas veces al principio, cuando estábamos las dos de nuevo instaladas en el centro de la ciudad, lejos ya de la urbanización donde nos habíamos conocido y donde nos habíamos lamentado tanto. Quedábamos a la hora de comer en un restaurante chino, y, después de una conversación errática, acabábamos evocando aquellas tardes en su casa o en la mía, rodeadas de nuestros hijos, de desorden, tomando café recalentado, hablando sin parar, como si hubieran sido las tardes más felices de nuestra vida, como si ahora también hubiéramos perdido eso.

Yo llegaba a casa dolorida y mareada, pero nunca le decía a Clara todo lo mal que me encontraba, porque ya no tenía confianza con ella, porque Clara ya había empezado a mezclar las lamentaciones con las más súbitas e intensas alegrías. Me miraba con extrañeza, mi vida entera le parecía mal. Estar sentada en la silla rígida del restaurante chino había sido como estar sentada en una silla del Somos, otra vez disimulando, otra vez luchando por no caerme, por no expresar mi malestar. Ya en casa, me echaba sobre la cama, sin fuerzas para llorar, pero maldiciéndome por no haber sabido negarme, por no haberme levantado de pronto dejando a Clara con la palabra y la comida en la boca, por no decirle de una vez que yo ya no podía comer con ella ni con nadie, que no podía alejarme ni un milímetro de los hábitos que habían ido estableciéndose en mi vida.

No sé por qué me llamaba de vez en cuando, no sé por qué persistía en aquellas evocaciones de nuestra época de la urbanización, qué creía que había en ellas que todavía significara algo. Se puso muy contenta cuando conseguí el trabajo en la Biblioteca y aún quedamos a comer dos o tres veces más.

Siempre decía que pasaría a recogerme a la Biblioteca, para conocerla y ver dónde trabajaba yo y cómo era mi despacho, pero luego, a última hora, me llamaba para decirme que se le había hecho tarde y que nos veríamos directamente en el restaurante chino.

La última vez que me llamó para que comiéramos juntas, yo ya había empezado a nadar todos los días y, aun cuando todavía no me suponía una verdadera perturbación cambiar los planes y hubiera podido ir a nadar a otra hora e incluso hasta dejar de ir un día a nadar, el recuerdo de aquellas comidas lentas en las que en realidad no hablábamos de nada hasta el final, cuando repetitivamente volvíamos la mirada hacia el tiempo lejano de las tardes en la urbanización, me hizo inventarme una excusa. Ya me había decidido a no volver a pasar por el cansancio, el dolor y el mareo que me producían aquellas comidas con Clara, la única persona con quien todavía me citaba para comer; no quería volver a sentir su mirada de extrañeza sobre mi vida entera ni escuchar ya aquella sarta de lamentaciones que de repente se convertían en entusiásticas loas a su marido o a sus hijos o a su casa o a sus amistades. Entonces su mirada de extrañeza se acentuaba, como si me estuviera diciendo, acusatoria: No eres capaz de vivir como los otros, como las personas felices. Y eso era exactamente lo que me había dicho siempre de sí misma, en las tardes de la urbanización y hacía dos minutos.

Perdí a Clara, que sin embargo aún me llama por teléfono dos o tres veces al año, quién sabe por qué, en un momento en que se siente triste, desanimada o melancólica, y así me ha ido dando noticias de su vida durante estos años, y han vuelto algunas veces a llegar hasta mí sus sospechas sobre las infidelidades de su marido, y alguna que otra aventura amorosa que ella misma ha tenido y por la que ha estado a punto de abandonarlo todo, de iniciar una vida junto a alguien que le interese y la comprenda de verdad, y verse libre al fin de las cadenas que la unen a su egoísta e infiel marido, vengarse de él, dejarlo en la calle, arrebatarle los hijos y la casa y los coches, devolverle todas las humillaciones y el abandono que ha sentido ella día tras día. Y han llegado también hasta mí las desilusiones

111

que le han causado las aventuras y los deseos de romper con su marido e iniciar una nueva vida al lado de un hombre mucho mejor, porque no hay hombres mucho mejores que otros, no hay una vida mejor, eso concluye Clara, no hay ninguna esperanza, por eso teníamos tanta razón de lamentarnos tanto, aunque sean envidiables las personas felices, quizá sean ellas las mejores de todas, y por eso su marido es probablemente el mejor hombre con quien se puede vivir, un hombre en el fondo lleno de buenas intenciones, y muy generoso, que nunca mira el precio de las cosas, que en los santos, cumpleaños y aniversarios de boda, la cubre de regalos valiosos, de joyas, de abrigos de piel, un hombre que sabe muy bien en qué lugar del mundo se sitúa y con quién debe aliarse y a quién debe apoyar, un hombre que habla con discursos, satisfecho de sí mismo. Las personas satisfechas de sí mismas son sin duda las mejores, concluye Clara.

Es verdad que ya no puedo escucharla, ni mucho menos verla, pero la recuerdo, y algunas veces me sorprendo a mí misma pensando en aquellas tardes ya tan lejanas de la urbanización donde las dos vivimos durante unos años, esas tardes de café recalentado y gritos de niños y mucho desorden a nuestro alrededor, tardes de quejas y reclamaciones, y me parecen tardes extraordinariamente felices, como yo veía que a ella se lo parecían las veces que comimos juntas en el restaurante chino mientras yo me sentía extrañada de que ella las recordara así y me empezaba a doler el cuerpo hasta llegar a temer caerme de la silla, como en el Somos. Y creo que alguna vez, en medio de la tarde, llegamos a pensar, y hasta a decir, que la mejor idea de todas sería que nos fuésemos a vivir juntas, y aunque estoy segura de que no hubiera sido una buena idea, sé que en aquel momento nos lo pareció, me lo pareció a mí, porque me gustaba escuchar las quejas de Clara, y analizar la vida y hacernos preguntas sobre cada una de las decisiones que habíamos ido tomando, sobre las cosas que habíamos perdido y el significado de lo que aparentemente teníamos y esas miradas de intriga y temor que aún arrojábamos sobre el futuro.

Y, llevada por toda esa nostalgia, alguna vez he llamado yo misma a Clara. Unas veces me he arrepentido nada más escuchar su voz, remota y desinteresada, pero otras me he encontrado con una interlocutora cuya voz resuena llena de convencimiento, como si conociera el secreto de las cosas. Tú sabes quién eres, me dijo una vez, te has centrado en ti misma y no dependes de nadie, en cambio, yo no tengo ni idea de quién soy, la mayoría de las personas no saben quiénes son. Y añadió: tenemos que vernos, tenemos que quedar a comer. Aunque Clara no tenga razón, aunque yo no sepa quién soy, aunque ninguna de las dos deseemos en el fondo –o no lo volvamos a desear– vernos de nuevo ni comer juntas, sus palabras se guardaron dentro de mí como si tuvieran algo de verdad.

Clara se fue de la urbanización unos meses antes que yo. Mis días se hicieron mucho más lentos. Yo iba a recoger a Guillermo al colegio y volvía después a casa paseando por las calles de la urbanización, mirando con asombro, con perplejidad, esas otras casas y esos jardines tan cuidados, donde sin duda vivían familias felices. Y cada vez me sentía más ahogada, más perdida dentro de mí misma, precisamente sin saber quién era yo. Sólo el dolor me daba la conciencia de mí misma, sólo el cansancio y la desesperación. Y hasta llegué a pensar que por eso padecía dolor y cansancio tantas veces, para saber que todavía era yo, una persona cada vez más disuelta, pero aún distinta de las demás. En la misma lucha contra el dolor me reconocía también, en cierto modo la lucha me parecía admirable y eso me daba fuerzas, porque puede que necesitemos admirarnos a nosotros mismos en algo.

Recuerdo una noche en que me desperté envuelta en sudor pero extraordinariamente tranquila. Todo dolor había desaparecido y yo tenía la sensación de flotar, de moverme dentro de un espacio ingrávido. Carlos dormía a mi lado, respiraba profunda y regularmente. Me levanté y me asomé al cuarto de Guillermo, me incliné sobre él y durante unos minutos estuve contemplando su sueño, también tranquilo y profundo. Me eché un chal sobre los hombros y salí al jardín, aunque hacía un poco de frío. Se vislumbraban las sombras de las otras casas, de los otros jardines. Miré el cielo estrellado, que parecía concebido especialmente para nosotros, los pobladores de la urbanización. No sé el tiempo que permanecí allí, yo creo que sin pensar en nada, sólo sintiendo un poco de frío en el cuerpo, lo que me resultaba muy agradable, y abandonada a la sensación de no sentir dolor alguno, de estar flotando. Supongo que, conscientemente o no, tuve miedo de coger un resfriado y al fin me metí en la casa, pero no tenía ningún sueño, de manera que recorrí despacio los cuartos, sentándome aquí y allá, volviéndome a levantar y a recorrer la casa.

En el cuarto de baño, me miré al espejo, me examiné la cara muy de cerca, me repetí muchas veces mi edad. Ni siquiera tenía treinta años, con todo lo que ya me parecía que había pasado en mi vida, aunque ahora ya no sabría decir qué creía que me había pasado porque, aunque ahora tenga bastantes años más, ni siquiera me parece tener muchos años, como me pareció aquella noche en que estuve tanto rato mirándome al espejo casi sin poderme reconocer. Por el contrario, ahora creo que estos años que tengo son pocos y que, asimismo, he vivido poco, y todos estos recuerdos del pasado que vienen hacia mí de vez en cuando, como están viniendo esta noche, convocados por el extraño, inesperado rato que he pasado en casa de Olga, me sorprenden y asombran al principio, como si no fueran míos, como si no fuera yo del todo la persona que está dentro de ellos.

Pero aquella noche me sentí cargada de años vacíos, habiendo gastado ya mucha vida, terriblemente asustada de seguir siempre así, y no sé de dónde me vino la fuerza, el convencimiento de que me tenía que ir de allí cuanto antes, no podía seguir esperando eternamente a que Carlos me rescatara, era como si él estuviera viviendo por mí, decidiéndolo todo por mí. Ya no veía el amor que me había empujado hacia él, y me dolía no verlo, porque sospechaba que yo misma lo había ahogado con mi desesperación, con mi necesidad de dejarlo todo en sus manos. Casi lo odiaba, ¿cómo Carlos, en quien había confiado tanto, no había resuelto mi vida?, ¿cómo se empeñaba aún en darme aquellos consejos tan superficiales y equivocados?

Al fin, al amanecer, volví a la cama y me quedé dormida y seguí durmiendo durante toda la mañana y por la tarde estuve pensando en todo lo que por la noche le iba a decir a Carlos, que a ratos me parecía muy sencillo y muy fácil de entender y otras veces ni siquiera a mí misma me lo podía explicar.

Después de haberlo pensado tanto, de haberle dado tantas vueltas, de haber repetido las palabras dentro de mí como si se tratara de un discurso, cuando tuve a Carlos delante de mí y empecé a hablar, comprendí en seguida que el problema principal no era que Carlos lo entendiera o no, puesto que en definitiva no había tanto que entender, sino que lo aceptara. Me fui quedando poco a poco estupefacta y enmudecida, porque vi que Carlos se creía con derechos sobre Guillermo y sobre mí y hasta llegó a decirme que era yo la que no tenía derecho a proporcionar a Guillermo esa vida de incertidumbre que le esperaba si me marchaba, puesto que en realidad yo no tenía ningún sitio adonde ir ni ningún proyecto de trabajo ni había previsto ninguna forma de ganar dinero.

Había puesto tanto empeño en tratar de comunicar a Carlos mis sensaciones de la noche, en ordenarlas y ver yo misma con claridad, que no se me había ocurrido que los detalles de mi marcha fueran tan importantes. Así que no pude replicarle nada, sólo que de todos modos me iría, porque de eso estaba cada momento que pasaba más convencida. Sentía verdadera necesidad de irme de allí y no podía comprender cómo había confiado tanto en Carlos ni cómo había podido alguna vez creer que era feliz con él. Finalmente, descubrí que me miraba con odio, incluso llegué a pensar que lo que quería de verdad era matarme. Y comprendí que si los matrimonios perduran es, en muchos casos, por no tener que darse explicaciones, por no hablar y analizarlo todo, lo que siempre resulta insoportable para los dos, el que se va y el que se queda, y que, de establecerse que los matrimonios y parejas se deshicieran tan pronto como uno de sus miembros lo quisiera, y nadie esperara, porque no entrara en nuestras costumbres, ninguna palabra de explicación, muchas personas habrían roto más de una vez su convivencia con otras.

He tenido luego mucho tiempo para reflexionar sobre la imprevista reacción de Carlos y quizá hasta he llegado a entenderla. De la noche a la mañana, sólo porque al parecer yo había tenido una especie de revelación, sus planes se vinieron abajo, la vida se le vino abajo. En ningún momento de aquellos tres años, a pesar de que me veía cada vez peor, se le había pa-

115

sado por la cabeza la idea de que él fuera algo ajeno a mi vida y de lo que yo súbitamente pudiera prescindir. Y aún creo que algo de esto le sigue sucediendo ahora, o le ha sucedido las otras dos veces que en estos años se ha venido a vivir con nosotros durante una temporada. Y de hecho he vuelto algunas veces a descubrir en el fondo de sus ojos esa mirada de odio y esos deseos intensos de matarme. Creo que cuando está conmigo, cuando vive conmigo, no puede renunciar a la idea de que soy parte de él y le duele y le ofende profundamente que me ponga en su contra, porque no puede concebir que yo no vea todo lo que él me da o está dispuesto a darme, de manera que al menor atisbo de una oposición mía se pone sobre aviso y receloso. Y, naturalmente, él no ve lo que no me da, lo que de ninguna manera puede darme cuando se refugia tranquilamente en sus aficiones, olvidado de todos mis males, cuando niega mis enfermedades, cuando se cansa de mis quejas y me mira, harto, superado.

No tengo ya ninguna esperanza de que podamos volver a vivir juntos porque cada uno a nuestra manera somos muy cerrados y no cedemos ni un ápice, pero algunas veces todavía me gusta hablar por teléfono con él, porque en muchísimas cosas estamos absolutamente de acuerdo. Algunas veces le hago la crónica de las reuniones del Patronato o le hablo de los comisarios políticos y después nos quedamos un buen rato hablando de todo lo que pasa, de la vida política y de la vida cultural, de personajes, exposiciones y libros. Y también le hablo mucho de Guillermo, le he ido haciendo partícipe de todos mis miedos y la verdad es que él nunca ha llegado a desentenderse de Guillermo. A su manera, él también ha estado vigilándole y espiándole, más o menos cerca de mí. Él sí conoce la Biblioteca, en cuanto conseguí este trabajo vino a verme e hizo que le enseñara todo el edificio y este empleo le ha producido a él casi más contento y satisfacción que a mí misma. Aparece de vez en cuando, a última hora de la mañana, cuando sale de su oficina, justo antes de que yo me vaya a nadar y, desde que he cambiado el horario, ha venido a verme una vez a la caída de la tarde y hemos bajado un momento a la cafetería porque quería tomarse una copa y ha querido ir a la cafetería, aunque hubiéramos podido tomar las bebidas en el despacho.

Pero yo prefiero mantener la distancia, prefiero pensar que es de los pocos –yo creo que el único– amigos que me quedan, y no esperar mucho ni llamarle con demasiada frecuencia, no llegar a desear que aparezca de pronto una tarde en que la Biblioteca se me caiga encima. No quiero volver a pensar que alguien puede resolverme la vida, ni volver a pasar por la desilusión que me invade cuando, ya dispuesta a no hacer nada, a dejarme llevar y aconsejar, veo que la otra persona se desentiende de mí y se encierra en sí misma, como si ya hubiera hecho suficiente.

Pero a veces llego a desear que Carlos aparezca en la Biblioteca, porque la Biblioteca de repente se me cae encima, ésa es la verdad, las horas transcurren lentas y vacías y yo vuelvo a pensar, como los primeros días, que no tengo nada concreto que hacer allí, y que por muy bueno que sea este empleo y por mucho que con toda evidencia haya resuelto mi vida, no soy capaz de inventarme lo que tengo que hacer, las órdenes que tengo que dar y las decisiones que tengo que tomar, porque ni quiero dar órdenes ni tomar decisiones, y sobre todo no sé qué hacer exactamente durante las horas y horas que permanezco en el despacho. ¿Qué haría ahora yo si no tuviera este trabajo?, me pregunto entonces, ¿es que preferiría emplear las horas acometiendo asuntos absurdos, como ha sucedido tantas veces en el pasado, asuntos que no tenían el menor interés y que además eran muy fatigosos, como hacer encuestas de puerta en puerta, por ejemplo? Y aunque sé que sencillamente ya no podría hacer eso, e incluso me maravillo de haber tenido alguna vez aquellas fuerzas que me llevaban de un lado para otro, no puedo evitar sentir a veces un profundo desconcierto, un profundo desasosiego, que seguramente hubieran acabado por invadir mi vida con consecuencias verdaderamente desastrosas –es muy posible que hubiera tenido que renunciar incluso a este trabajo–, si no me hubiera aficionado de una manera tan contundente, quizá tan exagerada, a la natación.

Siempre recordaré aquel primer día en que me aventuré al fin en esta piscina que es ya mi auténtico soporte en la vida, y cómo mientras nadaba lentamente a braza, que era la única forma en que por entonces nadaba yo, sentí que el peso de la vida se disolvía o hacía muy ligero, dejé de sentirlo dentro de mí y di vueltas y vueltas en la piscina perdiendo toda sensación del tiempo; yo misma me disolví, y si acaso pensé en algo mientras nadaba, cosa que ahora ya no puedo recordar, sé que todo se deslizaba fácilmente dentro de mi cabeza, como yo me estaba deslizando por el agua.

La segunda vez fui con un poco de miedo, porque no me acababa de creer que aquella primera sensación pudiera repetirse de nuevo, pero se repitió y aun mejoró, y lo supe desde el mismo momento en que puse el pie en los vestuarios y respiré aquella atmósfera de humedad que lo impregnaba todo y vi el suelo un poco mojado y las perchas abandonadas en los colgadores y algún objeto perdido o dejado allí porque estaba roto, unas gafas, un gorro, un pañuelo, y todo ese escenario me pareció perfecto, casi la antesala del paraíso, porque de nuevo estaba yo sola en él y había permanecido casi invariable para mí.

Al principio miraba al socorrista con desconfianza y recelo, como si fuera un estricto y molesto vigilante que probablemente se reía para sus adentros de nuestra torpeza, la de los nadadores primerizos, porque yo nunca había aprendido a nadar bien, a causa, sobre todo, de mi dificultad para respirar, de mi miedo a asfixiarme, a ahogarme. En cambio, mis dos hermanos mayores siempre habían sido excelentes nadadores. Se sentían orgullosos de su gran estilo de crol, que todo el mundo admiraba, y sobre todo de sus saltos en el trampolín. Su caída en el agua era impecable y sus saltos mortales cortaban la respiración. Naturalmente, participaban en muchas competiciones del Club, y habían ganado bastantes copas. No creo que nunca tuvieran profesor, o yo no lo recuerdo, creo que aprendieron por su cuenta, a base de estar horas y horas en el agua y horas y horas tirándose del trampolín. Pero yo sólo aprendí a nadar a braza, porque temía tropezarme con otras personas en aquella piscina llena de gente y, nadando a braza, se veía un poco el panorama. Ninguno de mis hermanos mayores me enseñó nunca a nadar ni a tirarme de cabeza o dar extraños saltos en el trampolín, y desde luego no tuve nunca profesor. Supongo que disfrutaba echándome al agua en los abrasadores días de calor, pero yo no duraba mucho en la piscina. Había demasiado jaleo allí y alguna vez que alguien cayó encima de mí, o que uno de mis hermanos, medio en broma, me empujó o incluso llegó a hundirme dentro del agua, me entró un pánico tan espantoso que estuve luego varios días sin quererme meter en la piscina y para refrescarme, porque en aquel Club no había demasiadas sombras, me duchaba continuamente. Pero todos esos recuerdos desaparecieron en seguida, como si hubieran sido un error, un malentendido. Esta piscina nada tenía que ver con la piscina del Club, siempre abarrotada de gente. Para empezar, es una piscina cubierta, y eso le quita ya ese ambiente de calor veraniego, de olor a aceites bronceadores, de las interminables sesiones de sol alrededor de la piscina del Club, sobre el precario césped. Dentro de la piscina del Club, yo pasaba miedo y en seguida frío. Fuera, calor y aburrimiento. Pero en verano mi madre no sabía qué hacer con nosotros, y en cuanto el colegio se acababa, a media mañana, cargada con una bolsa de bocadillos, fruta y una botella de gaseosa, nos llevaba al Club, donde pasábamos el día. Regresábamos al atardecer, cuando el calor remitía, exhaustos y aún acalorados, medio adormilados por el traqueteo del tranvía. Cuando mi padre tuvo al fin coche, nos iba a recoger a última hora de la tarde, se daba un baño rápido y volvíamos a casa asombrados de habernos liberado del lento y somnoliento trayecto en tranvía.

Sólo ahora, esta noche, pienso en la piscina del Club y en las interminables horas que pasábamos a su alrededor los días del verano. Nunca se me ha ocurrido relacionarla con la piscina cubierta del polideportivo que, además, está dividida en calles por tiras de pequeños flotadores de plástico. ¿Qué dirían mis hermanos mayores si supieran que al fin he aprendido a nadar a crol y a espalda? Hace tanto tiempo que no les veo que ya ni imagino su reacción, aunque lo más probable es que se encogieran de hombros, porque ellos hace tiempo que dejaron de nadar y de tirarse del trampolín, y eso les puede parecer una historia pasada.

Sin embargo, Nacho, mi hermano pequeño, es también un

119

buen nadador aficionado y algunos fines de semana ha venido conmigo y con Guillermo a la piscina. No sé si tengo muchas cosas en común con él, como pude comprobar cuando me fui a vivir una temporada al piso que compartía con unos amigos, porque no tenía ningún otro sitio adonde ir. Quizás había esperado algo más de él, por poca esperanza que tuviera yo por entonces, o a lo mejor es que él tenía también sus propios problemas en aquel momento, pero aquellos meses no suponen un recuerdo agradable. No hemos vuelto a hablar de ellos, pero tengo la sospecha de que Nacho es consciente de que aquélla no fue una buena época ni para él ni para mí y creo que ya nunca se le pasará por la cabeza la idea de que vivamos juntos. Aunque fui yo quien entonces se lo propuse; fue lo único que se me ocurrió cuando dejé la urbanización en la que Guillermo y yo vivíamos con Carlos, pedirle a Nacho que me hiciera un hueco en su piso. Él inmediatamente me dijo que sí, que nos arreglaríamos como pudiéramos, pero lo cierto es que no se le ocurrió a él, aunque ya no se lo reprocho, bastante hizo con acogerme en su piso.

Tengo de esos días lejanísimos pasados en el piso de Nacho un recuerdo muy confuso. Ni siquiera sé exactamente el tiempo que pasamos allí, un par de meses, tal vez. Guillermo y yo dormíamos en una habitación muy pequeña que daba a un patio interior. Durante el día no había nadie en la casa. Guillermo y yo pasábamos las tardes viendo la televisión, una televisión pequeña, en blanco y negro, y nos conocíamos los horarios, la música y los nombres de los protagonistas de todas las series. Éramos muy aficionados al Superagente 86. Aunque en aquel piso vivía mucha gente, tengo la impresión de que Guillermo y yo éramos los únicos que pasábamos las tardes en casa.

Ni siquiera ahora sé muy bien cómo es la vida de Nacho, ni si las cosas le van bien, mal o regular; a veces menciona a una chica de una forma que hace pensar que es su novia y que incluso viven juntos, pero puede pasar mucho tiempo sin mencionarla y yo no sé si llego nunca a preguntarle por ella. Me parece que cuando me llama para ir conmigo a la piscina es porque ella se ha ido a alguna parte o se ha ido por completo. A lo mejor no se trata siempre de la misma chica.

A mí me gusta ir con Nacho a la piscina. De entrada, nos viene a buscar a casa, y durante el trayecto no para de hablar de música moderna con Guillermo. En el radiocasete del coche, ponen los dos las cintas de sus conjuntos musicales favoritos, y eso también ha contribuido a que yo haya llegado a hacerme un poco entendida en esa clase de música que en general, seguramente con razón, a la gente de mi edad le parece espantosa, y tenga también mis conjuntos y canciones favoritas. Nacho alaba este paisaje de campos yermos que a mí antes me parecía horrible y que poco a poco ha empezado a gustarme, al menos, ya no me parece tan horrible. A Nacho le gusta toda clase de paisajes, porque le gusta la naturaleza, y se fija mucho por ejemplo en el cielo, en las formas y tonalidades de las nubes, en los reflejos del sol aquí y allá, de manera que Guillermo y yo, gracias a él, cuando vamos solos, hacemos también comentarios sobre el cielo y las nubes.

En cuanto Nacho aparece en el recinto de la piscina, con el gorro y las gafas en la mano, deja escapar alguna frase de entusiasmo por la poca gente que viene a esta piscina, por lo limpio que está todo, por lo simpáticos que son el recepcionista y el socorrista, por la magnífica claridad que inunda el espacio y el magnífico paisaje que se ve al otro lado de las cristaleras. Qué suerte tienes, me dice. De tener esta piscina cerca de donde trabajo, yo también nadaría todos los días. Yo ignoro la clase de trabajo que tiene Nacho, porque nunca hablamos de trabajo, ni del suyo ni del mío. Cuando veo a Nacho con el gorro y las gafas puestas pienso que aún nos parecemos, incluso puede que nos parezcamos al nadar, una vez que yo he aprendido a nadar, mirando a los demás y siguiendo los consejos que me fue dando el primer socorrista, Alex. Algunas veces hacemos carreras y nos cansamos muchísimo, por lo que luego nos quedamos un rato flotando sin hacer nada.

Nacho nos vuelve a dejar a la puerta de casa y ya no volvemos a saber nada de él hasta que irrumpe de nuevo otro fin de semana. Es curioso, hemos comentado más de una vez, que nosotros, los hermanos pequeños, a quienes antes casi nos espantaba la piscina, hayamos acabado siendo tan aficionados a la natación mientras que nuestros hermanos mayores, auténticos campeones de natación, que tenían las repisas de su dormitorio llenas de trofeos, hayan dejado absolutamente de nadar, y eso nos pone muy contentos, como si les hubiéramos vencido.

En uno de estos trayectos de casa a la piscina o de la piscina a casa Nacho me dijo que de pequeño siempre había tenido la impresión de que yo no paraba de hacer cosas, y de que pasaba muy poco tiempo en casa. Creí percibir en sus palabras cierto tono de reproche, como si, en su calidad de hermano pequeño, hubiera esperado de mí mayor apoyo y complicidad, y eso me dejó pensativa, ya que en cierto modo yo también hubiera esperado de él un apoyo mayor. Pero ahora hemos encontrado estos ratos que pasamos juntos en la piscina y de camino o de vuelta de ella y, por poco que sea, por poco que pueda parecer, es más de lo que nunca hemos tenido.

Si me llegan a decir, mientras avanzaba cautelosa a braza por la superficie de aquella agitada piscina del Club dentro o alrededor de la cual pasábamos en la infancia los días del verano, que al cabo de los años iba aprender a nadar a crol y a espalda, no me lo hubiera creído. Todo ha sucedido muy lentamente. Creo que durante dos largos años no hice otra cosa que nadar a braza, hasta que un día en que no había nadie –yo estaba completamente sola en la piscina, ni siquiera andaba por allí el socorrista– probé a ver qué pasaba con el crol, y me asombró que ya no me pareciera tan difícil. Sólo practicaba el crol cuando estaba segura de que nadie me observaba. Poco a poco fui cogiendo confianza y dejó de importarme que otros me miraran o no, porque además en la piscina cada uno nada a su modo y a nadie parece importarle la opinión de los demás.

Al salir, un día se me acercó el socorrista, que hasta el momento me había parecido antipático y distante. Se paseaba alrededor de la piscina entre aburrido y displicente y a veces nos dedicaba a los usuarios, a los felices y privilegiados nadadores, miradas de superioridad, como si estuviera convencido de que no nos merecíamos, tan torpes nadadores como éramos, estar allí. Se me acercó y me sonrió y me dijo que se había dado cuenta de lo mucho que estaba progresando con el crol, y cogió mis brazos y me pidió que me dejara llevar porque quería explicarme cómo era exactamente el movimiento que había que hacer. A partir de entonces, hablaba todos los días con él, y los dos nos llamábamos por nuestro nombre. Al llegar, me sentaba un momento a su lado y hacíamos juntos los movimientos de los brazos, para que yo fuera comprendiendo los pequeños secretos del crol, y al final volvíamos a hablar un poco. Adiós, Alex, le decía siempre. Llegamos a ser muy buenos amigos. Pero ya no está aquí. Es profesor de Ciencias Naturales en un Instituto de Málaga. Era francamente simpático, una de las mejores personas que he conocido. No sé cómo me pudo parecer nunca que nos miraba con displicencia, cuando era todo lo contrario, le gustaba ayudarnos y enseñarnos, hablar y reírse con nosotros. A veces hasta nos daba masajes. Yo le decía, Alex, no sabes cómo me duelen los hombros, o esta parte de la espalda, y él me hacía sentarme y relajarme, y me ponía las manos en la zona dolorida y presionaba, primero suavemente, luego con más fuerza, y se me iba el dolor. Daba gusto entrar en el recinto de la piscina y verlo allí, sonriente, acogedor, recibiéndote con buenas palabras y gestos amigables. Pero yo siempre he transformado la realidad, me ha dado todo tanto miedo que lo he imaginado y visto peor de lo que es, y así me costó un tiempo descubrir a Alex.

El socorrista que hay ahora es un chico también agradable, pero no tiene tanta conversación como Alex ni saluda de aquella forma tan expresiva que me hacía pensar que se alegraba verdaderamente de verme, por lo cual yo también me alegraba al saludarle y me ponía a nadar verdaderamente feliz.

Gracias a Alex, a sus innumerables y estupendos consejos, aprendí a nadar a crol y a espaldas, aprendí a respirar y a buscar el ritmo en las brazadas, a deslizarme y encontrar el ritmo que da el agua, un ritmo que no implica esfuerzo alguno. No sólo hablábamos de todo lo que se refería a la natación, no sólo me tenía al tanto del último modelo de gafas para nadar –que incluso me regalaba–, sino de muchas otras cosas. De política, sobre todo. En tiempo de elecciones discutíamos mucho, porque el partido al que él votaba no hacía sino perder votos, a causa, según muchos pareceres, el mío entre ellos, de la antipatía de su líder. A Alex no le entusiasmaba su líder, pero no entendía que no se votaran las ideas con independencia de las personas que las defendieran. Por lo demás, le decía yo, las ideas también son malas. Después de las elecciones, Alex pasaba unos días cabizbajo y deprimido, echándole la culpa de todo a la incultura del pueblo y a la avasalladora propaganda de los grandes partidos, a la manipulación. Su buen carácter le ayudaba a reponerse de la nueva desilusión y al poco tiempo ya bromeaba sobre un hipotético y futuro resultado triunfal de su partido.

Tenía algo en común con el comisario político de izquierdas. A poco que se escarbara mínimamente en las ideas de éste, se veía que procedían del mismo sustrato en el que se había formado la obstinación de Alex. Pero aquel comisario, en el fondo exaltado y fanático, y ni mucho menos tan simpático como Alex, fue luego sustituido por otro, un hombre mucho más moderado con el que paso apacibles ratos de tertulia. Con todo, aquel comisario era divertido porque sabía mucho de cine *underground* y de literatura semimaldita. Le fascinaban los ambientes sórdidos poblados de seres fantasmales y crápulas y tenía un buen arsenal de anécdotas disparatadas de tintes siniestros. Su risa misma era un poco siniestra. Por fortuna, era una risa fugaz, porque este comisario tenía la pretensión, a mis ojos completamente absurda, de la seriedad. Todos los comisarios la tienen, y eso es lo que los hace finalmente ridículos. Pero en él la seriedad era especialmente exagerada, quizá porque se forzaba a sí mismo, obligado ahora a mantener unas ideas mucho menos radicales que las que una vez le habían conmovido. Yo escuchaba sus historias y me divertía con ellas, pero no me caía muy bien ese comisario y en el fondo siempre pensé que era un cínico y un chaquetero y aún no entiendo cómo lo tenían en ese puesto.

Durante una buena temporada, ninguno de los comisarios políticos me era especialmente simpático. Porque si éste me helaba un poco la sangre en las venas con su risa siniestra y me estremecía por su cinismo, el comisario de la derecha me sacaba de quicio por su afición a los chistes largos y groseros. Aunque le pidiera por favor que no me los contara, alegando que la mayoría de las veces ni siquiera los entendía porque a mí siempre me había costado mucho entender los chistes y todo el mundo desistía ya de contármelos, él no se daba por vencido y seguía, erre que erre, con sus horribles relatos. Sólo se reía él, y yo miraba hacia abajo, cada vez más desesperada. No he conocido a personas más pertinaces que los contadores de chistes. Se animan solos, por su cuenta, y les es por completo indiferente que les escuches o no, que te rías o no, ellos lo que quieren es ensartar un chiste tras otro, hacer alarde de toda su sabiduría de chistes, que parecen considerar el colmo de la misma sabiduría –la sabiduría popular, de la que imaginan están los chistes llenos– y sin duda una de las formas más logradas de la diversión.

Este hombre me producía verdadera repulsión y fue un alivio cuando fue sustituido por una mujer bastante fisgona pero de buenos modos a quien, al cabo de un rato de conversación, yo remito a Rosario para que discuta con ella cosas de detalle. Ahora creo que viene a verme un momento por puro trámite, por no quedar mal conmigo, porque lo que le interesa de verdad es reunirse en seguida con Rosario y sacar las dos sus cuadernos y sus notas y repasar las normas y regulaciones. A la misma Rosario no le importa nada que venga esta señora y meta la nariz en sus asuntos, porque a ella le gusta presumir de sus normas y de su orden y seguramente le produce mucha satisfacción exhibir sus métodos de trabajo y abrumar a la comisaria con una montaña de datos y cifras, puesto que conmigo raramente lo puede hacer.

Yo creo que esta señora no me tiene mucha simpatía y me mira con algo de recelo, como si sospechara que no sé nada de lo que ocurre en la Biblioteca. Sólo se sienta un momento en la butaca, acoplando al asiento sus anchas caderas, y estirándose un poco la falda de su traje de chaqueta que desprende un vago olor a alcanfor y a lana apelmazada, y que parece siempre el mismo porque sus tonos son invariablemente verdes, pero yo, que no la escucho y que me dedico a observarla, me he fijado que las chaquetas, sobre todo, tienen ligeras variantes, y unas llevan una clase de cuello y otras otro, y lo mismo sucede con los botones y con los bolsillos. Al menos le he contabilizado cinco trajes de chaqueta que a primera vista se diría que son siempre el mismo. Y todos desprenden el mismo olor, desde luego. Esta comisaria de los trajes de chaqueta verdes suele soltarme un pequeño discurso de ideas generales al que yo no le digo ni que bien ni que mal y, un poco molesta por mi silencio, se va a departir con Rosario. No se fía de mí, eso está claro, aunque finalmente parece que se marcha bastante convencida del buen funcionamiento de la Biblioteca.

Tampoco sé si el nuevo comisario de izquierdas se fía totalmente de mí. Es un hombrecillo tímido, menudo, quizá algo acomplejado. Se hunde en uno de los sillones y apenas se le ve, pero poco a poco va cobrando confianza porque tiene un lado comunicativo y conciliador y se entusiasma y se crece cuando ve que estamos de acuerdo. Pero de repente frunce el ceño, porque he dicho algo que no le ha gustado y no sabe cómo interpretarlo, si como una crítica benévola o como un rechazo frontal de sus principios, y tampoco sabe, me parece, de dónde partiría este supuesto rechazo, si desde una posición más a la derecha de la suya o más a la izquierda. Se queda un momento desconcertado, con temor a indagar y a que todo lo que compartíamos y que tantos ánimos le había dado se nos venga abajo. Suelo consolarle entonces con un comentario elogioso, no sé si exageradamente entusiasmado, hacia alguna de las actividades de su partido. Este hombre quiere fiarse de mí, me digo cada vez que me despido de él, este hombre querría ser generoso y expansivo, pero ha acumulado muchos problemas de carácter y eso le ha hecho ser más cauto de lo necesario, más cerrado de lo que conviene a sus mismas ideas. Es buena persona, pero es triste.

En todo caso, no creo que las opiniones de los comisarios políticos sobre mí y sobre el funcionamiento de la Biblioteca sean determinantes. Ni siquiera sé qué harán los comisarios con sus conclusiones, si las tienen, a quién le cuentan sus entrevistas conmigo y con Rosario, y qué sacan ellos y sus partidos en limpio de todo esto. ¿Es su manera de ligarse a la realidad, ir por ahí visitando bibliotecas y museos?, ¿inspeccionan, espían o simplemente tratan de saber un poco, casi para ellos mismos, cómo es este mundo de los libros y los cuadros?

La sola idea del comisario político es estremecedora y funesta, se llamen como se llamen –no se autodenominan comisarios, desde luego–, y yo, en cuanto supe que iba a tener a esos vigilantes de los dos partidos más importantes, me quedé estupefacta, me sentí llena de irritación. Hasta allí llegaba la política. Claro que para entonces ya sabía yo demasiado bien que la política llegaba a todas partes y no hubiera por tanto debido asombrarme ante esa nueva irrupción. Nunca había conseguido escaparme del todo de ella. En casa de mi padres estaba siempre presente. En el colegio, en cierto modo. En la Universidad fue la verdadera invasión. Es verdad que era de signo contrario a la que yo había conocido hasta el momento y por la que no siento la menor simpatía porque puso límites tenebrosos a mi vida, pero casi fue más avasalladora que aquélla. No me permitió pensar por mi cuenta ni sentirme libre después de todos aquellos años de oscuridad. Otra vez tuve que esconderme y avergonzarme de mí misma, tuve que callarme y obligarme a escuchar a los otros, a esforzarme por entenderlos, renunciando a que ellos me entendieran a mí. En el Somos estaba la política, en mi vida con Jacobo estaba la política –la salvación.

Luego conseguí apartarme un poco de ella. Ni Azucena ni Lourdes ni desde luego Alicia, que apenas hablaba, hablaban mucho de política, aunque se suponía que compartíamos más o menos las mismas ideas, que estábamos, eso era lo que pensábamos, del mismo lado. Mientras viví con Carlos, observábamos y comentábamos la vida política, pero ni él ni yo nos sentíamos obligados a redimir a nadie ni a seguir fielmente ninguna consigna política que nos redimiera, porque ésa era la conclusión que los dos habíamos sacado de la política en nuestra experiencia de estudiantes, que estaba llena de redentores de todas clases.

Me imagino yo que, con algunas excepciones, los hombres y mujeres políticos de hoy, los que nos gobiernan y discuten en el Parlamento son, más que redentores, burócratas, pero en mis tiempos de estudiante los políticos eran personas de acción, activistas, revolucionarios, fanáticos, y estaban llenos de odio social y de ambición personal –y sospecho que las ambiciones personales aún sostienen y empujan a los políticos–, y ésa es la idea que, quieras que no, se me ha quedado de la polí-

127

tica. Ni las ideas políticas de mi padre ni las de todos estos revolucionarios gozan ahora de mucho prestigio y eso supone un gran alivio para mí. Ahora, una persona como yo, una persona indecisa, con desconfianza en las ideas salvadoras y en las grandes y supuestamente esclarecedoras interpretaciones sociales del mundo, no llama la atención, no escandaliza a nadie, ahora yo ya podría hablar muy alto en la tertulia del Somos y en las asambleas universitarias porque ha llovido mucho sobre el mundo y se han caído muchas vendas de los ojos y se han sabido muchos crímenes y aberraciones que antes permanecían ocultos, pero a mí no me gusta hablar muy alto ni acudo a los sitios donde otros lo hacen, porque siempre hay personas con tendencia a alzar la voz, a convertir al resto del mundo en sus contrincantes o sus siervos, y todo eso me trae de nuevo el recuerdo de muchos momentos malos del pasado, o más bien de toda una sensación que me dominó durante años.

Y si hay algún lugar en el que he conseguido tener una sensación contraria a ésta, una sensación de integración, es no tanto en la Biblioteca como en la piscina. Los otros nadadores, los socorristas, los recepcionistas y guardianes de la ropa, las mujeres que se cambian lentamente en los vestuarios, desparramando la ropa y sus objetos personales por los bancos e incluso por el suelo, todos ellos constituyen el mundo en el que estoy integrada, en el que me siento cómoda intercambiando saludos y entablando pequeñas conversaciones. Aquí nadie me juzga ni me tiene desconfianza, ésta es la verdadera integración. Y por eso en la Biblioteca no llego a sentirme tan segura, porque, por muchos años que lleve ya trabajando en ella, aún no sé lo que hago allí, aunque, asombrosamente, todos los empleados, empezando por Rosario, a quien al principio me costó un poco comprender –ahora sé que es una persona extraordinariamente fácil de llevar, una vez que se acepta que vive instalada en un territorio de normas y que no las utiliza como armas contra los demás sino como señales para orientarse a sí misma–, me miran y me tratan como si yo fuera imprescindible y estuviera perfectamente capacitada para este puesto, como si no faltara jamás, como si no computaran mis ausencias causadas por tantas enfermedades, de manera que puedo concluir que sencillamente no ven todo lo que me inquieta a mí, no me ven sino por fuera, y en ese exterior, por mucho que resulte asombroso, no se expresan mis inquietudes.

Ha llovido mucho sobre el mundo, sí, Olga, aunque no estoy segura de que tú te hayas enterado del todo. A lo mejor has visto caer el agua sobre los prados de enfrente, sobre los otros tejados, sobre otras calles. Creo, en fin, que has sabido guarecerte de la lluvia. Siempre lo has hecho. Encontraste la protección de Leandro Aguiar y allí permaneciste, cobijada bajo su paraguas. ¿Qué harás ahora? Pero no creo que ninguno de los amigos que te rodeaban esta mañana estén verdaderamente preocupados, porque todos saben que tú sales siempre adelante, tú miras siempre hacia adelante. Y seguramente, si lo comentan –si dicen, como es seguro: saldrá adelante, Olga siempre sale adelante–, lo dirán complacidos, no sólo por ti sino por ellos mismos, porque se sentirían muy desorientados y solos si ya no pudieran admirar tu fortaleza y tu valor.

De manera que su admiración te sostiene, Olga, y puede que lo sepas o intuyas, por eso has pedido que vayamos todos a tu casa, a mí misma me lo has pedido, para que una vez más te veamos actuar y te aplaudamos. Y no es que crea que no seas capaz de sentir dolor sino que quizá ya no puedas distinguirlo, quizá todo se te haya mezclado de tanto como has andado siempre hacia adelante, sin mirar hacia atrás ni hacia los lados. Creo que tu único objetivo ha sido cumplir a la perfección todos los papeles que te ha tocado representar, que han ido cayendo sobre ti. Se diría que los escogiste entre muchos otros, que éstos te parecieron los adecuados. Veo una sucesión de papeles aún no desplegados, que se irán ordenando poco a poco, veo tus manos firmes al sostenerlos, convencida de nuevo de haberlos elegido; son tuyos, te pertenecen.

Ha sido la curiosidad lo que me ha llevado hasta tu casa, lo que me ha hecho permanecer un rato en ella, no la curiosidad por saber cómo eres ahora sino cómo soy yo y cómo reacciono ante tu mundo, del que siempre me sentí profundamente ajena, aunque haya disimulado e incluso en algún momento haya querido de verdad, esforzándome a conciencia, pertenecer a él. Y te tengo rencor, Olga, porque nunca supiste quién era yo.

Pero ya la sombra del rencor apenas es perceptible al lado de la nostalgia de la vida pasada, de la vida vivida con inconsciencia o del pasado vivido como si nunca fuera a cobrar ese sentido de pérdida y final que algunas veces siento cuando miro hacia atrás, lamentando no haber podido distinguir, en aquel momento, lo que verdaderamente importaba de lo más trivial y pasajero, lamentando, sobre todo, no haber podido defender mi felicidad. Ahora quisiera borrar los reproches, sentir menos arrepentimiento, pensar que la vida no tiene intenciones, que da vueltas, cogiéndonos, soltándonos, sin mirarnos a la cara, sin saber quiénes somos. ¡Qué de cosas han pasado en estos años! ¡Cuántas personas se han ido quedando lejos de mí! Porque la presencia de los otros me confunde. Nunca he pensado que el amor de los otros resuelva la vida, yo no tengo teorías sobre el amor.

Aún recuerdo cómo a veces te quejabas en tono de orgullo: ¡Cuántas personas acuden a mí en busca de consejo, o simplemente para desahogarse, para ser comprendidas, cuántas personas me cuentan su vida! ¿Quiénes eran, Olga, cómo eran esas personas –para mí, sin cara y sin voz– que recurrían a ti, a tu atención, a tu amistad? ¿O te las inventabas, te inventabas a ti misma como persona solícita y generosa que escucha y da consejos, que ofrece una sonrisa y un gesto afectuoso a quienes acuden a ella, a la humanidad con problemas? Pero yo me resisto a creer que nadie, ni ellos ni nadie, haya llegado a contarte su vida, dudo que hayas sido capaz de prestar atención a los jirones de vida que acaso te hayan relatado, pero eso no me importa ya, porque tú te has convertido en ficción para mí, en pretexto, y es tu nombre, y el olor del pasado que esparce por el aire, lo que me impulsa a dirigirme a ti, lo que me ha hecho ir al cementerio esta mañana y permanecer luego en tu casa unas horas.

Ha sido allí, en casa de Olga, donde verdaderamente he comprendido lo lejos que quedan ya las tardes del Somos, ¡qué lejos Olga y sus amoríos, qué lejos mi propio deambular, con sus aventuras y desencantos, sus obsesiones y riesgos! Quizá era eso lo que yo quería saber.

Todo eso me ha empujado esta mañana. Al leer en el periódico el nombre de Leandro Aguiar e inmediatamente el de Olga, al pensar que al cabo de los años iba a verla, puede que quisiera medir la distancia que nos ha ido separando, comprobar si es cierto, como pienso algunas veces, que ya he vivido mucho y todo ha quedado muy atrás, o sentir, como otras veces me sucede, que lo que tenía que descubrir aún no ha sido descubierto, porque la vida tarda en mostrarse, la vida se nos aparta y se nos va de las manos innumerables veces, y luego vuelve a venir, a acercarse de nuevo... Al salir de casa de Olga, eso es lo que he pensado mientras me dirigía en taxi a la Biblioteca para luego coger el coche e ir a la piscina y me animaba la idea de encontrarme en seguida dentro del agua, avanzando suavemente, casi sin esfuerzo... A lo mejor he ido al cementerio para decirle adiós a Olga, y si luego he ido a su casa y he permanecido, mezclada entre sus conocidos y amistades, buena parte de la mañana, ha debido ser para prolongar el adiós, para hacerlo más profundo y consciente, para empaparme de él y saber bien de lo que me estaba desprendiendo.

Aún me queda un eco de lo que sentí dentro del taxi. Toda mi vida pasada, todas las cosas perdidas, repentinamente podían dejar de importar. Aún podría llegar a alguna parte que todavía desconozco, una parte que todavía está en sombras, una zona que lucha por salir de la muerte e incorporarse al discurrir de la vida, esta vida ingrávida que nos recorre y que a veces, muy rara, muy fugazmente, se eleva, echa a volar.... Y por muy fugazmente que fuera, por poco que durara, sentí que era lo más importante de la vida y que aún estaba por venir. No sé cuánto me duró ese presentimiento pero me alejó velozmente de Olga, me llevó muy lejos, me hizo flotar, casi como si ya estuviera nadando en la piscina habiendo perdido ya la cuenta de las veces que la había recorrido de uno a otro lado.

Quisiera poder retener, prolongar, esa sensación, pero sólo puedo ya recordarla un poco, saber que existió, que al fin la mañana concluyó así. Regresé del túnel del tiempo y, empujada por la velocidad con que deseaba volver, me despegué un poco de la tierra y del mundo y algo de aquel aire que respiré mientras flotaba ha llegado hasta la noche.

Y de nuevo he pensado en mi madre como era hace muchos años, he escuchado dentro de la cabeza una frase que escuché muchas veces en mi infancia aplicada a mi madre y sus hermanas. Guapas y despeinadas, eso decían siempre de ellas, habían sido unas chicas que llamaban siempre la atención, pero que no se sabían peinar, y andaban siempre con los pelos lacios sobre la frente, sobre los hombros, pelos brillantes y limpios, pero desordenados. Y es verdad, en las fotos, se las distinguía siempre, porque eran las más delgadas, las que iban mejor vestidas, las que tenían las sonrisas más dulces y expresivas, pero siempre estaban un poco despeinadas, siempre había un mechón de pelo inoportuno sobre sus caras. Quizá yo pensaba que, siendo tan guapas, podían permitirse ese lujo, pero no creo que ellas lo hicieran conscientemente. Creo que eran perezosas, que les costaba levantar los brazos y mantenerlos en el aire en la larga operación del peinado. No eran lo bastante ricas como para tener a alguien que las peinara, no eran en absoluto ricas, aunque lo parecían, porque se vestían a la última moda, incluso imponían modas, pero hasta ahí llegaban sus esfuerzos, que seguramente no lo eran: les gustaba la ropa, a todas les gustaba coser, y continuamente se estaban haciendo pequeños arreglos en los trajes. Hubieran podido peinarse unas a otras, pero eso les daba igual. Tengo la impresión de que se sentían bien con sus melenas despeinadas, desgreñadas, y sus moños deshechos. Muchas veces les he oído lamentarse de sus pelos lacios y envidiar a tal o cual mujer, que no valía nada, pero que resultaba estupenda gracias a su impresionante cabellera tupida y rizada. Pero siempre me ha parecido advertir un leve tono de superioridad en sus quejas, o más bien de originalidad. Aunque, ciertamente, a pesar de lo guapas que han sido, no han tenido, ninguna de las cuatro, complejos de superioridad. Puede que se consideraran distintas a las demás, pero no superiores. Por lo que fuere, no le daban mucha importancia al peinado, no tanta, en fin, como para estarse mucho rato con los brazos levantados. Se sabían guapas y eran presumidas, les gustaba que las admirasen y que les imitasen la ropa, pero no han mirado nunca a los otros desde arriba. Las hermanas de mi madre, mis tías, hicieron buenas bodas, se vestían en buenos modistos y cuando se cansaban de sus trajes se los pasaban a mi madre. Mi madre tenía una buena colección de esos trajes impecables que sólo se ponía para salir a la calle. En casa iba de cualquier modo. Pero de repente, en dos minutos, se embutía uno de esos trajes, se calzaba unos zapatos de tacón que también había heredado de una de sus hermanas, se recogía el pelo con dos horquillas, se pintaba los labios, y era otra, era una mujer a quien todos miraban por la calle.

Mis tías siempre eran así, como era mi madre cuando salía a la calle. Si alguna vez las vi en sus casas de otro modo, ya no me acuerdo, porque en realidad hace mucho tiempo que no veo a mis tías y no sé qué es lo que me ha llevado ahora a acordarme de ellas y de mi madre, de los comentarios que suscitaban y del orgullo que tenían de sí mismas. Yo creo que era una clase de orgullo lo que les hacía ir siempre tan despeinadas, como si intuyeran que una persona verdaderamente orgullosa debe huir de la perfección. Porque la pereza se parece al orgullo. Aunque hace mucho que no las veo, aún siento simpatía hacia ellas, esas mujeres tan guapas, todas un poco quebradizas e inseguras, todas un poco inocentes. Y aunque también he perdido casi todo contacto con mi madre –sólo la veo, como mera rutina, en fechas señaladas–, sé que durante mucho tiempo yo vi en ella esa inocencia que no se le ha ido del todo, pero que se le ha ido escondiendo y sepultando. Aún no puedo olvidar que esa inocencia me iluminó, me guió.

Seguramente es eso lo que me las ha traído a la memoria, la inocencia, la luz, el presentimiento que me invadió en el taxi mientras me iba alejando de la casa de Olga, dejando todo aquel pasado atrás, despidiéndome definitivamente de todas aquellas personas que había conocido en la tertulia del Somos o en los pasillos y las aulas de la Facultad y que aún rodeaban a Olga.

Casi sin proponérmelo, de manera inadvertida, durante estos últimos años me he ido alejando de todo ese mundo, pero ha sido esta mañana cuando me he dado cuenta de la enorme brecha que ya me separa de él y he respirado con alivio, porque la verdad es que en ese mundo nunca he podido respirar libremente. Y quizá en ese presentimiento, que no era de algo concreto sino más bien una oleada de luz o la sensación de que iba a venir una luz o de que algo se iba a echar a volar –o la luz ya había venido y las cosas, los objetos, parecían no tener ya peso alguno, como si flotaran, como si no estuvieran posados sobre la tierra–, estaba guardado el recuerdo de la inocencia en los ojos de mi madre, sobre todo cuando era joven. Y la veo frente al espejo, pasándose el cepillo por el pelo, sujetándoselo luego con un par de horquillas que, naturalmente, en seguida se descolocaban, y se sonríe mientras con tanta rapidez se hace ese moño sencillo y precario, y creo que se encoge ligeramente de hombros, como si se dijera a sí misma que eso no importa nada, que lo importante es la mirada que clava en el espejo. Luego se da la vuelta y gira la cabeza para mirarse un poco de espaldas y hace un gesto de asentimiento, orgullosa y convencida de sí misma.

Nunca estaba enferma, nunca se quejaba de que le doliera nada. Sólo tuvo un problema, el de los ojos. Perdió la vista de golpe y tuvo que dejar de coser y usar gafas, unas gafas pesadas, muy gruesas, que le dejaron marca en el puente de la nariz y que se quitaba muy a menudo para mostrar unos ojos inexpresivos, perdidos. Pero no se le ocurría quejarse de eso. Iba frecuentemente al oculista, un tal doctor Ballard o Ballart, porque, sea lo que fuere lo que le había hecho quedarse miope de repente, había que vigilarlo.

Una vez fui con ella a que el doctor Ballard me examinara la vista a mí, según había sugerido otro médico, y, sin ser del todo consciente de ello, percibí que existía entre ellos una confianza especial. La oscuridad en la que se realizaban los exámenes había propiciado una especie de intimidad de la que, evidentemente, los dos disfrutaban. Mucho más tarde, he llegado a saber que el doctor Ballard le proporcionaba a mi madre cierto medicamento que ella ha tomado toda su vida sin decírselo a nadie y que al fin ha anunciado a gritos, echándoles en cara a mi padre y a mis hermanos su total despreocupación respecto a ella, su lejanía y desinterés. Sin duda, hubiera podido obtenerlo en la farmacia, pero mi madre ha preferido mantenerlo en secreto, no porque le gustaran las ocultaciones –aunque quién sabe–, sino porque debía sentirse un poco avergonzada de necesitar ese tipo de ayuda y no se lo quería decir al farmacéutico, que nos conocía perfectamente a toda la familia.

Cuando Nacho me contó esa explosión y confesión de mi madre, recordé la oscuridad del cuarto en el que el doctor Ballard realizaba las exploraciones y los susurros con que hablaban entre ellos. Sea lo que fuere lo que doctor Ballard representó para mi madre –y lo que representó el medicamento: según Nacho, simple codeína–, tuvo esos secretos, y eso me la hace más próxima.

Pero es curioso que las gafas de mi madre, que al cabo del tiempo nos han dado una clave tan oculta, hayan constituido un emblema de la economía y de la unidad familiar. Mi madre sólo tenía unas gafas y eso nos lo decía siempre que esbozábamos una reclamación. ¿Es que yo tengo un par de gafas?, preguntaba, indignada, si alguno de nosotros pedía algo que tenían nuestros amigos y que nos parecía imprescindible, ¿es que me habéis conocido otras gafas?

Era ágil y activa, aunque no hiciera nada en concreto, recorrer la casa, recorrer las calles a las que salía a hacer vagos recados. Hablaba sola, aunque estuviera rodeada de gente, hablaba para sí, porque lo expresaba todo. Y yo, que ahora hablo tanto sola, en alto, en voz baja, para mis adentros, me veo también, repentinamente, en esto, próxima a ella. Y sé que hay algunas cosas más que sin duda he heredado de ella, porque a mí también me cansa mucho peinarme, y algunas veces hasta ella misma me lo ha dicho. Me ha mirado de arriba abajo y ha exclamado, ¡pero esos pelos!, olvidándose al parecer de los suyos.

Siempre tuve la impresión de que estaba muy lejos. Se sentía orgullosa de mis hermanos mayores, que eran tan buenos deportistas, y luego empezó a dedicar a Nacho toda su atención, probablemente porque era el más guapo, el que más se parecía a ella. A mí me pasó por alto. Mis enfermedades la irritaban profundamente, tenerme que llevar de médico en médico le disgustaba y ofendía, como si yo la estuviera acusando de algo. Cuando las monjas le decían que yo era una niña delicada, fruncía el ceño y se quedaba callada, clavada en el suelo.

Creo que hasta las monjas se daban cuenta, porque finalmente dejaron de llamarla y simplemente me remitían a la enfermería.

Yo tenía la impresión de que mi sola existencia le molestaba. Incluso creo que mi madre no me ha perdonado todavía que yo haya sido, como ella, mujer. Posiblemente se odiaba a sí misma por tener que ponerse por detrás de mi padre y de mis hermanos, por tener que ocuparse de ellos y admirarlos. Y si había algo que no estaba en condiciones de aguantar era mi debilidad, mis enfermedades. Eso le debía de parecer el colmo. Si al menos yo hubiera sido una niña fuerte, tan aficionada al deporte como mis hermanos mayores, si ella no hubiera tenido que estar tan pendiente de mí, yéndome a buscar al colegio a deshoras, llevándome al médico, observándome en silencio con el ceño fruncido sin entender lo que me sucedía...

Creo que yo tampoco la soportaba a ella. No tenía fuerzas suficientes para entenderla, por mucho que la admirara. No podía ser generosa, porque me sentía llena de necesidades y tenía la impresión de que todo se me escapaba. Ella, desde luego, se escapaba. Se iba alejando de la vida, pendiente de la vida de los otros. Y creo que yo llegué a intuir ese vacío que le iba quedando por dentro, pero observarla y pensar en ella y admirarla y quererla me reducía a la nada, me dejaba sin fuerzas, y tuve que apartarme de ella.

Y repentinamente se ha convertido en una mujer enferma, una mujer a quien siempre le duele algo y se queja de algo y ha iniciado ya un largo desfile por las consultas de los médicos. Este último año, las pocas veces que la he visto, he advertido en los ojos de mi madre, a través del cristal grueso de las gafas, una mirada opaca, como muerta, y me he quedado con la impresión de que quizá no tenga ninguna dolencia física sino de que algo muy íntimo se ha derrumbado en su interior. Se lo he comentado a Nacho, y él ha dicho: está siempre rodeada de médicos, ¿qué podemos hacer nosotros?

Me he ido acostumbrando a que no se interese por mi vida, a que desde hace años no me pregunte por mi trabajo –ni siquiera sé si sabe que sigo trabajando en la Biblioteca–, a verla allí, rodeada de mi padre y mis hermanos y de las nuevas familias que ellos constituyen, cada vez más lejana. El año que viví con Guillermo en casa de mis padres, aun en el recuerdo, me parece un suplicio. Nunca la había sentido tan ausente. De nuevo, estaba ofendida. No soportaba la idea de que me hubiera separado de Jacobo, después de que, en contra de su voluntad, me había casado con él. Alguna vez me llegó a preguntar: pero ¿qué esperas?, ¿qué crees que es la vida?, una mujer no es nada sola y, menos, una madre. Y si durante la infancia yo había atisbado, indefensa, todavía reclamando, esperando, su protección, los conflictos de mi madre, ahora que, convertida yo misma en madre, me acogía objetivamente a su protección, porque no tenían ningún sitio adonde ir, comprendí en seguida, como si jamás lo hubiera intuido, que ella no podía dármela. Estaba demasiado furiosa contra un mundo que la había ido dejando sola, cargándola de deberes y responsabilidades, sin darle la menor señal de gratitud. A ella, además, le disgustaba mi separación, como le había disgustado mi boda, demasiado precipitada para su gusto, y el tener en casa a una hija casada y sin marido y con un hijo, una especie de madre soltera, le resultaba intolerable. En lugar de ayudarme a cuidar de Guillermo se dedicó a vigilarme a mí, a juzgar mi comportamiento como madre. Aunque nunca le llegué a explicar las razones de nuestra separación, ni ella me pidió nunca que lo hiciera, siempre creyó que había sido Jacobo quien me había abandonado, y me miraba un poco avergonzada, como se mira a una mujer a quien se ha rechazado, una mujer que ha fallado.

Pero al fin, ella es la enferma, la única enferma del mundo, y a mi padre y a mis hermanos los marea y los agota, según me cuenta Nacho, con la crónica pormenorizada y repetitiva de todos sus malestares. No me escucháis, se queja, ¿es que no os he dedicado la vida? Y los tiraniza ahora, ella, que siempre ha estado pendiente de sus necesidades y caprichos. Nos mira con rencor, dice Nacho, con profunda irritación, convencida de que tiene sobre nosotros todo el derecho del mundo. Estoy segura de que a ti no te mira con rencor, le digo a Nacho, a ti te ha querido siempre más que a nadie. Puede que no con tanto rencor como les mira a ellos, dice Nacho, pero ya no me hace ninguna pregunta sobre mi vida, no se interesa por lo que hago, no lo sabe, a veces tengo la extraña impresión de que no me reconoce del todo, de que se ha olvidado de quién soy, su hijo pequeño.

Esas palabras de Nacho me estremecieron, porque eso era lo que yo había sentido en un momento de mi vida, que mi madre se había olvidado de mí, que no me reconocía. No sabía si había sido un acto voluntario, deliberado –ella se había propuesto apartarse de mí–, o había ocurrido de manera natural, sólo porque a ella le interesaban más mis hermanos que yo. En todo caso, su rechazo me desconcertaba y angustiaba. Mi madre no quería mirarme, no quería fijarse en mí, me rehuía.

Sin embargo, ahora, en mis escasas y breves visitas, clava en mí su mirada opaca y la deja un rato sobre mis ojos, me mira como quizá nunca me haya mirado, aunque no me dice nada, sólo se queja, pero lo cierto es que a mí no me pide nada, a mí no ha intentado tiranizarme. O piensa que conmigo no podría. No está nada segura de sus derechos sobre mí. Los debió de perder hace mucho tiempo, cuando me llevaba con desgana por las consultas de los médicos, cuando tenía que escuchar lo que las monjas le decían de mí, cuando optó por entusiasmarse por los trofeos deportivos de mis hermanos mayores, cuando se dedicó a mimar a mi hermano pequeño. A partir de entonces, poco a poco, se fue cerrando para mí y todos sus comentarios concluían en frases desesperanzadas sobre el destino y la debilidad de las mujeres.

¿Adónde habrá ido a parar aquella inocencia que tanto me conmovía, aquellos ojos que traspasaban el espejo y se sonreían a sí mismos, satisfechos? Ahora podría devolverle sus palabras: ¿qué esperabas?, ¿qué creías que era la vida? Porque se diría que ya ni espera ni cree en nada, que se ha quedado allí, en ese punto de su declive, para hacer innumerables reclamaciones. Si estuviera absolutamente sola, me digo ahora, me haría cargo de ella, pero tiene a mi padre y tiene a mis hermanos, ya ha establecido su juego con ellos.

Es curioso que yo piense estas cosas esta noche, es curioso que se me ocurra, por muy remotamente que sea, la posibilidad de cuidar de mi madre. ¿Me siento en el fondo obligada con ella? Veo que las cuentas siguen pendientes entre nosotras, irremediablemente pendientes, ya irresolubles. Todavía ella suscita en mí un vago sentido del deber, todavía su antigua inocencia y su reciente mirada opaca me producen tristeza. Nada me liga a Olga ya, pero es difícil que llegue a desligarme totalmente de mi madre. Hubo un tiempo en que pensé que podría cortar radicalmente los hilos que me ligaban a mi familia, pero ahora ya sé que siempre quedará éste. Tal vez haya sido yo la que me he negado a cortar este hilo, quizá aún lo quiera mantener por algún motivo, como se guarda una llave que ya no se sabe a qué cerradura corresponde, todo lo que se sabe es que fue la llave más importante que tuvimos. En este momento de la noche, miro esta llave sin saber si guardarla tendrá alguna utilidad, pero la guardo, como si quisiera sentirme aún parte de algo.

El día ha sido muy largo y creo que ya estoy cansada de tanto recordar y tanto escribir. Puede que todas estas palabras me hayan mareado un poco, como en realidad me marea nadar y recorrer tantas veces la piscina, una y otra vez como si no fuera a ninguna parte, dando vueltas monótonamente, y, sin embargo, yendo, flotando, volando. Ni siquiera estoy muy segura de que estas palabras me pertenezcan, de que sean las que yo deseaba pronunciar, más bien tengo la impresión de haber estado escribiendo como al dictado, y no sé por qué he recordado unas cosas y no otras, y no sé, sobre todo, si lo de verdad importante ha venido con ellas, con mis palabras. Y seguramente podría volver a reproducir el día y volver a recordar y todo sería distinto, pero eso ya es un poco indiferente. Lo que importa es que las palabras están aquí, y que, aunque hayan traído estos recuerdos y no otros, estas verdades y no otras, estos sueños y estas fabulaciones, pueden, de un momento a otro, arrancarme de aquí, de mi cuarto y de esta noche y de toda mi vida, pueden llevarme lejos, si es que ya no me han arrancado y llevo ya mucho rato sobrevolando la tierra y respirando aires desconocidos, y por eso avanzo y me muevo como si ya no fuera yo, porque todo ha cambiado a mi alrededor, los contornos, los olores, la luz, todo es distinto ya o yo veo otra cosa o casi ya no veo nada, sino que lo siento todo sin saber si está dentro o fuera de mí, porque todo flota, ligero, como mi mismo cuerpo sin límites y mi alma sin preguntas, y ya hasta las palabras han empezado a deshilvanarse y a separarse unas de otras, porque son todas iguales y completas y van de aquí para allá sin intenciones, libres, independientes y felices, y puede que al fin inocentes, como si no tuvieran nada que ver con la vida, y por eso se elevan, vagan...

3

A veces pienso que no vivo de verdad. Mirando a los demás, me doy cuenta de que ellos sí viven, a ellos sí les ocurren cosas. Tienen esa expresión en la cara, la de haber vivido y haberse enterado más o menos y, sobre todo, la de que aún están allí, en la vida, luchando por defender, incluso por ensanchar, su pequeño lugar, que a lo mejor no es tan pequeño como a mí, desde la distancia, me parece. Dudo entonces de que yo haya vivido de verdad, aunque me haya roto la cabeza buscando y buscando, y añorando lo que se me iba de las manos, y con el temor de perderlo todo al fin. Y aunque a veces se me vienen a la memoria cosas y episodios que parecen recuerdos míos, no estoy del todo segura de que todo eso me haya sucedido a mí, porque me resulta muy lejano, ya que, mientras sucedía, yo estaba en el fondo en otra parte, buscando algo o añorando algo o angustiada por saber que en ese momento estaba perdiendo algo muy importante, esencial, aunque no sabía qué hacer para conservarlo.

Y quejándome, porque me he quejado mucho a lo largo de mi vida, he martilleado los oídos de muchas personas con mis quejas. Me he quejado, sobre todo, de mis enfermedades, de mis dolores permanentes, durante años y años no he hecho otra cosa que lamentarme. Me lamentaba y me quejaba en el colegio hasta conseguir que me llevaran a la enfermería donde al fin pasaba la tarde a resguardo de la tediosa rutina y de toda esa corriente de hostilidad que me ahogaba, me he quejado en casa y delante de los médicos, me he quejado mucho delante

141

de Jacobo y sobre todo delante de Carlos. Creo que Carlos es la persona que más quejas ha oído de mí, la que ha escuchado más lamentos e incluso visto más lágrimas. Y ahora lo siento un poco por todos ellos, porque es insoportable estar siempre escuchando las quejas de los otros, como si no hubiera más dolor en la vida que el que el otro padece. Dudo mucho de que yo tuviera paciencia para escuchar las quejas de una persona que se quejara tanto como me he quejado yo. A Carlos, desde luego, le he abrumado con todos mis dolores irresolubles, con toda mi desesperación. Sólo de la madre enfermera, la paciente y pálida madre Vela, no llego a compadecerme, porque creo que a ella le gustaban mis visitas. En su cara se dibujaba una pequeña sonrisa –muy pequeña, ella era pausada y monocorde y sólo la vi reír una vez, el día que me encontré con Olga en la enfermería– mientras ponía su mano sobre mi hombro y me llevaba al cuarto de la tumbona. Yo sentía que se alegraba al verme por la mucha suavidad con que me trataba, por sus pasos sigilosos moviéndose por el cuarto mientras iba cerrando las contraventanas, por el cuidado que ponía en la preparación de la bandeja, cubierta con un pañito blanco bordeado de punto de ganchillo, en la que me traía una manzanilla y un par de galletas secas, un poco rancias. Pero a excepción de la madre Vela, a todos los demás les molesté y les aburrí y les harté, y a Carlos más que a nadie.

Sin embargo, ya no me quejo. No porque hayan desaparecido los dolores y malestares que me empujaban a hacerlo –por desgracia, no puedo decir que sea ésta la razón–, sino porque la necesidad de quejarme, de comunicarle a alguien mi sufrimiento y desesperación, se ha evaporado. Me doy cuenta ahora, tengo la impresión de que ya no voy por ahí diciéndole a todo el mundo lo mal que me encuentro. No me gusta cómo me miran los demás si alguna vez aún se me ocurre quejarme. Como si fuera un bicho raro, como si sentir dolor y tener enfermedades fuese algo extrañísimo en lugar de ser la cosa más corriente del mundo, porque todos, a excepción de unos pocos, saben lo que es el dolor y tienen enfermedades. No me gustan las miradas de pena que me dedican, esas penas falsas, impostadas, exageradas, que casi me producen vergüenza por ellos.

Y menos me gusta cuando descubro que mis quejas les satisfacen, que les excitan un poco, como si constituyeran un anticipo de mi desmoronamiento, que sin duda han vaticinado. La suavidad con que la madre Vela me recibía en la silenciosa enfermería del colegio y que yo interpretaba como una cálida, acogedora, bienvenida, casi parece un sueño, una invención. Prefiero evitar todas esas miradas, no quiero ya saber qué significa para ellos que yo me sienta mal o muy cansada. Sin mencionar los asuntos del ánimo, de los que nunca hablo. Fue lo primero que me callé. Más tarde, comprendí que tampoco se podía hablar de enfermedades. Me parece que ya digo siempre que me encuentro bien, incluso muy bien, y lo digo como probablemente lo dicen los demás, por pura fórmula, sin analizar lo que estoy diciendo, para dar paso a otras cosas.

Eso es, en fin, lo que le diría a Olga, si, como me ha anunciado en la carta que me ha enviado, me llama por teléfono. Le diría que estoy muy bien, desde luego ni siquiera le comunicaría todos esos pensamientos que tengo tantas veces de que no vivo de verdad, de que los recuerdos que me vienen a la cabeza no los he vivido yo porque yo nunca he estado de verdad donde parecía que estaba. Y eso también la afecta a ella, a Olga, y me extraño muchísimo de que hayamos sido amigas alguna vez, más aún, después de haberla visto por la pantalla de la televisión, tan transformada, tan irreconocible, que verdaderamente creo que esto que me pasa a mí –no reconocerla– le tiene que pasar a todo el mundo, a todos los que la hayan conocido. ¿Qué tiene esta nueva Olga que ver con la anterior, la de las faldas de flores y los anillos azules? La última vez que la vi, es cierto, iba vestida de negro, pero creo recordar que llevaba puestos los anillos. En todo caso, aun vestida de negro, era la Olga de siempre. Se acababa de convertir en viuda, una viuda dolorida y digna, nos necesitaba a todos a su alrededor, como siempre. Su pelo seguía siendo largo y brillante, y seguía teniendo su indiscutible apariencia juvenil, de manera que ya casi era imposible calcular su edad.

En cambio, la señora que apareció por la pantalla del televisor era claramente una señora. Iba perfectamente vestida, de manera muy convencional, perfectamente peinada –al fin, Olga se había cortado el pelo– y en sus manos refulgían anillos dorados. Me costó comprender que era ella, Olga Francines, la misma que todas admirábamos en el colegio y que ya allí me había distinguido dirigiéndose a mí y hablándome de vez en cuando y, una vez fuera del colegio, se había hecho mi amiga y me había llevado al Somos, aunque luego fuera censurando mis amistades y separándose de mí y, sobre todo, hiriendo mis sentimientos.

Pero era ella, sin duda, y de repente casi pude aspirar el aroma de su perfume, el mismo perfume, lo único que, con toda probabilidad, no había cambiado. En esa nube estaba, más que nunca. El tono de la voz, los gestos, se habían hecho aún más seguros. Con gran serenidad, con todo convencimiento, le explicaba a su interlocutor, que la miraba muy complacido, seducido, los fines de la fundación humanitaria que presidía. Quizá ahora, al cabo de los años, yo pudiera estar de acuerdo con ella, pero ya era tarde, ya no creía en ella. Había asistido al entierro de Leandro Aguiar para decirle adiós a Olga y ahora, pasados más o menos seis años, surgía una nueva Olga delante de mis ojos, esta nueva Olga que acaba de mandarme una carta para invitarme a colaborar económicamente con la fundación que preside y anunciarme que de todos modos me llamaría por teléfono para comentármelo con más detenimiento.

No, no pienso quejarme en absoluto si me llama, le diré, como le digo a todo el mundo, que me encuentro muy bien, y es que ya me he cansado de quejarme, quejarme para nada, para saber que todo lo que se consigue con las quejas es alejar aún más de ti a las personas, porque las quejas son un lastre y no tienen ninguna utilidad y la gente las escucha sin saber qué hacer con ellas, cómo responder a todas esas vagas y angustiosas demandas. Por eso he tratado de quejarme lo menos posible ante Guillermo, porque lo he querido conservar cerca de mí. Supongo que de un momento a otro, en cuanto tenga un modo de ganarse la vida, se irá de casa, puesto que ya habla de eso algunas veces, pero tampoco lo hace con excesivo convencimiento, tanto porque el proyecto de ganarse la vida no es nada fácil en estos tiempos, ni creo que en ninguno, como porque, me parece, se siente cómodo viviendo conmigo. No quiero pensar en ese momento, no sé cómo me sentiré cuando eso suceda ni quiero preverlo, ya no quiero adelantarme a nada sino vivir cada día como creo que viven las personas que viven de verdad, sin escaparme hacia adelante ni hacia atrás ni, más que nada, hacia dentro de mí misma. Aunque muchas veces dudo de que yo sea capaz de vivir así.

Si Olga finalmente me llama, no sé lo que le diré. Muy poco, nada. Me limitaré a escucharla, como siempre he hecho, cada vez con menos atención o más desconfianza, con la admiración y el rencor ya transformados en indiferencia, en extrañamiento. La escucharé como podría escuchar a cualquier otra persona, quedándome sólo con las palabras, si es que yo puedo hacer eso, si he llegado a creer que las palabras pueden separarse de las personas y tener su propio significado. Sea como fuere, lo que está claro es que la voz de Olga ya no suscitará en mí las emociones del pasado, no se me pasará por la cabeza volver a admirarla ni reproducir, aunque fuera mínimamente, nuestra amistad. Ya me despedí de Olga hace seis años. Y con esta nueva Olga aún tengo menos que ver que con aquélla, aunque sus palabras de ahora, según he podido comprobar viéndola por la televisión, sean más razonables que las que ha pronunciado nunca. Pero demasiado tarde ha llegado esa razón.

El tiempo es lo que importa. Hay cosas que llegan muy tarde y otras que ocurren demasiado pronto. Eso es lo inaceptable de la vida, esa falta de adecuación al tiempo que se va formando en nuestro interior y que, absurdamente, nos va preparando a vivir mientras ya estamos viviendo. En estos seis años en los que, según veo, ha ocurrido esta radical transformación del aspecto de Olga, yo he sufrido uno de esos golpes duros que a veces da el tiempo, cuando te quita algo que no te ha dado tiempo a valorar, a hacer plenamente tuyo, siendo algo que, siempre lo supiste, te pertenecía, que hubiera podido ser más para ti de lo que era para los demás. Pero el tiempo me lo ha quitado, el tiempo se ha llevado de mi vida a Ernesto Zanner.

Es la primera vez que la muerte se me ha acercado. Me estaba rondando, por allí, hasta que se me acercó y se llevó a Ernesto Zanner consigo. El paso de Ernesto Zanner por mi vida ha sido fugaz, y no dejo de lamentarlo, e incluso me siento un poco responsable de ello. Si yo hubiera querido, ¿hubieran podido ser las cosas de otro modo? Quizá Ernesto Zanner estaba predestinado a este paso fugaz por la vida, a dejar en la mía la huella de una posibilidad perdida. Puede que, ocurriese lo que ocurriese, siempre hubiera sido así, un paso fugaz del uno por la vida del otro. Nunca sabré ya si Ernesto Zanner y yo teníamos de verdad muchas cosas en común o sólo fue algo que cada uno se inventó, que quiso crearse por su cuenta, pero ahora que ha muerto siento una tremenda nostalgia por todo lo que no hablamos ni supimos el uno del otro. Es la primera vez que he perdido algo de verdad, algo que ya no puedo recuperar de ningún modo.

Fue Paulina Ferrer, otra compañera del colegio, quien me presentó a Ernesto Zanner. Paulina Ferrer. Yo no me acordaba de ella, y cuando leí su carta invitándome a asistir a la inauguración de una exposición de fotografías, tuve que hacer un enorme esfuerzo para reproducir en la memoria todo lo que ella me contaba. Me decía que era un par de años más pequeña que yo y que habíamos sido compañeras de mesa en el refectorio. Allí habíamos estado, día tras día, codo con codo, tratando de tragar aquella comida espantosa, calladas, como mandaban las normas, con la excepción de unos pocos, poquísimos, días en que se nos permitía hablar. Pero yo, decía Paulina Ferrer, había sido extraordinariamente amable con ella y eso no lo podía olvidar, porque ella había sido una niña muy tímida, que se avergonzaba de todo, y que para colmo sacaba muy malas notas porque no sabía estudiar. Al parecer, yo la enseñé a estudiar, eso decía, yo le dije cómo había que leer las lecciones y hacer resúmenes y no sé qué cosas más. Recordaba mi risa, decía Paulina, una risa excepcionalmente alegre, si podía decirse tal cosa de la risa, pero es que hay risas no tan alegres, decía, risas estentóreas y patéticas, y también risas tristes, amargas.

Al leer este párrafo de la carta de Paulina, de repente me recordé a mí misma riendo muchas veces en mi vida, riéndome con muchas personas y riéndome sola, y vi que con todo lo que había llorado o había sufrido sin llegar a llorar, me había reído, al mismo tiempo, muchísimo, y nadie, antes de Paulina, me lo había hecho ver con tanta claridad. Sea como fuere, finalizaba Paulina, ella me estaba agradecida y ahora que iba a hacer una exposición –vivía en Sóller, en Mallorca–, se había acordado de mí y había conseguido mi dirección, la de la Biblioteca, porque verdaderamente tenía muchas ganas de verme, de saber cómo me había ido a mí en la vida.

Pero la carta llegó tarde, la inauguración de la exposición había sido dos días antes. Yo no hubiera ido, nunca voy a ninguna exposición. Cuando en la Biblioteca hay una inauguración de éstas yo sólo aparezco un momento. No soporto el desfile de personas frente a los cuadros, no soporto ni el murmullo respetuoso ni los comentarios en alta voz. Y lo que menos soporto es estar tanto rato de pie, andando muy despacio frente a las paredes. Si hay algo especial que quiero ver, lo veo a solas, y por supuesto sentada, fuera del horario del público. El resto me lo pierdo, como tantas otras cosas que me pierdo. Pero como la invitación de Paulina Ferrer llegó tarde, no tuve que darle para explicar mi ausencia otra excusa que ésa. Le mandé una nota y me olvidé de ella.

Aunque antes de olvidarme del todo, pensé un poco en lo que su carta me había traído a la memoria. El colegio, de nuevo, otra vez el colegio, como si no fuera posible escaparme de él. Aquellos ratos en el refectorio que Paulina Ferrer recordaba como los únicos en los que había contado con apoyo y en los que al parecer yo me había reído tanto y con tanta alegría, habían sido, sin ninguna duda, los peores para mí. Puede que ella fuera, según me confesaba al cabo de los años, muchos años, tímida y vergonzosa, pero incluso esta misma tarde, tan separada ya de aquel tiempo, me permito dudar de que su timidez y su vergüenza fueran mayores que las mías.

Aquella referencia al refectorio volvió a sumergirme de repente en el túnel oscuro del pasado y en mi memoria se reprodujeron aquellos ratos espantosos frente al plato lleno de comida fría, pastosa, grasienta. Y con ser eso horrible –la comida no podía tragarse sin la ayuda del agua–, no era ni mucho menos lo peor. Lo peor era el silencio, con un fondo de pequeños ruidos de platos y cubiertos, que se iba llenando de aquella corriente de palabras que salía de los labios de la madre que leía,

147

desde una tribuna, con voz monótona y clarísima, las vidas de los santos. No sé en qué consistiría la vergüenza de Paulina, pero allí cristalizaba la mía: en las vidas ejemplares de los santos. Eran tan ejemplares que me producían una horrible vergüenza, porque yo no era así. Estaban amenazados por el pecado y por todo tipo de tentaciones, que apenas se formulaban, sólo se atisbaban, se dejaban a la imaginación de cada una. La mía se cerraba por completo, pero mi cara y mis manos enrojecían. Las manos, desde luego, eran lo de menos, pero la cara, ¿dónde esconderla? Sentía que todas las otras niñas me miraban, sabiendo o no por qué me había dado aquel ataque de vergüenza, pero en todo caso, curiosas, inquisitivas, despiadadas. Muchas veces, sin saber ya cómo salir de esa situación, fingía que me había atragantado y empezaba a beber y a toser casi al mismo tiempo, causando gran alboroto. Odiaba esas vidas de los santos, odiaba la voz cristalina y monótona de la madre lectora, una voz que no se inmutaba por nada, que casi se complacía en aclararse aún más cuando llegaba el momento de dar lectura a esos episodios sobre los que campeaba la tenebrosa sombra del pecado. Y por encima de todo las odiaba a ellas, a las niñas que clavaban los ojos en mí en cuanto el primer golpe de la sangre teñía de rojo la piel de mi cara.

¡Qué hubiera dado por poder escaparme de allí, porque la monja se callara, por huir de aquel silencio en el que las palabras retumbaban y me señalaban! Y en seguida empezaba el dolor. Toda la comida tragada a la fuerza formaba un bola en la boca del estómago y luego iba bajando hasta apoderarse completamente de mí. Apenas me podía levantar. En el recreo el dolor disminuía, algunas veces casi llegaba a desaparecer, pero luego, en la clase o en la hora de estudio, volvía con más fuerza, y yo empezaba a medirlo, a compararlo con el último que al fin me había decidido a ir a la enfermería.

Y, con esa vergüenza y ese atisbo de dolor, yo le había dado, asombrosamente, a mi compañera de mesa, a Paulina Ferrer, una sensación de protección y de persona excepcionalmente alegre. No sé si llegaré alguna vez a decirle a Paulina algo de esto, porque como aún no nos hemos visto no sé exactamente el grado de confianza que puede existir entre nosotras. De vez en cuando, intercambiamos una carta, puesto que ella, a lo que creo, no ha vuelto a salir de su retiro de Sóller, y si ha hecho otras exposiciones no han sido aquí. Finalmente, más que los recuerdos del colegio, de los que no hemos vuelto a hablar desde las primeras cartas, lo que hemos compartido ha sido a Ernesto Zanner.

Desde que Ernesto murió, me he venido a este cuarto muchas tardes de domingo y me he sentado frente a la máquina de escribir, pero después de estarme un buen rato frente al papel en blanco, he tenido que abandonar. Las emociones me desbordaban, no era capaz de encontrar una pista por la que avanzar entre ellas, viéndolas más de cerca, perdiéndoles el miedo. Cuando esta tarde me vine aquí sólo tenía la voz de Olga en la cabeza, y también su nueva imagen de señora, sus gestos que se han ido haciendo más y más seguros, más y más impersonales, como si pertenecieran a muchas personas, a todas las personas que son entrevistadas y lo contestan todo con gran seguridad, sin dejar ningún hilo suelto. Pero de Olga me despedí hace tiempo. ¿Qué puede importarme ya que haya cambiado tanto y que, desde su nuevo aspecto, su nuevo ser, se dirija a mí para pedirme un poco de dinero?, ¿quién soy yo ahora, al cabo de esos años en los que ella se ha transformado?

En este momento, es Ernesto Zanner quien me importa. Su recuerdo se impone sobre el eco de la voz de Olga.

Cuando Paulina Ferrer me habló por carta de él, anunciándome su llamada, apenas le hice caso. Aunque me molestó que, sin consultarme, Paulina le hubiera dado a un amigo –el mejor amigo que tenía, me comunicaba– mi dirección y mi teléfono, me dije que seguramente nunca me llamaría. Yo no tenía ningún interés en que una persona desconocida me llamara. Incluso me pesaban un poco las escasas cartas de Paulina que de vez en cuando recibía, y tardaba en contestarlas. No quería reforzar ese vínculo, casi hubiera preferido no tenerlo.

Pero Ernesto Zanner me llamó. Su voz sonaba ronca y agradable al otro lado del hilo telefónico. ¿Podía pasarse por casa a última hora de la tarde del viernes?, me preguntó. Me recogería y nos iríamos a cenar por ahí. Su llamada me cogió tan de sorpresa que le dije que sí, que bueno. No se lo dije con mucho entusiasmo, pero se lo dije. Naturalmente, después de colgar, me arrepentí. ¿Es que iba a salir a cenar con un desconocido cuando hacía mucho tiempo que no cenaba fuera de casa, ni siquiera con conocidos? Pero no le había pedido el teléfono a Ernesto Zanner y ya no podía rectificar. Todo lo que me quedaba era desear que no apareciera, que se olvidara de la cita, que se perdiera.

Y, aunque algo de eso sucedió, porque Ernesto Zanner llegó a mi casa tarde, después de haberse creído perdido, el caso es que llegó. Parecía tan exhausto –en realidad, más que eso, parecía desesperado–, que inmediatamente me compadecí de él y de su deambular en aquella noche de calor por el barrio en busca de mi calle y del número del portal, porque yo tampoco hubiera sido capaz de encontrarlos fácilmente. Mi portal está un poco escondido, junto a un almacén que parece deshabitado, y no sé qué tiene que apenas se ve, parece una puerta cualquiera, una puerta que perteneciera al almacén deshabitado de al lado. Ernesto Zanner, según me dijo, pasó varias veces por delante del portal, y nunca vio el número, porque probablemente ni siquiera miró mucho hacia la puerta. Iba a marcharse, cuando se lo preguntó a alguien y, al ver de repente el número, hasta ese momento invisible, se quedó asombrado. Debo de ser completamente estúpido, repetía, sentado en una butaca en la que se dejó caer en un gesto de desánimo tan absoluto que me dije que la persona que tenía delante de mí era un hombre de verdad desesperado.

Le ofrecí una cerveza, que casi bebió de un trago, y nos quedamos allí, en casa, bebiendo cerveza, sin que, afortunadamente, Ernesto Zanner volviera a decirme lo que me había anunciado por teléfono hacía tres o cuatro días, que íbamos a cenar fuera. No habló de cenar, no parecía consciente de la hora, bebía y bebía cerveza y habló, primero, con un tono impregnado del cansancio y la desesperación con que había llegado a mi casa, luego, más animado, con entusiasmo, casi eufórico. Hablaba de sí mismo y de la vida, quizá estaba borracho. En determinado momento, dejó la cerveza y se sirvió gintonics. Me acompañó a la cocina en busca de algo que comer. Ninguno de los dos volvió a decir nada de salir a cenar.

Ernesto Zanner, como Paulina Ferrer, era fotógrafo, pero él, me confesó, no tenía verdadera vocación, ni mucho menos podía compararse con Paulina, que sólo vivía para eso, para sus cámaras y sus laboratorios de revelado. A él le gustaba la fotografía, como le gustaban muchas otras cosas, y había ganado, casualmente, un par de premios. Viajaba para buscarse la vida, pero la verdad era que no estaba muy dispuesto a buscar nada; a Ernesto Zanner le gustaba que fueran las cosas las que le buscaran a él, y había tenido la suerte de que eso fuese siempre lo que le había pasado. Vivía en casa de un amigo, en el barrio de Tetúan, un piso bastante grande, con terraza. Tomaban el sol allí, y cultivaban marihuana. El amigo era detective privado y con lo que ganaba vivía bastante bien. Quería convencer a Ernesto Zanner de que se hiciera su ayudante, pero a él no le gustaba el asunto de la investigación privada. Era el último recurso; si no conseguía trabajo como fotógrafo, acabaría ayudando a su amigo, pero era un trabajo sórdido, decía, casi siempre a la caza de la infidelidad, de la prueba del adulterio, a la caza de un vicio inconfesable, la mayoría de las veces no para exponerlo públicamente, por fortuna, pero sí para convertirlo en arma contra alguien, para servir de amenaza, para destruir una vida. ¿Cómo iba a realizar un trabajo así?, ¿qué derecho tenía para hurgar en lo más íntimo de la vida de los otros y revelar luego esos datos ocultos que servirían para que una persona, normalmente indeseable, dominase a otra? Alguien tenía que hacer ese trabajo, puesto que la gente lo pedía, eso decía su amigo. Y el amigo era cuidadoso, quizás él causaba menos daño que otros, era buena persona. En fin, decía Ernesto Zanner, me lo pensaré, puedo colaborar en algunos casos, ya veré.

Creo que aquella primera noche –Ernesto Zanner se quedó en casa hasta muy entrada la madrugada– sobre todo habló él, aunque no voy a negar ahora que yo hablara. Aún recuerdo lo que sentí, era como si hubiera retrocedido al pasado y estuviera dispuesta a confiar en la amistad, lo sentía, no lo pensaba. Hacía mucho tiempo que no hablaba tanto con una persona. La última, quizá, había sido Clara Ríos. Aquella conversación con Ernesto Zanner me remitió a las lentas tardes en la urbanización en que Guillermo y yo vivimos con Carlos y a aquella necesidad, que había desaparecido de mi vida sin apenas darme cuenta, de lamentarme y quejarme de la vida y de sentirme incluida en los lamentos de los otros. Y aunque ya no soportaba las quejas que de vez en cuando Clara me recitaba todavía por teléfono, las de Ernesto Zanner me parecieron distintas, eran como podrían ser las mías si aún me hubiera seguido quejando. Después de aquella noche, Ernesto Zanner me llamaba por teléfono alguna tarde perdida. No encontraba trabajo, pero se resistía a ayudar a su amigo en sus tareas de detective. El amigo insistía. Ahora había muchísimos casos. No me podía imaginar, decía, la cantidad de ejecutivos que había con vicios secretos, adictos a toda clase de drogas, en busca de experiencias sexuales y no sexuales insólitas... Había, de hecho, más demanda de espionaje a ejecutivos que de adulterios, y eso le deprimía aún más. Lo del adulterio era sórdido, pero más clásico. Ahora había demasiada suciedad por todas partes, antes sólo estaba en determinados sitios que se podían localizar fácilmente, ahora todos estábamos rodeados de ella, flotábamos sobre ella, ya no había límites.

Hablaba y hablaba, y, de repente, cuando yo ya creía que iba a pasarme la tarde colgada del teléfono y no me parecía tan mal, se despedía. Sus palabras me habían invadido. Inevitablemente, me quedaba pensando en él. No sé qué me podía llevar a pensar que nuestras vidas eran parecidas, pero eso era lo que sentía yo. Ernesto Zanner me hablaba como si los dos tuviéramos muchas cosas en común y no necesitáramos darnos muchas explicaciones para entendernos, como si la vida nos hubiera enseñado lo mismo.

Una noche me llamó muy alterado. Reconocí aquella desesperación con que había aparecido, hacía unos meses, en la puerta de mi casa, muerto de sed y harto de deambular. La había reconocido entonces, aquella noche de verano, porque me resultaba muy familiar, y otra vez la veía ante mis ojos y, mientras él me hablaba, yo me decía que era por eso por lo que yo escuchaba a Ernesto Zanner y me quedaba pensando en él cuando colgaba el teléfono. Nuestras desesperaciones eran, sonaban, parecidas.

Aún recuerdo el pequeño asunto que le había alterado tanto. Aquella mañana se había encontrado con un viejo amigo en un bar, un yonqui, dijo. Después de los saludos, el amigo se le había quedado mirando. Luego, había empezado a insultarle, recordándole no sé qué agravio del pasado. Le dio un empujón y le cogió la cartera. Sacó el dinero que había –poco, dos billetes de mil– y tiró con enorme desprecio la cartera al suelo. Mientras realizaba esta operación no dejó en ningún momento de insultarle. Ernesto, me dijo, se había quedado totalmente paralizado, sin poder reaccionar. Al fin, salió del bar sin despedirse de nadie.

¿Qué hubiera debido hacer?, se preguntaba, sé que es inútil hablar con él, no sé por qué me odia. Fuimos buenos amigos, nos hicimos favores, pasamos juntos muy buenos ratos, ¿qué hubiera podido decirle?

En aquel momento, lo que más me asombró fue que Ernesto, que sólo llevaba unos meses en esta ciudad de la que yo nunca he salido, tuviera ya viejos amigos a su alrededor, o cerca de él, aunque fueran amigos que le robaran. Seguramente me asombró porque yo ya no tenía amigos, porque me había desprendido del pasado. Vi de pronto la vida de Ernesto Zanner, todos los días que había vivido, a sus espaldas. Y creo que fue la primera vez que sentí extrañamiento y algo de desconfianza, como me volvió luego a pasar en otras ocasiones. Había en Ernesto Zanner algo que se me escapaba.

No voy a volver a ese bar, concluyó, he cometido un error de territorio. Eso es inevitable, dijo, no voy a pasarme la vida confinado en los dos o tres lugares en los que me siento seguro, en los que me reconocen, aunque ése es el ideal, ¿para qué se quiere más?

Cuando no se encontraba en el piso de su amigo el detective o haciendo esporádicos trabajos, Ernesto Zanner estaba en El Mercurio. Ése era su territorio. En El Mercurio jugaba al billar, su gran afición. Cualquiera podía encontrarlo por allí a la caída de la tarde. Se asombraba mucho de que yo no supiera jugar al billar y muchas veces me decía que debía aprender, que él me enseñaría. Siempre que colgaba el teléfono me lo decía, ¿por qué no te pasas hoy por El Mercurio? Lo decía en serio, como si yo no fuera esa persona que, a la salida de la Biblioteca, tuviera que dirigirme a casa con toda rapidez, aunque ya no para esperar la llegada de Guillermo, que era un chico mayor y hacía su vida, sino porque siempre lo había hecho así, porque no podía librarme de aquel sentimiento de urgencia, hasta de pánico, que me acometía una vez que me encontraba sola en la calle, o sola dentro del coche, en medio de aquella corriente de personas –algunas de las cuales, como yo, regresaban a sus casas, aunque otras probablemente no, a lo mejor se dirigían al cine o a una cita– que llenaba las calzadas. ¿Por qué eran tan libres?, ¿por qué podían pasearse con tanta tranquilidad, con esa indiferencia que se reflejaba en sus caras, en sus ademanes?

No se me pasaba por la cabeza ir a El Mercurio. En cambio, un día, mientras nadaba, mientras contemplaba a uno y otro lado del cuerpo el brazo que subía, brillante del agua, listo para volver a meterse en ella, tuve el absurdo pero muy intenso deseo de llevar a Ernesto Zanner a la piscina. No sé cómo se me ocurrió ni por qué, pero me pareció que eso me haría extraordinariamente feliz. Me prometí que lo conseguiría, que Ernesto Zanner vendría a nadar conmigo. Me encontraba llena de buenas razones para convencerle, ¿no se quejaba él también de dolores de cuerpo, de cansancio constante?, ¿por qué, al menos, no lo probaba? Yo lo llevaría y lo traería, sólo le pedía que lo probara.

Convencerle fue relativamente fácil. Ernesto había sido buen deportista, aunque hacía tiempo que no practicaba ninguna clase de ejercicio. Apareció un mediodía en mi despacho, con la bolsa de deporte colgada del hombro. Rosario me lo anunció por teléfono, con la voz forzadamente neutra. Al principio, a Rosario no le gustaba Ernesto, pero luego también ella fue conquistada por él. La saludaba siempre, siempre le hablaba un poco, y cuando al final dejó de llamarme, ella, que era tan discreta y que jamás me había hecho el menor comentario sobre ninguna de mis amistades, hizo una excepción con Ernesto y me preguntaba por él algunas veces, ¿es que le había pasado algo? Le dije que Ernesto era así, que a veces desaparecía, pero eso no la tranquilizó.

Es curioso que fuera eso lo que me preguntara, en lugar de imaginar que quizá nos habíamos enfadado, como puede ocurrir entre amigos. Rosario, intuitivamente, se sintió preocupada por él. Cuando le comuniqué su muerte y le dije cómo había muerto, suspiró, resignada, como si se hubiera estado preparando para ese final. ¡Pobre muchacho!, susurró, ¡qué mala suerte! Y estoy segura de que luego lloró en su despacho, porque al despedirme vi que sus ojos estaban enrojecidos. Pero aquel día la muerte estaba lejos. Desde el momento en que Ernesto entró en mi despacho con la bolsa de deporte colgada del hombro, evidentemente dispuesto a venirse conmigo a nadar, fui feliz. No sé por qué me parecía tan extraordinario que me acompañara, pero aún recuerdo aquella sensación de dicha que fue aumentando durante el trayecto y que alcanzó la culminación en la piscina. Cuando lo vi aparecer, tan delgado y tan pálido, un poco encorvado, con aquel traje de baño que le quedaba grande, me eché a reír, pero desde luego no me reía de él, me reía porque estaba contenta. No había mucha gente ese día y pudimos nadar cada uno en nuestra calle, uno al lado del otro. Ernesto nadaba bastante bien, aunque se cansaba en seguida, debido, seguramente, a lo mucho que fumaba.

Mientras avanzaba a lo largo de mi calle y sabía que él estaba en la calle de al lado, presentía que eso no se iba a repetir y que debía disfrutarlo plenamente. Hicimos muchas pausas, muchos descansos; nos colgábamos de la corchera que dividía nuestras calles y nos balanceábamos. Ernesto también parecía feliz, tanto como yo. Dijo que eso era lo que más había admirado siempre, a los nadadores con estilo.

Quizá por eso lo llevé conmigo a la piscina, me digo ahora, para que me admirara, para escuchar todo lo que yo sabía que iba a decirme.

Pero lo cierto es que siempre que he ido con alguien a la piscina me he sentido muy feliz. Con la rara excepción del día en que Ernesto me acompañó, mis únicos dos acompañantes han sido, y lo siguen siendo, mi hijo Guillermo y mi hermano Nacho. Mucho más mi hijo Guillermo, desde luego. Lo de Nacho es muy espóradico. Absolutamente todos los días en que Guillermo y yo vamos juntos a la piscina –normalmente los fines de semana pero también algún día entre semana en que aparece súbitamente en mi despacho, justo antes de la hora en que voy a nadar, porque le han entrado unas ganas repentinas de nadar– me siento feliz, sorprendida de estar acompañada, colmada. No me importa en absoluto ir sola a la piscina, me he acostumbrado a hacerlo y no me cuesta el menor esfuerzo, todo lo contrario, me paso la mañana esperando que llegue la hora de ir a nadar, pero el que venga Guillermo conmigo me parece un bien añadido, inesperado.

Aún le agradezco a Ernesto Zanner aquel día. De regreso a la Biblioteca, bajamos a la cafetería y tomamos un sandwich y una cerveza. Luego Ernesto se despidió y yo volví al despacho y me quedé dormida en el sofá. ¿Qué tuvo todo eso de extraordinario? En la cafetería, estuvimos haciendo planes. Ernesto vendría a nadar conmigo por lo menos dos veces por semana. Era increíble lo bien que se encontraba, quería recuperar su forma física, dejaría de fumar, acabaría nadando tan bien como yo. Yo sabía que todos esos planes no se cumplirían, él también lo sabía, pero eso era lo de menos. Los hicimos aquel día y fuimos felices haciéndolos, y su recuerdo aún me conmueve porque, en la medida de nuestra capacidad para no engañarnos, éramos sinceros y queríamos, sobre todo, sentirnos bien, vivir ese rato perfecto –al menos, fue perfecto para mí.

Ésta es la imagen de Ernesto Zanner que no puedo apartar aún de la memoria: delgado y pálido dentro de aquel traje de baño que bailaba alrededor de su cintura, en el momento de salir de los vestuarios y entrar en el recinto de la piscina, dirigiéndose a mí, con una media sonrisa en los labios como excusándose por su aspecto, por el bañador o por su delgadez.

Algunas veces se los recordaba, todos los planes que habíamos hecho juntos, y él me decía que sí, que de un momento a otro empezaría a cumplirlos, la semana que viene, seguramente. Entre tanto, ¿por qué no me pasaba alguna noche por El Mercurio?

Un anochecer, al salir de la Biblioteca, recordé que Guillermo estaba de viaje y que nadie, por tanto, me esperaba en casa, ¿es que incluso así yo tenía que sucumbir al absurdo sentimiento de urgencia? ¿No debía esforzarme por combatirlo? Carecía de sentido dirigirme con aquella prisa a mi piso vacío. Podía acercarme a El Mercurio, ver si Ernesto Zanner estaba allí. Y en lugar de hacer el trayecto hacia mi casa, me dirigí hacia la zona en la que vivía Ernesto y en la que, según me había explicado, se encontraba El Mercurio. Dejé el coche en un aparcamiento subterráneo, diciéndome que luego le pediría a Ernesto que me acompañara a recoger el coche. No me perdí, como le había sucedido a Ernesto la primera vez que vino a mi casa a visitarme, sino que encontré El Mercurio con toda facilidad. Ernesto no estaba en la barra y me adentré en el bar en busca de la zona de los billares. Allí estaba, apoyado contra la pared, sosteniendo un taco de billar, fumando un cigarrillo. Me vio en seguida, me sonrió, me hizo una seña para que me acercara. Poco después, yo también estaba jugando al billar. No se te da nada de mal, decía, no levantes tanto el taco...

No sé por qué no volví al día siguiente, por qué no empecé a ir, como Ernesto, todas las noches a El Mercurio. Algo dentro de mí se resistía, como si intuyera que allí hubiera algo que no se avenía del todo con lo que yo era. Eso me pasó siempre con Ernesto. De repente, sentía una oleada de desconfianza, me preguntaba, ¿qué nos une?, ¿qué es lo que tenemos en común?, ¿basta que nos hayamos aceptado desde el primer momento, sin ninguna razón?

A veces imaginaba –incluso lo llegué a soñar– que había incorporado El Mercurio a mi vida y que ya no había día que no concluyera con una copa junto a Ernesto y una partida de billar. Y me veía entrando en el bar como si fuera mi casa, saludando al camarero, cogiendo la copa, hojeando un periódico abandonado que quizá era del día anterior, y quedándome un rato por allí, esperando a Ernesto, hablando con los conocidos del bar, y hasta jugando con alguno de ellos mientras lo esperaba. En El Mercurio yo sería siempre la amiga de Ernesto, toda otra identidad no importaba, ¿no era mejor incluso que en la piscina?

Me gustaba mucho Ernesto, me gustaba que me llamara o que apareciera en la Biblioteca alguna vez, admiraba su capacidad para estar en medio del mundo sin necesitar entenderlo, sin aceptarlo. Todos los que le conocían acababan seducidos por él, un hombre que no tenía oficio ni beneficio, pero que parecía que tenía mucho más, cosas mucho más importantes.

157

Supongo que yo era consciente de que también a mí me había seducido, como a su manera acabó por seducir a Rosario. Sin embargo, o incluso por eso mismo, para defenderme, sólo fui a El Mercurio dos o tres veces más, coincidiendo siempre con ausencias de Guillermo. Yo ya no podía pertenecer a ningún grupo. Lo había comprobado en el colegio, en la Universidad, en el Somos. Toda asociación me ahogaba, me acometía el temor de disolverme, como si tuviera que defender algo valioso, importantísimo, como si mi identidad fuera cuestión de vida o muerte –o una cuestión de estado–, mi identidad, que se me escapa estando sola...

Es curioso cómo esas pocas veces que he hecho algo distinto de lo acostumbrado, algo que ha supuesto romper con la rutina establecida, han llegado a tener consecuencias desproporcionadas, han constituido una conmoción mayor de la prevista, por lo que podría concluir que no he sido lo suficientemente precavida y que aunque parezca que vivo recluida, o refugiada, o apartada, no he podido evitar las brechas ni los desórdenes. ¿Qué hubiera sucedido si no hubiera acabado por llevar al fin la vida que llevo?

El caso fue que en El Mercurio, aquellas tres o cuatro veces que fui, conocí a Víctor Boiro y a su novia, una mujer llamada Laya. Estaban siempre allí, alrededor de Ernesto, y eran extraordinariamente amables conmigo. A veces, hasta me traían ellos las bebidas. Víctor Boiro era pintor. Hacía retratos. Lo decía con un brillo de malicia en los ojos, como si no se lo acabara de creer, como si nos estuviera engañando a todos al decirlo y supiera que era difícil convencernos. Me miraba con los ojos un poco velados, siempre con una copa en la mano. Y más de una vez me confesó que su máxima aspiración hubiera sido ser como Ernesto, tener tanto éxito con las mujeres como lo tenía Ernesto.

Cuando Víctor Boiro se me acercaba, yo sentía la mirada de Laya clavada en mí. Laya tenía ojos grandes, inexpresivos, estupefactos, se los ribeteaba de khol y de lejos daban un poco de miedo. Al cabo de un rato, ella también se acercaba, me cogía del brazo con complicidad. No me gustaban ninguno de los dos, pero no llegué a rechazarlos porque eran parte de Ernesto. Él seguía insistiendo en que fuera a El Mercurio todos los días.

Una tarde, Rosario me anunció la llamada de Laya. Yo nunca le había dado a Laya mi número de teléfono, pero era evidente que ella lo podía haber conseguido a través de Ernesto. Cogí el auricular con inquietud. La voz de Laya, una voz envolvente, susurrante, me reprochó que no fuera ya nunca por El Mercurio, Víctor y ella le preguntaban siempre a Ernesto por mí. De hecho, Víctor tenía una sorpresa para mí, llevaba mucho tiempo trabajando en un retrato mío. Lo había hecho a partir de una foto que le había pedido a Ernesto. El retrato había quedado estupendo, particularmente ella pensaba que era el mejor retrato que Víctor había hecho nunca, y Víctor quería que yo lo tuviera, naturalmente. Lo había hecho para mí y me pertenecía. Por desgracia, dado lo mal que andaban de dinero, no me lo podía regalar, pero me lo podía dejar a un precio muy especial, un precio de amigos. A doscientas mil pesetas, nada más. El caso era que tenían muchísima prisa, por lo que Laya pensaba traerme el cuadro esa misma tarde a la Biblioteca, a casa o adonde fuera.

Sólo de pensar que Laya podía poner los pies en mi despacho con un retrato mío en las manos me daba vértigo. Le di las gracias y le dije que estaba muy ocupada, que en ese momento no tenía ninguna intención de comprar ningún cuadro. Laya, muy suavemente, replicó: Víctor quiere que tengas su cuadro, te lo llevaré esta noche a tu casa. Desde luego, no me preguntó la dirección, Laya debía de haberlo averiguado todo sobre mí.

Durante un rato, me quedé paralizada, sin saber qué hacer. Luego marqué el número de Ernesto Zanner. Me cogió el teléfono el detective, que me dijo que Ernesto se había ido de viaje esa misma mañana. No sabía a dónde, alguien lo había llamado casi al amanecer y se había ido sin despedirse. Debía de tratarse de algo urgente.

¿Adónde podía ir yo si no iba a mi casa? Sólo quería huir de Laya y de aquel atropello, pero no veía ninguna salida. No me quedaba más remedio que ir a casa y abrirle la puerta a Laya y decirle después, con buenos o malos modos, que se fuera por donde había venido, con el cuadro en las manos, por su-

159

puesto. Preveía que ese enfrentamiento no iba a ser fácil, que Laya insistiría, que quizá acabáramos gritando y perdiendo los estribos.

Esa clase de escenas me horrorizan y me parece que yo nunca he iniciado una de ellas y las pocas veces, muy a disgusto por mi parte, que me he visto envuelta en ellas, me he quedado después absolutamente abatida, devastada, sumida en la profunda sensación de que la agresividad entre los seres humanos es una emoción terrible y poderosa cuando, por una u otra razón –y en general por razones muy nimias–, se desencadena. Puedo recordar aún a una mujer espantosa que me gritó y me insultó de manera impresionante después de que, por su culpa, su coche hubiera chocado con el mío. Incluso llegó a advertirme de los peligros que suponía su vehículo, muy grande, un inmenso todoterreno, para los demás, y me aconsejó que cuando viera un coche así me alejara inmediatamente de él. Yo la escuchaba con asombro, con verdadera perplejidad, mientras ella me insultaba, y las manos me temblaban tanto que a duras penas conseguí anotar sus datos personales en un papel, ya que ella anotaba los míos y yo, aunque el seguro de mi coche era a todo riesgo, a pesar de lo mucho que me temblaba la mano, también los anoté, porque en casos así hago lo que hacen los demás, por no quedarme quieta y sentirme más desolada y perdida. Cuando ella se fue, me quedé un buen rato dentro del coche, sin poder encender el motor, sintiéndome la más pequeña e insignificante de las personas, la más amedrentada e inservible. ¿Me pasaría algo parecido cuando tuviera a Laya delante? Ya la veía gritándome e insultándome y casi tirándome el cuadro de Víctor Boiro a la cabeza si yo me negaba a comprarlo. Su voz había sonado muy segura, avasalladora. Tenía un propósito y lo iba a cumplir.

Cuando sonó el timbre de la puerta, traté de dominar los latidos del corazón, respiré profundo. Quizá las cosas no fueran tan difíciles. Allí estaba Laya, sonriendo con sus grandes ojos estupefactos, junto a un enorme cuadro malamente envuelto en papel de estraza y atado con un cordel. Entró en casa con lentitud, como si de repente ya no tuviera ninguna prisa, deshizo el envoltorio, se quedó mirando, satisfecha, enormemente complacida, el cuadro. Miré el cuadro yo también. Reconocí la foto que había servido de modelo. Le dije a Laya que nunca se me hubiera pasado por la cabeza encargar un retrato mío ni tener en casa mi retrato o el de otra persona, porque no me gusta que nadie me mire constantemente desde un cuadro en mi propia casa, o que pierda los ojos en un punto indefinido, inaccesible para mí. Laya se sentó en el sofá, encendió un cigarrillo y me pidió algo de beber. Yo no me serví nada. Estuvo en casa más de media hora. Miraba el cuadro, lo alababa, me decía lo que costaba y lo muy necesitados que ellos estaban de dinero. Alababa también mi casa, el buen gusto que tenía yo, lo estupendo que había sido conocerme. Comprar un cuadro de Víctor era una inversión, a un precio tan bajo, además. Y de repente arrojó sobre mí una sucesión de cifras, todas las deudas que tenían. Sabía, dijo en tono admirativo, que yo ganaba un buen sueldo. Pensé que nunca podría librarme de ella. Me levanté y cogí el talonario. Cincuenta mil pesetas, eso fue lo que escribí. Le dije a Laya que no podía darles más, y que no quería el cuadro, que tomaran el dinero como un préstamo. Le dije que tenía muchas cosas que hacer y me dirigí hacia la puerta. Laya se guardó el talón en el bolso y se levantó. Me dijo que eso no era ni mucho menos lo que había esperado de mí y que Víctor se iba a sentir muy decepcionado, porque había hecho el cuadro pensando en mí. Desde luego, no podía llevarse el cuadro, Víctor se enfadaría con ella. Me miró, profundamente dolida, antes de desaparecer.

¿Quién había ganado la batalla?, me pregunté. En cierto modo, la perdimos las dos, aunque quizá mi papel era aún más despreciable que el de Laya. El que se resiste a dar no puede desprenderse de la incómoda sensación de estar siendo injusto y mezquino. Creo que en aquel momento no lo pensé, pero ahora recuerdo de nuevo la escena del golpe que me dio la insoportable conductora del todoterreno, y encuentro en ella cierto parecido con la escena de Laya. Aunque el episodio de Laya es seguramente peor, porque, además de sentirme humillada y ofendida, terriblemente impotente, aún me cabía la duda de estar siendo injusta. ¿Es que yo no tenía aquellas doscientas mil pesetas que Víctor Boiro y Laya necesitaban para cancelar sus deudas o para lo que fuera?, ¿acaso no era cierto que yo ganaba un buen sueldo? Pero ellos no tenían ningún derecho a decidir por mí, a obligarme a que yo les diera dinero con la excusa de comprar el retrato que, sin pedírselo yo, me había hecho Víctor. Pero desde luego necesitaban el dinero, aunque no fuera para cancelar sus deudas. Me molestaba haberle dado a Laya una parte de ese dinero y me molestaba no haberle dado todo lo que me había pedido. ¿Quién nos asegura que lo que damos a los demás –no sólo dinero– se empleará de manera conveniente?, ¿es que ese temor es razón suficiente para no dar nada?

Di la vuelta al cuadro para no ver más el retrato. Yo nunca hubiera encargado un retrato mío, ciertamente, y, además, el cuadro no me gustaba en absoluto. A Guillermo tampoco le gustó. En realidad lo encontró espantoso. Fue él quien me dio la idea de que llamara al detective amigo de Ernesto y le pidiera la dirección de Víctor Boiro para poder devolvérselo. Si no la tenía, podía enterarse, ¿no era ésa su profesión?

Llamé al detective a la mañana siguiente y me dijo que no la tenía, pero que por supuesto la podía conseguir. Me llamaría en seguida.

Pero antes de que me llamara él, creo que esa misma noche, me volvió a llamar Laya. Otra vez me cogió por sorpresa. Guillermo, que en aquel momento estaba sentado enfrente de mí, comprendió en seguida con quién estaba hablando y clavó sus ojos en los míos.

Laya me preguntó cuándo podría darles el resto del dinero. Volvió a decirme que me estaba haciendo una oferta verdaderamente interesante, puesto que el cuadro valía bastante más. Volvió a decir que necesitaban el dinero. Le dije, con los ojos de Guillermo clavados en los míos, que no quería comprar el cuadro. Iba a colgar el teléfono, pero Laya dijo entonces que Víctor quería hablar conmigo.

La voz de Víctor sonaba con cierto acento de timidez. Me preguntó si me había gustado el cuadro. Había querido darme una sorpresa. Tuve que darle las gracias, todo lo fríamente que pude, y evadí la respuesta. De ningún modo quería retratos

162

míos, ése era el problema. La voz de Víctor perdió el velo de timidez que la cubría, se convirtió en una voz dura, objetiva, una voz en posesión de la verdad. Dijo que me estaba pidiendo muy poco, que a mí me sobraba el dinero. Colgué el teléfono. Guillermo no se conformaba con eso, quería que les hubiera insultado, ¿quiénes se creían que eran? El teléfono volvió a sonar un par de veces y yo no dejé a Guillermo que lo cogiera.

En cuanto el detective amigo de Ernesto consiguió la dirección de Víctor Boiro, envolví el cuadro y llamé a una empresa de transportes rápidos. Supongo que el cuadro llegó a su destino. No volví a tener noticias de Víctor ni de Laya.

Es curioso que este pequeño y absurdo episodio se agigante ahora en mi memoria, una vez que ya me he dejado llevar por el recuerdo de Ernesto. Nunca llegué a contárselo, porque cuando Ernesto volvió de su viaje se encontraba tan trastornado que no me sentí con fuerzas de relatarle pequeños incidentes. Mientras aún pensaba contárselo, me decía que la vida que rodeaba a Ernesto lo separaba de mí. Siempre lo había presentido. ¿Cómo podía ser amigo de Víctor Boiro y de Laya? Pero yo no tenía ningún derecho sobre él. No volvería a El Mercurio, desde luego. Nos habíamos aventurado mínimamente uno en el territorio de otro, pero teníamos que volver sobre nuestros pasos. Creo que él me había acompañado una vez a la piscina porque comprendió que eso significaba mucho para mí. Nunca pensó en volver, en cumplir los planes que luego trazamos juntos en la cafetería de la Biblioteca. Vino una sola vez conmigo a la piscina por hacerme un favor.

Pero yo, ahora que ha muerto, le agradezco ese favor y creo que también tuvo un significado para él. Pero ninguno de los dos quiso, o ninguno pudo, dar un paso más hacia el otro. Cuando Ernesto Zanner, ya de regreso, me volvió a llamar, me dijo que había estado en Mallorca, donde había asistido a la muerte de una amiga suya, y eso le había dejado el ánimo por los suelos, no tenía ganas de hacer nada, pero un día se pasaría por casa, en cuanto se sintiera un poco mejor.

Se presentó una noche, sin avisar. Parecía desesperado, como el atardecer de verano en que, después de perderse por el barrio, había llamado por primera vez a mi puerta. No podía más, me dijo, llevaba encerrado sin salir a la calle desde que había vuelto de Mallorca, se iba a ahogar. Se dejó caer en una butaca y empezó a beber cerveza. Al cabo de un rato, me habló de Beili, la chica que acababa de morir. Eran vecinos, de la misma edad, sus madres se pasaban el día juntas. Ernesto perdió la mirada. Su voz, un poco rota, llenó el cuarto. Aún puedo oírla hoy: A Beili le gustaba vestirse de chico, cuando venía a casa iba derecha al armario y se ponía algo mío. Nadie le decía nada, nadie se extrañaba de que fuera por allí vestida de chico. Siempre hizo lo que quiso, nadie ha podido con ella. Luego llegaron los novios –Ernesto suspiró–, los dichosos novios. Los manejaba. Siempre había dos o tres rondando por ahí. Chicos altos, un poco famélicos, con cazadora de cuero. A pleno sol, llevaban cazadora de cuero. Beili se colgaba de sus brazos y nos miraba a los demás. No hubiera querido estar en la piel de esos chicos por nada del mundo, dijo Ernesto, no sé qué era lo que buscaba Beili.

Aún veo a Ernesto, de repente callado, frotándose la cara con las manos, como si no pudiera despertarse de un mal sueño.

Al final estaba tan cambiada, siguió Ernesto, volvió a la infancia. Tenía la mirada apagada, pero había dejado de ser una mirada dura. Quizá recuperó algo, no lo sé. Me llamó su madre, parece que Beili llevaba días hablando de mí, decía que quería verme, jugar conmigo, decía que no entendía por qué habíamos dejado de jugar juntos.

En un momento de la noche, Ernesto y yo fuimos a la cocina, yo cené algo, creo que Ernesto no comió nada. Saqué la botella de tequila, bebimos en recuerdo de Beili, que tenía los ojos fríos y azules. ¿Qué sabía yo de Ernesto? Estaba muy lejos, allí, en mi cocina, bebiendo tequila y pensando en Beili.

Más tarde, me dije que había algo en lo que me había sucedido con Laya y Víctor Boiro que me recordaba el pequeño episodio que había vivido Ernesto en un bar desconocido, aquel encuentro con un viejo amigo que le había quitado la cartera y le había insultado. Ernesto Zanner se había jurado a sí mismo no volver a poner los pies en ese bar. Había cometido un error de territorio. Yo también había cometido un error de territorio, y estaba claro que jamás volvería a El Mercurio, al que, por otra parte, siempre había ido con esfuerzo, violentándome a mí misma. Pero había algo más, yo había puesto algo en Ernesto Zanner, y de repente lo veía muy lejos, y todo lo que yo había puesto en él también se alejaba, ¿qué era? Ya no lo recordaba, pero me sentía dolida, ofendida con alguien.

Llegó una carta de Paulina en la que me preguntaba por Ernesto. Lo había visto en el entierro de Beili y se había quedado preocupada. Estaba muy afectado, parecía un fantasma, la había mirado a ella, a Paulina, casi sin reconocerla, y ella no había cambiado tanto, la verdad. Pero es que Beili era algo especial para Ernesto, decía Paulina. Beili le marcó. Eran muy parecidos, escribía Paulina, como si fueran hermanos. Decían las mismas cosas, tenían los mismos gestos, los mismos gustos. Eran inseparables. Pero, inesperadamente, se separaron. Se empezó a ver a Beili en compañía de otros chicos. Ernesto se fue, no se supo adónde. Cuando volvió, él también deambulaba con chicas diferentes cada noche.

Ése era el pasado de Ernesto, y yo no hice nada por entenderlo, por apropiarme un poco de él. Todo lo contrario. Me quedé mirándolo, de lejos, ofendida, sabiéndome excluida. Recuerdo una noche, días después, en la que Ernesto volvió a visitarme. Otra vez estábamos sentados uno frente al otro, bebiendo cerveza, lamentándonos de la vida. Se me pasó por la cabeza preguntarle por Víctor Boiro y Laya, qué significaban para él, qué clase de amigos eran, y si a ellos también les había hablado de Beili. Sin embargo, no lo hice. Si le preguntaba eso, quizá le preguntara luego muchas cosas más, y Ernesto ya se había alejado, aunque ahora estuviese en mi casa.

No volví a verlo. Al cabo de dos meses su amigo el detective me llamó para decirme que lo había encontrado muerto de madrugada. Había llegado tarde a casa, había visto la puerta del cuarto de Ernesto abierta y se había asomado. El brazo izquierdo de Ernesto colgaba de la cama, la jeringuilla había caído al suelo, pero la aguja aún seguía clavada en el brazo. Se le había paralizado el corazón.

Nunca habíamos hablado de la heroína. No sé si yo hubiera podido imaginarlo. Había sido una historia del pasado, pero después de la muerte de Beili había resucitado. El amigo de Ernesto, el detective, lo había intuido, pero tampoco le había prestado mucha atención. ¿Qué hubiéramos podido hacer? Aún hoy me lo sigo preguntando. ¿Por qué me dolió tanto su lejanía cuando me habló de Beili, si Beili ya había muerto?, ¿qué eran Víctor Boiro y Laya para él?, ¿qué fui yo para él?, todas estas preguntas se quedarán sin respuesta. Probablemente todos seamos perseguidores de sombras y nos confundamos por los pasadizos. Ernesto acabó perseguido por la sombra de Beili, de la que había huido, una vez que no había podido conseguirla. Quizá las sombras de Víctor Boiro y de Laya le ampararon, le protegían de algo. ¿Y yo? Yo también me he ido refugiando entre unas sombras y huyendo de otras, de todas las sombras que han ido cayendo sobre mi vida.

Sus largas llamadas telefónicas, sus inesperadas visitas a última hora de la tarde, no se repetirán. Si hubiéramos tenido tiempo, me digo a veces, quizá hubiéramos acabado rompiendo la barrera que siempre existió entre nosotros. Nunca supimos exactamente lo que significábamos el uno para el otro y temíamos desilusionarnos mutuamente, guardábamos las distancias porque nos daba miedo la desilusión. Éramos formalistas, incluso mitómanos. Preferíamos admirarnos a querernos. Nos habíamos instalado cómodamente frente a una ventana desde la que se contemplaba el ajetreo de la vida, pero nunca nos atrevimos a bajar juntos a la calle.

Ni siquiera el día tan extraordinario en que Ernesto vino conmigo a la piscina nos arriesgamos mucho. Nos miramos un momento, justo antes de sumergirnos en el agua, enfundados en nuestros bañadores, medio desnudos, contentos de estar allí, uno frente al otro, tratando de superar la vergüenza de nuestra desnudez. A lo mejor por eso puse tanto empeño en llevar a Ernesto a la piscina, necesitaba vencer esa vergüenza y no podía hacerlo de otro modo. Sin embargo, meses después de su muerte, he soñado varias veces con Ernesto, y en sueños lo he amado apasionadamente, corporalmente. He sido indescriptiblemente feliz, como probablemente nunca lo haya sido estando despierta. En la vida, no he podido amarlo así, ni siquiera estaba segura de desearlo. Pero los sueños son importantes. Quizá la felicidad sea necesaria, puesto que a veces se impone a través de los sueños.

La última vez que he soñado con Ernesto, hace tan sólo unos días, había un momento en que él retenía mi mano entre las suyas y aspiraba su olor. Hueles a cloro, decía, sonriendo, siempre hueles a cloro, por debajo del perfume, está siempre el cloro. Creo que yo le pregunté entonces si eso era bueno o malo y él se me quedó mirando pensativo, y me reprochó que le hiciera esa pregunta. Me dije para mis adentros: me ama, se ha enamorado de mí. Y me invadió una intensa sensación de felicidad que perduró todo el día, ya despierta. Sentía que nunca había sido tan feliz y que la felicidad estaba dentro de mí. Casi tenía la certeza de que nunca la perdería. Sí, sin duda la felicidad es necesaria. A lo mejor se queda guardada, escondida, invisible, pero puede que esté allí, a pesar de todo, una vez que se muestra en los sueños.

Nunca la muerte se me había acercado tanto. No acababa de entender cómo una vida se termina de pronto y desaparece del mundo. Pasé unos días con fiebre, pero me asustó interrumpir mi rutina, que todo se me viniera abajo y que luego yo me quedara tan débil que ya no fuera capaz de volverlo a construir. Me forcé a cumplir mis horarios, a seguir fielmente mis trayectos. Me sentía mal, pero nadaba, y lo cierto era que, como siempre, el malestar desaparecía mientras nadaba, aunque de vuelta en la Biblioteca aumentaba. Muchas otras veces había nadado con fiebre. Sólo cuando ni siquiera he podido ir a la Biblioteca, he dejado de nadar. Y tuve que hacerlo, dejarlo todo y quedarme al fin en la cama.

En la cama, además de sentirme mal, sentía que estaba desprendiéndome de mi mundo y temía perderlo para siempre. ¿Quién sabe si ya en la Biblioteca habían comprendido que podían prescindir completamente de mí, si no se sentían, en mi ausencia, no sólo mucho más cómodos, más a gusto, sino que además todo funcionaba con más eficacia?

Con todo, no era mi empleo en la Biblioteca lo que más me inquietaba. Pero no ir a nadar casi me atormentaba. ¿Y si a la vuelta al polideportivo ya nadie me llamaba por mi nombre?, ¿si en unos días se hubieran perdido todos esos signos de familiaridad que eran tan importantes para mí?, ¿y si otros nadadores procedentes de los lugares más diversos y lejanos hubieran invadido la piscina, la hubieran descubierto mientras yo pasaba esos días en cama? Incluso me atormentaba la posibilidad de que me echasen de menos, que los recepcionistas, o los que guardaban la ropa, o el socorrista, o alguna de las mujeres con las que solía intercambiar algunas frases en los vestuarios, o incluso algún nadador que solía ir a la piscina a la misma hora que yo y que me saludaba con una sonrisa o un gesto de la mano, llegaran a pensar que yo ya no iba a volver, que había fallado. Los había abandonado a todos, y ellos quizá estrecharían los lazos entre ellos, sin mí. Ése era el único espacio del mundo exterior en el que me movía con seguridad, con verdadera alegría. Como Azucena, yo me ponía a canturrear en cuanto entraba en los vestuarios y empezaba a cambiarme de ropa. Me dolía no poder comprobar diariamente que yo estaba dentro de ese mundo, casi tanto como tener que prescindir del placer de nadar.

Nunca podrían llegar a saber todos ellos, los recepcionistas, los nadadores, el socorrista, cuánto les agradecía yo, cada vez que algo me impedía acudir a la piscina, el recibimiento que me daban cuando, de nuevo incorporada a mi rutina, volvía a verles y otra vez recibía sus saludos y sonrisas. Efectivamente, me decían que me habían echado de menos, que habían imaginado que había estado enferma, se alegraban de verdad de verme y se despedían de mí recomendándome que me cuidara mucho, si, en verdad, ese de la enfermedad había sido el motivo. Yo respondía a sus frases y recomendaciones con un agradecimiento infinito, intensamente aliviada, reconfortada, de estar de nuevo dentro de ese mundo. Sobre todo, nunca llegó a saber Alex, el socorrista que me enseñó a nadar a crol, lo mucho que agradecía su amplia sonrisa de recibimiento tras aquellos obligados días de ausencia. Se levantaba del banco desde el que nos miraba, muchas veces tan aburrido que creo que no nos veía –aquel trabajo se le caía un poco encima, aunque al hablarnos se esforzara por mantener siempre un excelente humor–, y casi llegaba a abrazarme. Volvíamos a hablar, como antes, de la situación política y de la temperatura del agua de la piscina, me recomendaba que me metiera en tal o cual calle porque, según sus cálculos, se iba a quedar pronto vacía, me ponía al tanto de las últimas novedades, si había nuevos cursos de socorrismo los fines de semana y a qué horas, entonces, era más conveniente ir a la piscina, para no coincidir con los aparatosos aprendices. De nuevo estaba allí, como si no hubiera pasado unos días sin ir, y todo seguía como siempre, nada se había perdido. Yo lo miraba con asombro, y por unos momentos creía verdaderamente que todo ese escenario, ese territorio, había sido guardado expresamante para mí.

Pero aunque sé que esto es lo que sucede una y otra vez siempre que vuelvo a la piscina después de estar enferma con fiebre y no tener más remedio que quedarme en la cama, o por otros motivos ajenos por completo a mi voluntad y a mí misma, nunca acabo de saberlo de verdad, siempre vuelven mis temores. Y cuando, unos días después de la muerte de Ernesto Zanner, tras intentar resistir, seguir yendo a la Biblioteca y seguir nadando todos los días, ya no pude más y me quedé en casa y me tuve que meter en la cama, mis miedos resurgieron y fueron más agudos que nunca.

Éstas eran las cosas de las que podía hablar con Ernesto, pero ahora no tenía a nadie a quien decírselas. Naturalmente, Guillermo las intuía y trataba de darme ánimos, pero yo no podía desahogarme con él. Siempre he mantenido mis miedos aparte, más aún cuando podía percibir claramente que él también estaba librando su propia lucha.

Pasé muchos días en la cama, tan debilitada y atemorizada que la sola idea de coger el coche me estremecía, ¿era de verdad capaz de conducir?, ¿no iría por ahí chocando con los otros coches, atropellando a los peatones, demasiado deprisa o demasiado despacio, saltándome los semáforos, de repente invisibles, o quedándome para siempre detenida ante uno de ellos, con el coche calado, tercamente inmóvil?

La víspera del día en que al fin decidí que volvería a la Biblioteca, me asaltó y desveló un pequeño problema: la ropa. Comprendí que no me apetecía en absoluto vestirme para salir, que no podría escoger adecuadamente lo que iba a ponerme. La sola idea de abrir el armario y empezar a pensar –el tener que escoger– me daba náuseas. Desde luego, ha habido temporadas en las que he ido a trabajar siempre igual vestida, como si hubiera hecho la promesa de llevar hábito. Podía volver tranquilamente a una de esas temporadas, nadie se iba a escandalizar, pero ni siquiera, facilitándose así las cosas, se me ocurría qué ponerme. Por la mañana, seguía sin saber cómo vestirme, pero ya me importaba menos, como suele suceder por las mañanas con los problemas que nos han desvelado durante la noche. Fui a la Biblioteca con la misma ropa gastada que me había puesto esos días en casa cuando me levantaba de la cama. Durante mucho tiempo fue así. No soportaba la idea de tener que arreglarme. Creo que la muerte me contagió y que la vida se fue más lejos que nunca, ni siquiera me interesaba alcanzarla.

Nadie me dijo nada. Hoy día, por fortuna, la gente viste como quiere, y ya no hay una clase de ropa para una cosa y otra clase para otra, o, si la hay, es norma que practican muy pocas personas. Durante esa temporada asistí a las reuniones del Patronato y recibí a los comisarios y me paseé por la Biblioteca casi como si acabara de levantarme de la cama una mañana de domingo, dispuesta a dedicarme a labores de limpieza o a meterme en la cocina y preparar comida para toda la semana. Ernesto Zanner, cada vez que nos veíamos, siempre me miraba un momento y asentía, aprobatorio, o dejaba caer algún comentario alabando algo de lo que yo llevaba puesto. Ése era el formalismo que nos unía, teníamos el mismo gusto en la ropa. Pero él ya no estaba en el mundo y a mí me daba igual lo que pensaran los demás. Incluso suponía un placer ir tan desarreglada y descuidada.

En los vestuarios se oyen muchas conversaciones sobre ropa, sobre todo en tiempo de rebajas. Siempre me ha gustado escuchar esas conversaciones y hasta intervenir en ellas. Me gusta el entusiasmo y el detalle con que algunas mujeres explican cómo es la ropa que se acaban de comprar, sobre todo si tienen que utilizarla para una ocasión especial, una boda, la mejor de las fiestas cuando se habla de ropa. Describen con toda minuciosidad su atuendo, la clase de tela, la forma, el color exacto, para el que buscan toda suerte de símiles –como el aguacate, dicen, como la berenjena, del color de la cerveza, no, del champán–. Los verdes y los azules son muy difíciles de describir, y son los que más les atraen, verde manzana, verde botella, verde pistacho –éste es una relativa novedad, antes no existía–, verde hoja, verde ciruela, verde esmeralda, verde billar, azul turquesa, cobalto, eléctrico... Inacabables verdes y azules sobre los que yo aún puedo decir algo, añadir un nuevo matiz, una nueva posibilidad. Sobre la forma hay muchas discusiones, qué sienta bien según la clase de cuerpo que se tenga, qué disimula qué, qué realza qué. Casi todas estas mujeres que van al polideportivo –al fin, una piscina pública– se compran ropa barata, de almacén, y se conocen los precios y las calidades de todos los almacenes y tienen sus preferencias, no todas coincidentes.

Pero en aquella temporada esas conversaciones me parecían espantosas, me mareaban y me daban ganas de decirles a aquellas mujeres incansables que se callaran. No llegaban a irritarme, porque nadie puede irritarme una vez que me encuentro ya en los vestuarios, ante la perspectiva de estar nadando de un momento a otro o habiendo nadado ya lo suficiente como para contemplarlo todo con benignidad. Pero estoy segura de que si hubiera escuchado una conversación de ésas en un autobús me hubiera sentido profundamente deprimida. Si ese de la clase de tela, de los diferentes y sutilísimos colores, de las tiendas y las rebajas, era el mundo del que me había quedado excluida, bien estaba fuera de él, aunque estar fuera de las cosas sea lo peor que nos puede pasar.

En cambio, presté atención por primera vez a una conversación sobre animales, que es una conversación que se da con bastante frecuencia en los vestuarios y que siempre había resbalado sobre mi conciencia. Mi único contacto con los animales se limita a la remota relación que mantuve con Black, el perro de Carlos, y lo cierto es que no fue nada amistosa. Nos ignorábamos mutuamente. Cuando las mujeres en los vestuarios hablaban de sus animales domésticos, perros y gatos, sobre todo, yo casi ni las oía, porque el asunto me resultaba muy ajeno, aunque no dejaba de asombrarme ante la pasión con que algunas lo hacían, como si estuvieran hablando de sus hijos o de sus nietos. Y seguramente este tipo de conversación también hubiera llegado a irritarme, e incluso a deprimirme, si la hubiera oído en un autobús, pero, por fortuna, me encontraba en los vestuarios, en la antesala de la piscina, y todo quedaba tamizado por la humedad, el rumor del agua, la calma del agua.

El caso fue que un día me quedé absorta escuchando una conversación entre dos mujeres que eran propietarias de animales. A una se le había muerto un gatito, y estaba desolada, aunque, afortunadamente, aún tenía otro, además de dos perros. La otra acababa de comprarse un cachorro de labrador y estaba tan entusiasmada que le mostraba a la primera las huellas que el pequeño animal estaba dejando en su cuerpo, arañazos y moratones, como si fueran auténticos trofeos. De repente me sentí muy cerca de esas mujeres, que siempre me habían parecido raras e incomprensibles, casi anormales, y ahora creo que no sería nada de extrañar que yo acabara comprándome un cachorro de ésos y que luego exhibiera muy orgullosa en los vestuarios los rasguños. Entendí de golpe a esas mujeres, y luego, mientras nadaba, tuve la visión de mí misma unos años más adelante, ya jubilada de mi empleo en la Biblioteca, Guillermo, como es previsible, viviendo por su cuenta desde hacía tiempo, es decir, viviendo ya completamente sola. Encajaba perfectamente que yo tuviera entonces uno de esos perros que no se separan nunca de sus amos, que siguen e interpretan todos sus movimientos y que les proporcionan una compañía constante. Como me veía aún yendo a nadar todos los días, imaginé que mi perro se quedaría en el coche mientras yo nadaba, porque la idea de hacer el trayecto hacia la piscina acompañada de mi perro me resultaba alentadora. Probablemente, le iría hablando a mi perro durante el camino, en lugar de hablar sola en alto o para mis adentros, como hago siempre. Y me veía paseando por el barrio con él, al menos tres veces al día, como he oído que hacen los dueños de los perros, para que se aireen y corran un poco y hagan sus necesidades fuera de casa. Y, sobre todo, lo veía durmiendo a mis pies mientras yo leía o escuchaba música.

El sábado por la mañana, en mi recorrido habitual por el

barrio para hacer los recados de la semana, vi una escena que antes me hubiera pasado completamente desapercibida o quizás me hubiera extrañado y hasta fastidiado un poco. En cambio, esta vez me complació. Una mujer de edad indefinida estaba sentada en un banco, a la orilla de la calzada, tomando el sol, y tenía sobre el regazo la cabeza de un gran perro de pelo largo –ignoro de qué raza era el perro, ya que no sé nada de perros–, y estaban los dos tan compenetrados, tan unidos bajo los rayos de sol, que parecían una estatua, aunque animada, puesto que respiraban plácidamente y miraban con mucha calma, desde su mundo, a los viandantes. Sentí la necesidad de hablarles –a los dos, a la mujer y al perro: no se podía hablar al uno sin hablar al otro–, y les dije algo así como: ¿Qué?, ¿tomando el sol?, sin duda porque quería hacer explícita mi complacencia, mi aprobación. Mi admiración, en realidad. La mujer sonrió remotamente, casi sin mover los labios, y dijo luego en un tono que quizá era un poco resignado pero también benevolente y hasta regocijado: No, mimos. Y esta respuesta, en la que luego me quedé pensando, analizándola –sobre todo, la sorprendente negación inicial, que no era necesaria, ya que la mujer y el perro tomaban, evidentemente, el sol, aunque la escena pudiera ser, como la mujer la calificaba, de mimos–, aún me hizo en ese momento admirar más el cuadro.

Y quizá poco después de haber entendido por primera vez a las mujeres que hablaban en los vestuarios de sus perros, empecé a poder abrir el armario y a mirar la ropa colgada en las perchas o doblada en los cajones y en las baldas sin marearme. De repente caí en la cuenta de que Guillermo no me había hecho el menor comentario reprobatorio sobre mi aspecto. Es más, si alguna vez yo le preguntaba si se podía salir a la calle o ir a trabajar como yo iba vestida, me decía, con absoluta convicción, que yo podía ir como quisiera. Una tarde salí antes de la Biblioteca y me compré ropa nueva, ya sin pensar en Ernesto Zanner. Desde luego, no podía dejar de decirme, al escoger la ropa, que aquello le hubiera gustado mucho a Ernesto, que alguna vez me había acompañado a comprarme ropa, pero, incluso aunque ya no podía tener su aprobación, me seguía gustando y quería tenerlo.

Ni siquiera sufrí al entrar en la tienda, como me había pasado tantas veces. Durante mucho tiempo, me sentí muy avergonzada delante de las dependientas y me parecía que me miraban con superioridad, como si yo no tuviera derecho a entrar en la tienda o como si estuvieran seguras de que todos aquellos trajes y blusas y jerséis me iban a sentar fatal o que no iba a tener dinero suficiente para pagarlos. A la hora de pedir que me atendieran, me temblaba un poco la voz, me ponía muy nerviosa, sin confiar en que me hicieran el mismo caso que a las demás. Me sentía una infiltrada, del mismo modo que en el Somos era también una infiltrada e incluso hoy día lo soy en la Biblioteca.

Cuando, en mi paso por las tiendas de modas, me he encontrado con una dependienta afable, me he dejado aconsejar totalmente por ella y me he gastado mucho más dinero del que me pensaba gastar, sólo por no contrariarla ni defraudarla, y he salido de la tienda sofocada, a punto del desmayo, arrepentida y cargada de bolsas. Y, a la vez, por debajo de todo, muy satisfecha, como si todo eso me lo hubieran regalado.

He sufrido mucho por estas pequeñas cosas, a causa de la vergüenza y de la inseguridad que siempre he tenido de mí misma. Probablemente, siempre me temblará un poco la voz cuando tenga que pedir algo a una dependienta o a un camarero en un bar o al darle a un taxista la dirección a la que quiero ir, siempre se me nublará un poco la vista al entrar en una sala o una casa o un lugar desconocidos, y siempre tendré que dominar el deseo de retroceder y refugiarme en casa y en mis lugares conocidos. Pero lo que sí ha cambiado algo es que ya no me importa nada quedarme casi desnuda en los probadores a la vista de las dependientas y de quien pase por ahí y me vea a través de las rendijas que dejan las cortinas medio corridas, porque las cortinas de los probadores nunca se cierran del todo.

Sin duda, la culpa de que antes yo lo pasara mal en los probadores de las tiendas la tienen mi madre y mis tías, que siempre se sentían tan seguras de sí mismas y que me miraban torciendo un poco el gesto y siempre me estaban sacando defectos y tirándome un poco de la falda o de la blusa para ajustarlas mejor, o sugiriendo que llevara tal tipo de traje y no otro, que me sentaba muy mal. Creo que lo hacían con buenas intenciones, para que aprendiera de ellas, pero sólo conseguían que me sintiera cada vez peor, disgustada con mi cuerpo, avergonzada. Pero ahora, al cabo de tantos años de desnudarme y vestirme diariamente en los vestuarios del polideportivo, y de ver desnudarse y vestirse a tantas mujeres, ese complejo se me ha pasado.

He visto tantos cuerpos desnudos de todas las edades y complexiones que aquellas desagradables sensaciones han desaparecido. Hay cuerpos armónicos y hermosísimos, perfectamente proporcionados, ágiles y fuertes, y, muchos de ellos, curiosamente inconscientes de sí mismos, como despegados de sí. Estas mujeres jóvenes se pasan mucho tiempo desnudas, primero bajo la ducha, en la que permanecen un buen rato, enjabonándose repetidas veces el cuerpo y echándose mucho champú en el pelo, casi siempre largo, que, lleno de espuma, se enroscan por encima de la cabeza. Muchas de ellas se frotan el cuerpo con un guante de crin o una esponja de fibra natural, y luego se secan muy despacio, se envuelven la cabeza en una toalla y van de aquí para allá, en busca de la crema hidratante o de no sé qué que han perdido y se intercambian. Es verdad que parecen contentas con sus cuerpos, pero, al mismo tiempo, enormemente ajenas a ellos, como si los cuerpos se movieran y exhibieran por su cuenta, puesto que es evidente que se están exhibiendo. Pero ellas no lo saben o lo saben a medias, ellas parecen bastante inocentes. Se ríen y hablan muy fuerte y su desinhibición es contagiosa. No todos estos cuerpos jóvenes son perfectos, pero un cuerpo desnudo moviéndose, feliz y casi descontrolado, resulta siempre un espectáculo estupendo. Lo curioso es que, a su lado, los cuerpos de las mujeres mayores y gordas no desmerecen en absoluto. He visto unos pechos tan grandes, tan enormes, en los vestuarios del polideportivo, que me ha resultado difícil no quedarme mirándolos. Estas mujeres gordas, con sus inmensos pechos desnudos y sus culos bamboleantes, se pasean también por el vestuario contentas de sí mismas y del buen rato que han pasado o van a pasar en la piscina. No se proponen adelgazar sino sentirse bien, no per-

175

der agilidad, no cansarse. Ellas también se duchan mucho rato y se dan despacio las cremas hidratantes y permanecen un buen tiempo desnudas, despreocupadas, sin ningún complejo, porque resultaría absurdo tener complejos allí. Van de un lado para otro, hablan, gritan, se mueven con naturalidad entre las jóvenes de cuerpos perfectos, y es difícil saber, observándolas, qué produce mayor alegría, si la belleza de los cuerpos jóvenes que se exhiben con toda frescura, puestas de pie sobre los bancos, o la soltura de estas mujeres mayores, que se sientan, un poco agotadas después del ejercicio, para darse la crema y descansar un poco. Y lo cierto es que, desnudas, las mujeres mayores, brillante el cuerpo por el agua o por la crema, están mucho más favorecidas que vestidas y su piel es mucho más tersa y su carne más firme de lo que pudiera pensarse. No hay una sola mujer en los vestuarios que, una vez liberada de la ropa, no muestre alguna clase de belleza, algo que no se descubre plenamente más que en la absoluta desnudez.

Alguna vez he pensado, estando yo también desnuda entre todas estas mujeres tan distintas, mujeres de todas las edades y de todos los pesos y complexiones, que acaso toda la historia de la moda, que tanto al fin les preocupa a estas mujeres, no sea sino un intento de conseguir que, vestidas, las mujeres logren estar tan bellas como desnudas y que hay desde luego una constante insatisfacción en los ropajes y por eso las modas se suceden en busca de una clave que convierta los obstáculos de la ropa en aliados y se pueda percibir a través de ella la belleza de la desnudez. Porque la belleza está aquí, en la desnudez, de eso no me cabe ninguna duda mientras estoy en el vestuario, unas veces sumergida en un auténtico bullicio y rodeada de cuerpos, otras completamente sola, concentrada en mi cuerpo y olvidada de todo lo demás.

Y me viene de repente a la cabeza una imagen muy distinta, una imagen que tengo que inventar, porque no sale de una realidad que yo haya conocido: la imagen del gimnasio de Olga. Nunca he ido a un gimnasio privado, pero creo que puedo hacerme una idea bastante aproximada de cómo son a partir de los anuncios y de los comentarios de sus usuarios. Cada vez que Olga me hablaba del gimnasio, a mí se me reproducía muy claramente en la cabeza. Tengo la impresión de que en ese gimnasio de Olga y en otros parecidos no hay tanta mujer gorda y feliz y las conversaciones, que posiblemente también versarán sobre cremas, champús y ropa, tendrán otro tono, y se ampliarán a largos y costosos viajes y se demorarán en carísimos tratamientos de adelgazamiento. No sé si me sentiría entre ellas tan a gusto como me siento entre las mujeres que pueblan los vestuarios del polideportivo, pero creo que no. Esta atmósfera de campechanía y naturalidad, sin ninguna pretensión, me atrae mucho y me siento muy bien en ella.

Alguna vez he pensado en anotar todo lo que oigo en los vestuarios, todos los comentarios y conversaciones, en llevar, en fin, un registro de la vida caótica y bullente de los vestuarios, no con un fin concreto, desde luego, sino para añadir un objetivo a mis idas y venidas de la piscina. Lo que quizá quisiera averiguar es por qué esas frases y palabras pronunciadas allí me resultan tan acogedoras, aunque no sea ése su propósito, por qué esas frases me producen alivio, me hacen respirar profundamente. Las escucho, a veces hasta yo misma intervengo y pronuncio una de esas frases, y es como si formaran un red de seguridad entre el abismo del mundo y yo.

Puede que muchas de las convenciones que rigen en ese abismo se esfumen dentro de los vestuarios, puede que simplemente los vestuarios hayan ido convirtiéndose en un símbolo para mí. Es un lugar del mundo donde no soy juzgada, donde hago exactamente lo que quiero, que no es nada, sino cambiarme de ropa, ducharme, lavarme el pelo, secármelo, darme crema hidratante por el cuerpo. Me asombro de que por una vez se me dé la oportunidad de cumplir mis deseos con toda exactitud –aunque se trate de deseos muy sencillos–, y de que esos deseos se ajusten a los deseos de los otros. No estoy, en fin, en los vestuarios, en conflicto con el mundo.

Quizá todo esto te pareciera insignificante, desmedido, Olga, ahora que te dedicas a intentar remediar algunos de los problemas de este mismo mundo que ha quedado siempre fuera de mi alcance, que nunca he sabido interpretar. Aunque ahora tú misma renuncias a esa interpretación, según te he oído decir en tus declaraciones. Interpretar, dices, es arriesgado y no nos ayuda demasiado, incluso nos desorienta y nos lleva a cometer aún más errores. Eso es lo que te ha ido enseñando la vida y por eso ahora sabes al fin cuál es tu misión, y por pequeña y humilde que sea la vas a cumplir. A pesar de que me costó reconocerte, no has cambiado, Olga. Estás, como siempre, segura de lo que haces, no necesitas renunciar a nada, lo que no te ha servido lo has ido dejando de lado sin ningún remordimiento. Quizá me sigas dando envidia. Y tengo la impresión de que aún tienes a tu alrededor una nube de fieles. Los amigos que hace años admiraban a Leandro Aguiar admirarán ahora la labor de la fundación que presides, dispuestos siempre a admirar a las personas y cosas que eliges. Cuentas con ayuda y apoyo, de eso no tengo duda. Allí continuarán también a tu lado Fátima Arroyo y Elisa Suárez, activas, inteligentes, comprometidas con ese mundo cuyos problemas nos conmueven tanto y nos paralizan tanto. Pero a vosotras no os paralizan, vosotras siempre encontráis un camino por el que transitar con seguridad y convicción.

Puede que el intuirlo fuese lo que me enfermara, lo que me hacía acudir a la última planta del edificio para refugiarme en la habitación en penumbra a la que llegaban muy atenuados los gritos del recreo y luego el sonido de las breves campanadas que marcaban el paso de las horas. Me sentía a salvo en la enfermería, al fin a salvo, superados todos los obstáculos, lejos de los enemigos. El obstáculo mayor, casi insalvable, lo suponía la monja encargada de curso. Cuando yo me acercaba a ella para quejarme y pedirle que me dejara ir a la enfermería, me miraba con suspicacia, clavando en mí unos ojos que parecían poder ver en mi interior. En ese momento, yo, desde luego, dudaba de mi dolor y de mi malestar y lo único que sabía es que quería desaparecer de allí, que la monja dejara de mirarme. Apenas si me salía la voz. No siempre lograba que me dejara marchar. Algunas veces la monja autoritaria y terrible fruncía el ceño y me decía que ya quedaba muy poco para el término de la clase, luego hacía un gesto con la mano para que volviera a mi sitio y durante el resto del día evitaba mirarme.

A las monjas encargadas de curso les irritaban las enfermedades, el cansancio, la dispersión, esa palabra que tanto repetían –la dispersión–, como si fuera el mayor de los males, y que yo no acababa de entender, aunque al fin se me haya ido revelando todo su significado: era no estar plenamente allí, era vagar, aunque fuese mentalmente, por otras latitudes, y la pronunciaban siempre con profundo desprecio, porque aunque creo que les inspiraba horror, preferían mostrar sólo desprecio, para que hiciera más mella en nosotras, tan inferiores a ellas, tan en sus manos. Eran monjas altas y fuertes, enérgicas, autoritarias, un poco soberbias. Parecían muy interesadas, verdaderamente intrigadas, por muchos problemas científicos, explicaban con pasión la filosofía y los análisis sintácticos, presentaban con mucha solemnidad las operaciones matemáticas más complicadas. Posiblemente eran mujeres llenas de seguridad y entusiasmo que, por lo que fuere, no habían querido o no habían podido casarse y que se habían hecho un hueco allí, en una orden religiosa que se dedicaba a la educación de las jóvenes. Por encima de todo, les gustaba mandar, impresionar, sobresalir. De vez en cuando, una de estas monjas tan eficaces era relevada de su puesto y enviada a otra sede muy lejana donde, se decía, iba a ocuparse de asuntos muy pequeños, de mera intendencia. Quedaban así separadas de su pasión, educar. Y esto se hacía para que nadie olvidara que la vida de las monjas era, fundamentalmente, un servicio y, ante todo, había que ejercitarse en la humildad, en la absoluta sumisión a las superioras, que con toda probabilidad no eran tan inteligentes, y no daban clase, porque no estaban lo suficientemente dotadas para la enseñanza, no tenían tanto interés en la ciencia, en la filosofía o en la gramática. Pero mientras tenían a su cargo la dirección de un curso, estas monjas enérgicas parecían plenamente satisfechas, colmadas, y todas las demás monjas las temían un poco, no sólo las niñas, sus alumnas.

Yo no conté nunca con la protección de una de esas monjas. Por eso, cuando hace unos años, el día del entierro de Leandro Aguiar, vi a Fátima Arroyo y a Elisa Suárez delante de mí, que habían sido, las dos, monjas autoritarias y temibles, no pude vencer toda la desconfianza acumulada día tras día en el colegio.

En cambio, había unas mujeres en el colegio, las profesoras

179

contratadas, que sí suscitaban mi simpatía. Había algunas asignaturas para las que las monjas no se sentían lo bastante preparadas y las habían confiado, desde hacía años, a unas profesoras seglares, muy ligadas al colegio, que venían diariamente, como nosotras, pero que estaban mucho más cerca del espíritu del colegio que del espíritu del mundo. Eran casi más pálidas que las monjas y vestían aún con menos gracia de la que visten hoy las monjas que ya no llevan hábito e intentan vestirse como todo el mundo. Tonos grises, azules, marrones, blusas blancas. De vez en cuando, algo azul cielo. Siempre tuve la impresión, como creo que la tenía todo el mundo, de que estas mujeres hubieran querido ser monjas y que, por problemas de salud, no habían sido admitidas, pero habían querido quedarse cerca del colegio, ayudando en lo que fuera, haciéndose al final personas casi imprescindibles por sus conocimientos de física o de francés, convirtiéndose en bastiones de la educación que el colegio ofrecía, siendo, como eran, tan frágiles. Dependían por entero de los designios de la monja encargada de curso, que las trataba con consideración pero con cierta distancia. Ellas, desde luego, no se aventuraban a dar una orden que pudiera entrar remotamente en conflicto con las que regían la vida del colegio, no se arriesgaban a ser desautorizadas. Al concluir la clase, abandonaban el aula con gesto cansado y salían al pasillo encerado terriblemente solas en aquel inmenso edificio en el que hubieran querido vivir, para entrar en seguida en otra aula y enfrentarse de nuevo a un grupo de alumnas, volviendo a hacer un alarde de autoridad.

No sé qué es lo que me las ha traído a la cabeza, pero las veo de pronto con toda nitidez, perdidas por los largos pasillos. Recuerdo sus nombres: Angelita, Josefina, Carmen, Pilar... Y veo sus faldas largas y sus blusas hasta el codo, sus peinados pulcros, y una cadena de plata alrededor del cuello de la que pende una medalla o una cruz. ¿Dónde estarán ahora estas mujeres? Una vez que las normas del colegio han cambiado tanto y que las monjas más dinámicas y enérgicas se han adaptado a ellas con tanta rapidez, yo creo que ellas seguirán perdidas, quizá hasta más desamparadas, sin poder recurrir a su principal punto de referencia. No pertenecían al colegio, pero tampoco pertenecían al mundo. Su destino era flotar alrededor de la vida del colegio, ir y venir del colegio a sus casas, como nosotras, sólo que ellas eran ya mayores y sus vidas ya serían siempre así. Jamás fueron vistas fuera del colegio, nunca nadie se cruzó con ellas por la calle. Es verdad que sus miradas eran un poco tristes, apagadas, pero, a la vez, irradiaban una especie de calma, la de haber hecho una elección, esa vida que se desarrollaba entre límites tan estrechos. Vagamente representaban algo, un territorio borroso, unas vidas que no eran como las vidas conocidas. Se habían salido de los cauces habituales. Me pregunto ahora cómo serían sus casas, si vivirían con una madre o una tía a las que tenían que cuidar, y tal vez por eso no habían podido meterse monjas.

Puede que Paulina sea como una de estas mujeres, me digo ahora, puede que, si algún día nos vemos, hablemos de ellas y lleguemos a alguna conclusión sobre sus vidas, porque hay días en que todavía pienso en el colegio, y aunque los recuerdos parezcan muy lejanos, no han desaparecido. Quizá me guste hablar con Paulina de ellos, hablar con alguien de todo esto que se me ha venido a la cabeza esta lenta tarde de domingo que ya concluye.

Pero puede que el pasado no sea tan importante y no haya ya que hablar tanto de él sino de lo que en cada momento nos sucede. El mismo día en que recibí la carta de Olga, este viernes, antes de ir a la Biblioteca fui a la comisaría de policía porque tenía que renovar el carnet de identidad. Lo había ido dejando de un día para otro, porque este tipo de gestiones me abruman, pero ya faltaba poco para que concluyera el plazo de caducidad y me dije que era preferible ir antes, no fuera a ser que luego hubiera más problemas.

A pesar de lo mucho que me fastidian estos asuntos, nunca he acudido a una gestoría para que me los resolvieran, y es que la sola idea de la gestoría me produce también mucho fastidio y mucha pereza. A lo mejor es que no me fío de las gestorías. Aunque no he ido nunca a ninguna, me imagino que el hombre o la mujer que me podrían atender no serían ni muy simpáticos ni muy inteligentes, ni siquiera medianamente simpáticos e inteligentes. Los concibo como seres un poco inhumanos, que actúan de manera mecánica y hablan con tono insoportablemente monótono, cansados de escuchar problemas abstrusos, todos parecidos, mirando a todo el mundo que se dirige a ellos un poco atemorizado, abrumado al menos, si no con completa displicencia, sí con palpable indiferencia, con insolencia. Tengo la impresión de que a mí me mirarían con extrañeza por recurrir a ellos para asuntos tan sencillos, y hasta podrían aconsejarme, en muy mal tono, por supuesto, que los hiciera por mi cuenta. Sospecho que sería rechazada, peor mirada que los demás, y si por casualidad aceptasen hacerse cargo de mi caso no me quedaría en absoluto tranquila, temiendo, sobre todo, que se confundieran o perdieran mis papeles entre los muchos papeles que los otros clientes les entregan. La gestoría no me da la sensación de ser un atajo cómodo, sino un rodeo tan molesto como la misma gestión. Yo creo que no me cabe en la cabeza que personas que no sean yo puedan resolver asuntos de mi incumbencia.

Al entrar en la comisaría, vi en seguida una cola larga frente a los mostradores y otras mucho más cortas, y me puse en la peor de las situaciones que, una vez convenientemente informada, resultó ser cierta. Tras hacerme con un impreso y rellenarlo, debía situarme en la cola larga, desde luego, tal y como yo había sospechado: la cola larga era la que me correspondía. En el mostrador entregabas la solicitud y te daban un papel con la fecha anotada –unos quince días después–, en la que tenías que volver, ya con las fotos y algo de dinero, dispuesta a dejarte embadurnar el dedo de tinta e imprimir la huella en lo que sería, al cabo de otros quince días, el futuro carnet. De manera, me dije mientras me situaba en el extremo de la cola, que el proceso llevaba todo un mes. ¡Un mes entero para obtener el carnet de identidad en esta época en que, según dicen, las autopistas de la información nos llevan y nos traen por doquier y resuelven con celeridad todos estos problemas de localización y comunicación e identificación! Y no es que yo sea muy entusiasta de estos adelantos –a pesar de que en la Biblioteca hay, entre los empleados, y desde luego también entre los usuarios, verdaderos fanáticos y propagandistas de ellos–, pero en fin, si en algo se debieran aplicar, es evidente para mí que debería ser en estos casos de administración pública, que sirvieran, eso me parece obvio, para facilitarle la vida a los contribuyentes. Pero no, de momento teníamos que esperar en esa larga cola, con nuestra solicitud rellenada a mano y esperar luego tiempo y luego más tiempo.

Si, por los azares de la vida, yo hubiera tenido un puesto de reponsabilidad en la administración, lo primero que hubiera hecho hubiera sido poner muchos bancos, o multitud de sillas plegables, que cada uno pudiera coger a su antojo, en las oficinas abiertas al público y sobre todo en las oficinas en las que hay que esperar mucho rato. Me parece una falta absoluta de consideración que tengamos que esperar de pie, casi desmayados, mientras aguardamos nuestro turno para hacernos con un documento que el Estado nos exige tener. Al menos, que nos pongan bancos, sillas. No creo que eso supusiera un gasto excesivo y estoy convencida de que la gente lo agradecería. Verdaderamente, lo que no entiendo es cómo la gente aguanta tanto. Se queda allí, silenciosa y resignada, mirando al infinito, echando de vez en cuando una ojeada de comprobación y de temor a sus papeles y, todo lo más, suspira. Ruidosamente, eso sí, sin inhibiciones, pero no pasa de ahí.

Desde luego, en la Biblioteca lo que no faltan son sillas y butacas, las más cómodas que he podido encontrar. No sólo en las salas de lectura sino en los pasillos y en todos los recovecos hay asientos por si alguien quiere leer en lugares apartados o descansar un rato en medio de un pasillo, como tantas veces me ha pasado a mí. Creo que podría recorrerse la Biblioteca sobre los asientos de las sillas, los bancos y las butacas, sin poner los pies en el suelo, tal y como como se decía que en tiempos muy lejanos podía recorrerse Europa, desplazándose sobre las copas de los árboles, sin pisar la tierra.

La cola iba extraordinariamente despacio y, tras pedirle a un señor que iba detrás mío que me guardara un momento el puesto, volví al mostrador de información para preguntar si acaso había horas en que aquello estaba más despejado. Naturalmente, no me lo pudieron decir. El conserje se encogió de hombros. Dependía. Pero la cola iba bastante rápida, añadió. Claro está que la rapidez o lentitud con que corriera la cola estaba en función de la rapidez o lentitud con que actuara la señorita que nos atendía, dijo. Al volver hacia mi lugar, miré a esa mujer. En aquel momento estaba hablando por teléfono, mientras el hombre que había llegado ya al mostrador ponía sobre la mesa los documentos. Tendría entre cincuenta y sesenta años, era rubia teñida y llevaba el pelo recogido hacia atrás. Un flequillo muy regular le cubría la frente. No tenía aspecto de tener ninguna prisa.

Hubiera debido abandonar la cola, pero no sé por qué me dio por permanecer. Si todas las personas que me precedían y las dos o tres que ya tenía a mis espaldas estaban allí, esperando pacientemente su turno, ¿por qué no podía hacerlo yo? Un día u otro tendría que hacerlo. De manera que esperé y me desesperé en aquella cola que apenas avanzaba y me uní a los suspiros de la gente, aunque además yo hacía algunos comentarios a media voz sólo para desahogarme. Sobre todo pensaba en las sillas que hubiera debido haber allí. Llevaba más de una hora y todavía tenía por delante a ocho personas. Ahora veía mejor a la mujer del mostrador. Ella nunca nos miraba. Atendía constantemente al teléfono, interrumpiendo el diálogo con sus interlocutores, y se levantaba muchas veces y desaparecía para volver, muy despacio, con unos papeles en la mano, unas tijeras o papel celo. Era asombroso que nadie protestara ni dijera nada; todos, muy dócilmente, se quedaban inmóviles frente al mostrador esperando a que la mujer les prestara atención y resolviera sus asuntos. Al fin, ella examinaba el impreso que ellos le tendían y después de volver a levantarse en busca de algo o de volver a coger el teléfono, les daba un papel, donde debía estar anotada la fecha mágica en la que tenían que volver, y ellos se iban mirando fijamente el papel, como si no se acabaran de creer que lo hubieran conseguido.

Si es que la mujer tenía sesenta años, había que reconocer que se conservaba muy bien, no le daba ninguna pereza levantarse e ir de aquí para allá, lo hacía con gran agilidad, con ligereza. Tenía el cutis muy fino, casi transparente, sin muchas arrugas, y los ojos, discretamente pintados, parecían verdes. Nada la alteraba, no sentía ninguna compasión por nosotros. Cuando llegué al mostrador –y había transcurrido otra media hora–, estaba hablando por teléfono, naturalmente. No sólo eso, sino que, antes de responder a una cuestión que al parecer le habían planteado, dejó un momento el auricular sobre el mostrador, se levantó y desapareció por un pasillo. Al cabo, volvió con mucha tranquilidad, esta vez sin nada en las manos. Se sentó, cogió el auricular y le dijo a su interlocutor que en ese momento no podía responder a su pregunta, que hiciera el favor de llamarla a ese mismo teléfono al día siguiente, a primera hora de la mañana. Y aún estuvo un rato, pegada al teléfono, escuchando, al parecer, interesantes comentarios. Todas esas operaciones las realizó sin levantar los ojos hacia mí, como si hubiera un muro, en lugar de estar yo, delante del mostrador. Al fin, una vez hubo colgado el teléfono, me miró –y entonces vi que sus ojos, más que verdes, eran grises, y tenían una expresión muy remota, como de alguien que se acabara de despertar– y me preguntó qué quería. Desde luego, se lo expliqué, aunque todos estábamos en la cola para lo mismo, para renovar el carnet de identidad, todos queríamos conseguir el dichoso papelito con la fecha y la hora del día en que luego tendríamos que volver, junto con las fotos, para que nos hicieran el carnet.

La mujer, después de asentir a mis explicaciones sin interrumpirme, como si todo eso fuera completamente nuevo para ella, me pidió el número de mi carnet. Le tendí el carnet para que lo leyera ella misma. Apretó las teclas de un ordenador, cuya pantalla no estaba a mi vista. Se puso el carnet delante de los ojos, volvió a apretar las teclas. No hizo ningún gesto, ningún comentario. Se levantó y recorrió el mostrador en busca de algo. Volvió con unas pequeñas tarjetas blancas. Apuntó algo y me dio la tarjeta. Era un número de teléfono al que yo tenía que llamar en quince días. Mi carnet de indentidad no había entrado todavía en la red de informatización, me comunicó, por lo que la pantalla, cuando marcaba mi número, aparecía en blanco. Cuando llamara me darían el día y la hora en que tenía que volver.

Guardé la tarjeta en el bolso o en la misma cartera, ya no lo recuerdo bien, y salí, absolutamente desconcertada, de la comisaría. Hora y media de espera para no obtener el maldito papel sino otra barrera, una dilación que, estaba segura, no ha-

185

bía sido aplicada a ninguna de las personas que habían ido llegando al mostrador delante de mí. Mi carnet de identidad iba a tardar en conseguirse un mes y medio, como si sólo un mes no fuera ya bastante. ¿Qué hubiera debido hacer?, ¿pedir más explicaciones?, ¿preguntar, indignada, que cómo era posible que el pasaporte, que en principio parece una cosa más complicada, se obtenga, según me habían dicho, en un par de días, mientras que ese absurdo carnet de identidad, que el Estado nos obliga a tener, fuera lo más incómodo y abstruso de conseguir que se pudiera imaginar?, ¿enfadarme con la mujer de los ojos grises y remotos? Hubiera debido reaccionar, decir algo, protestar, pero me quedé paralizada. Por lo menos, hubiera debido decirle que tuviera las tarjetas a mano, no podía hacer esperar a la gente levantándose todo el rato. Porque ella se levantaba y se volvía a sentar, pero nosotros no teníamos donde sentarnos.

Pero, probablemente, algún día tendré mi nuevo carnet de identidad y, si, como creo, he perdido la tarjeta donde estaba anotado el teléfono al que tengo que llamar, llamaré a la comisaría y les explicaré el problema. Tarde o temprano, tendré el carnet y, si las cosas se ponen muy difíciles, aún puedo recurrir a una gestoría. Si hay tantas personas que resuelven sus asuntos a través de las gestorías por algo será.

El caso es que yo no me imagino a Olga protagonizando un episodio de éstos y cuando ese mismo día, al volver a casa, leí su carta, todavía con el recuerdo del cansancio y el malhumor de la mañana, volví a palpar la distancia que siempre nos había separado. Esta nueva Olga tan humanitaria, que por primera vez, aunque sea por casualidad, yo creo que por una pequeña broma del destino, dice cosas algo razonables, sigue siendo la Olga de siempre. Y si, como dijo en la entrevista que vi por televisión, ahora recuerda con cierto arrepentimiento los dogmas que defendió en su juventud y todo el fanatismo que profesó es porque finalmente cree que ha encontrado la verdad. Dice cosas muy distintas, que yo ya no le podría discutir, pero las dice como dijo las otras. ¿Cómo no recordar sus discursos, aquellas palabras que lanzaba, enfadada con el mundo, satisfecha consigo misma, sobre la salvación de la humanidad y cuyo inmediato objetivo era herir la conciencia de sus interlocutores? Porque ella pregonaba la compasión, pero yo ya había empezado a intuir que no soportaba la debilidad de los seres que tenía más cerca. Y recuerdo sus miradas, gestos y comentarios de condena ante tal o cual actitud, recuerdo el desprecio con que miraba a Jacobo, a quien consideraba profundamente equivocado. Todo eso está allí, detrás de los ademanes pausados de Olga, de su voz serena, de su compostura de señora perfectamente convencional. Tengo su imagen en la cabeza y tengo la mía, mi propia imagen, también en la cabeza, al lado de la de Olga: yo esperando en la cola de la comisaría, dolorida, impaciente, condenada a permanecer allí aunque estaba deseando marcharme. Me horrorizaba ese tiempo que no avanzaba, como la misma cola, detenido, escuchando los fuertes latidos de mi corazón y con la vista nublada, como si en lugar de estar a la espera de un simple trámite burocrático hubiera de pasar una frontera prohibida. Es, en fin, tan grande la distancia que va de la imagen de Olga a la mía, nuestros lenguajes se han hecho tan diferentes, que ni aun hablando de las mismas cosas nos podríamos ya entender.

Después del episodio de la comisaría, fui a la Biblioteca y me eché en el sofá. Rosario me trajo una taza de té y, como me vio tan descompuesta, me dijo que, si me parecía bien, sólo me pasaría las llamadas urgentes. Naturalmente, no hay ninguna llamada urgente, y ella lo sabe de sobra, pero lo dijo absolutamente convencida, como si cada día recibiéramos dos o tres de esas llamadas. Desde el sofá, yo veía dentro del marco de la ventana el cielo azul por el que pasaba lentamente alguna nube muy brillante y apreciaba toda la suerte que tenía de estar ya fuera de la comisaría, lejos de la cola lenta y de los ojos grises y remotos de la mujer del mostrador. Ya no estaba allí, eso era lo importante, ni siquiera me había llegado a desmayar, y el corazón ya me latía con regularidad. Es verdad que no recordaba en absoluto dónde había guardado la tarjeta que me había dado la mujer y aún tenía la impresión de que nunca la encontraría, como lo sigo creyendo ahora, pues hasta el momento no he dado con ella, pero entonces, echada en el sofá y mirando

187

el cielo, ya no me importaba –y ahora en realidad tampoco–. Me maravillaba de mi suerte, de tener ese despacho tan cómodo y ese sofá tan amplio y la taza de té aún humeante sobre la mesa. El cielo se fue cubriendo de nubes y, cuando cogí el coche para ir a la piscina, sólo había ya pequeños trozos azules entre las nubes grisáceas. Así son todos los días de este mes de abril, y siempre acaba lloviendo al atardecer. Después de tanta sequía, la lluvia supone un alivio, pero a mí no deja de resultarme fastidiosa y triste. Dejé la ciudad a mis espaldas y salí al campo y, conforme me aproximaba al extraño pueblo donde está enclavado el polideportivo –porque no se sabe bien si es un pueblo o el barrio de un pueblo y, en todo caso, parece el fin del mundo–, pude divisar, al extremo de la carretera, allí hacia donde yo me dirigía, una gran nube oscura, cada vez más negra. Se lo dije a la chica de la recepción, mientras ella sellaba mi bono, y las dos nos lamentamos del tiempo, que parece empeñado en alejarnos del verano.

Empecé a nadar, aún sin llegar a ese punto en que se desvanece todo dolor y yo me pierdo en el agua casi infinita de la piscina, contenta de que fuéramos tan pocos los nadadores y de poder disponer de una calle entera para mí, sin sentirme tampoco amenazada por nuevas presencias, pues aún quedaban calles libres, cuando vi que el socorrista iba de un lado para otro agitando los brazos en aspa, haciéndonos, al parecer, señas a todos. Cuando llegué al extremo de la piscina, me quité los tapones de cera que me impedían oír y así me enteré de que se había desencadenado una tormenta justo encima del polideportivo, que, desafortunadamente, no tenía pararrayos, de manera que el socorrista tenía órdenes de evacuar la piscina. Los únicos cuatro nadadores que ocupábamos la piscina nos miramos, desconcertados, y supongo yo que a todos se nos pasó por la cabeza no hacer en absoluto caso de las advertencias del socorrista y seguir nadando con toda tranquilidad a riesgo de morir calcinados por un rayo. Miré hacia atrás, hacia la inmensidad de las aguas de la piscina que debía abandonar, y tuve que reprimir el deseo de dar media vuelta y alcanzar el otro extremo, porque no había hecho más que empezar, y aún no se había disuelto mi dolor. Pero no eran meros consejos, eran órdenes, y tuvimos que salir.

Dos de los nadadores, una mujer y un hombre, desaparecieron en seguida tras la puerta de los vestuarios, pero un chico y yo decidimos esperar un rato, por si pasaba la tormenta, ya que los dos habíamos llegado hacía poco, el chico antes que yo. El socorrista nos pidió que nos secáramos y nos calzáramos y nos fuésemos junto a los bancos que hay detrás de la cristalera, donde él se instala cuando se siente sofocado por el ambiente húmedo y caluroso de la piscina. Esa zona, aunque cubierta, está al aire libre y, con el traje de baño mojado, yo tenía algo de frío. El socorrista me prestó su albornoz, que olía a humo, y me aconsejó que incluso me pusiera la capucha. Estuvimos allí un buen rato, mirando las nubes oscuras, oyendo llover sobre la cubierta de cristales, y hablando de rayos y tormentas. Al otro chico no le cabía en la cabeza que no pudiéramos nadar y le parecía que la evacuación era por completo exagerada, decía que la piscina estaba aislada y que no corríamos ningún peligro. Pero Santi, que es así como se llama este socorrista, según supe ese mismo día, decía, muy razonablemente, que no merecía la pena comprobarlo, se trataba de un asunto serio, ¿es que no nos importaba morir calcinados? Aparte de que él tenía que obedecer las órdenes. Seguimos hablando de tormentas y de casos truculentos de muerte por calcinación, mientras nos movíamos de un lado a otro y aventurábamos a cuántos kilómetros estaría la tormenta, y entonces me di cuenta de que, tal como sucedía cuando llevaba ya un buen rato nadando, había desaparecido de mi cuerpo todo dolor. Sentía la humedad del traje de baño pegado a mi piel, pero, bien cubierta por el albornoz, era una humedad caliente. No se me pasó por la cabeza la posibilidad de coger uno de los innumerables catarros o gripes que con tanta frecuencia me obligan a recluirme en casa. Reconocí, sin poder identificarla ni localizarla del todo, esa sensación. La humedad y estar hablando de tormentas, de muertes y de crímenes. Al fin, como el cielo se hacía cada vez más negro, decidí marcharme. Me desprendí del albornoz de Santi y le di nuevamente las gracias.

Ahora me acuerdo de un episodio de mi niñez que quizá estaba al fondo de esa sensación de estar viviendo un momento extraordinario. Un remoto verano, fui a pasar unos días a la finca de unos tíos, pero, como mis primos eran mayores, yo me aburría y me sentía marginada –y supongo que por eso la experiencia no se repitió–. Sin embargo, una tarde medio lluviosa, mi primo, que también debía de encontrarse ese día aburrido y sin planes, me propuso, asombrosamente, que diésemos un paseo en la barca de remos. Nunca había hecho yo nada semejante. El embarcadero se encontraba al fondo de la finca, detrás de la huerta, y mis primos iban frecuentemente porque ése era uno de los planes más emocionantes que podían hacerse en la finca. El río pasaba por otras fincas y huertas y los árboles eran lo bastante frondosos como para que nadie viera la barca desde la casa. Yo conocía el embarcadero, umbroso, resbaladizo, misterioso, pero nunca había subido a la barca, porque aquél era, desde luego, un plan de mayores.

En la oscuridad de la tarde, seguí a mi primo por el sendero hacia el río con el corazón palpitante y luego subí a la barca y obedecí en todo sus órdenes. Él remaba y me iba diciendo qué era todo lo que veíamos, los nombres de las huertas que atravesábamos. A ratos, caía una lluvia fina, pero llevábamos puestos los chubasqueros y no le hacíamos caso. De pronto, pareció que era de noche y, antes de que pudiéramos acercarnos a la orilla y ponernos un poco a cubierto, un chaparrón cayó sobre nosotros. Tan sorprendidos nos quedamos, que mi primo dejó de remar y permanecimos un momento así, en mitad del río, dejando que el agua resbalara sobre los chubasqueros y nos empapara las piernas y empezara a formar charcos en el fondo de la barca. Al fin, mi primo reaccionó y nos acercamos a la orilla. Aún seguía lloviendo cuando volvimos al embarcadero y recorrimos luego el camino hacia la casa. Fuimos corriendo y riéndonos, felices por haber estado expuestos a los peligros de los rayos y haber escapado de ellos, aunque mientras corríamos bajo los árboles que bordeaban el sendero aún pensábamos que el peligro no había pasado del todo y eso aún nos excitaba más, aún nos hacía reír más. Sin embargo, ya en casa, después de habernos cambiado de ropa, rodeados de la familia, mi primo y yo recuperamos cada uno nuestros papeles. En seguida comprendí que él no pensaba decir nada, y que ese secreto que de ahora en adelante compartiríamos era un secreto tácito, al que él jamás haría referencia. Y nunca, en toda mi vida, durante los años en que aún traté con esta rama de la familia, hubo entre este primo mío y yo la menor mirada de complicidad por aquel recuerdo común, como si no hubiera existido, y quizá por eso se me borró y sólo ahora, con la impresión reciente de la tormenta que nos sorprendió nadando en la piscina del polideportivo, me ha venido la imagen de aquel lejano paseo por el río, del agua cayendo sobre la barca y la risa nerviosa con que recorrimos el sendero hacia la casa, esa extraña confianza que se estableció entre nosotros y que luego desapareció sin dejar rastro.

A media tarde, de regreso en casa, me encontré con la carta de Olga, con sus breves y contundentes razones para colaborar con la fundación que preside y con el anuncio de una próxima llamada telefónica. Ni siquiera me imagino ya hablando con ella. Se me ocurrió entonces que todo en ese día –quizá en todos– estaba muy relacionado entre sí, ajustado como las piezas de un reloj. La felicidad sentida en la galería de la piscina bajo la nube negra de la tormenta que me había impedido nadar era consecuencia necesaria de mi larga y casi inútil espera en la comisaría. Durante ese tiempo no hice sino añorar, llena de angustia, una silla, y tratar de respirar en medio del estruendo que producían los latidos de mi corazón. No fue un rato que perteneciera a la realidad, sino a una pesadilla. Era una situación que, injustificadamente, resultaba espantosa. Y yo lo sabía, sabía que no era tan espantosa, aunque sí irritante. Era como si de pronto algo horrible me hubiera atrapado y retenido allí, en aquella lenta cola donde había que entregar la solicitud para la renovación del carnet de identidad, algo que los demás, por supuesto, no veían, como no veían lo horrible que era todo aquello.

No espero que lo entiendas, Olga, y menos aún que concluyas conmigo que todo eso tuvo que ver con lo que sucedió horas más tarde en la piscina, envuelta yo en un albornoz prestado y hablando con personas que apenas conocía como si fuésemos verdaderos amigos, aquel reconocimiento de la humedad en el cuerpo y la curiosidad, la entrega, con que se es-

191

cuchan los cuentos de muerte y de miedo mientras suenan muy cerca los truenos y se buscan los rayos entre las nubes negras. Tampoco ese rato pertenecía a la realidad, al presente, sino a un sueño ya casi olvidado. Ahora creo que yo volví a palpar de una manera muy física la excitación que da la cercanía del peligro y la confianza que se establece entre quienes lo atisban a la vez, sensaciones que había guardado celosamente, ya que no se me había permitido airearlas, pero repentinamente resucitaron y me trajeron el olor de la infancia, de la risa, de la alegría virgen y salvaje de la infancia. Desde luego, tampoco puedo imaginarte, Olga, allí, inusitadamente feliz, sintiendo el bañador húmedo pegado al cuerpo y respirando el intenso olor a humo del albornoz del socorrista, de la misma forma que no te puedo imaginar, muerta de cansancio, en la cola de la comisaría. Yo me arrebujaba en el albornoz de Santi, sospechando que ni él ni el otro chico sabían que eso no estaba pasando, que había pasado ya hacía mucho tiempo.

O quizá sea tu carta, Olga, lo que ligue definitivamente las dos cosas, la pesadilla y el sueño feliz, eso es lo que me digo ahora mientras concluye la tarde de este domingo de abril, también con una tormenta. Tu carta me remite a mí misma y aún me veo entre sueños y pesadillas, aún interpretando y casándolo todo, tan desperdigada como es la vida. Al menos, algunas veces, las tardes y las noches en que me siento frente a la máquina de escribir y pierdo la noción del tiempo, como si estuviera nadando en la piscina. Entretanto, tu voz firme, solemne, autoritaria, se va alejando y suena con monotonía, sin modulaciones, como si perteneciera a un robot, a una máquina. ¿Quién oye mi voz?, me pregunto a veces, ¿es que quiero que alguien escuche estas palabras que se han ido formando en ratos perdidos de la noche, de las tardes de domingo?, ¿las dirijo a alguien en particular?, ¿tienen un mensaje? Y aunque no sabría qué contestar a estas preguntas, aunque en medio del silencio y la soledad de las tardes y las noches en las que han ido juntándose unas con otras es fácil desanimarse y pensar que no hay nada que transmitir y que, sobre todo, no hay nadie a quien transmitirle nada, nadie en quien confiar y de quien esperar comprensión y consuelo, de quien esperarlo todo, yo sigo aferrándome un poco a ellas, como si conociera la respuesta, como si confiara plenamente en ellas y fueran casi la razón de mi vida.

Pero no sé si todas las cosas están relacionadas, ligadas estrechamente entre sí, o continúan erráticas y perdidas. Y me viene repentinamente a la cabeza la imagen de aquellos papeles que pintaban las monjas del colegio durante los veranos y con los que luego forraban todos sus cuadernos. Por ellos corrían ríos de tinta que daban vueltas y formaban extraños dibujos. Me hubiera gustado que me enseñaran a pintar un papel de aquéllos, pero eso pertenecía a la vida secreta de las monjas, a la que acaso sólo tú, Olga, entre todas las niñas, tuviste acceso. Eran forros de tonos azules o marrones, tonos apagados, que no conseguían encubrir la rareza y fascinación que producían las corrientes de tinta que se deslizaban por el papel, siempre fluyendo, siempre en movimiento.

No sé si las palabras pueden llegar a ser como esos ríos de tinta que van por donde quieren o por donde les dejan los otros ríos que se deslizan junto a ellos, empujándose unos a otros, cediéndose el paso, abriéndose camino, o las palabras son más etéreas y no se quedan pegadas a los cuadernos, apresadas en su superficie. Porque esos forros, a la vez, eran también un poco angustiosos, ya que la corriente de tinta se había inmovilizado para siempre y, a pesar de que parecía que estaba siempre cambiando, el fluir era engañoso y la pintura no podía moverse ni un milímetro. Pero las palabras no, las palabras a veces se elevan y vuelan y se esparcen por el aire y parece que se van, pero algunas vuelven, transformadas o siendo ya otras. Estas palabras que se van componiendo mientras yo presiono las teclas de mi vieja, polvorienta, máquina de escribir, y que me producen la impresión de que se forman solas, de que no las escojo yo, y las observo con la misma distancia con que se reproduce en mi mente, sin llegar a percibirlo mis sentidos, el girar de la tierra, como siento el transcurrir del día minuto a minuto, como contemplo, en la orilla del mar, la caricia de las olas en la arena o, si me tiendo sobre la arena, la lenta y continua transformación de las nubes en el cielo.

193

4

Ya creía que me había despedido para siempre de ti, Olga, y aquí estoy, en medio de la noche, una vez más dirigiéndome a ti. La vida no se cansa de sorprendernos, aunque a veces parezca que lo haga sin enterarse, sin voluntad, sin que ella misma sepa lo que está sucediendo en su interior. Me pongo a escribir en medio de la madrugada, desvelada, y ni siquiera tengo fuerzas para sentarme frente a la vieja máquina de escribir, he buscado unas hojas de papel, un bolígrafo, me he colocado un par de almohadas detrás de la espalda y sigo en la cama. La sola idea de ponerme otra vez en pie –acabo de andar por la casa para traer el papel y el bolígrafo– me estremece. Creo que me caería. Me parece un milagro que no me haya caído antes, así que respiro, aliviada, porque aunque haya estado a punto de caerme me siento muy bien, no me duele nada. Mi cabeza está llena de algo, no sé de qué. Quizá de analgésicos. Llevo días tomando analgésicos sin parar y al final he recurrido a los más fuertes. Al final, aunque parezca mentira, ha desaparecido el dolor. Me he dado cuenta al despertarme de un extraño sueño que no consigo recordar, sólo sé que era un sueño extraño, uno de esos sueños que no son de miedo ni de dolor pero que inquietan terriblemente, sólo por su extrañeza. Había tantas cosas y tantas personas mezcladas en él que me sentía abrumada, sobrepasada, pero, inmediatamente, todo eso se desvaneció y recordé que dentro del sueño había habido otro sueño. De repente, había entrado en un escenario que conocía, no sé si de la realidad o de un sueño anterior, y una luz neblinosa muy agradable me envolvía. Yo andaba descalza, eso es casi lo único que recuerdo. Entonces vi que no me dolía nada y sentí mis pies descalzos, desnudos, en la cama, uno junto al otro, y encendí la luz porque quería comprobar que no estaba otra vez dentro de un sueño. Estoy despierta y no me duele nada. Al fin, estoy libre de dolor. Porque no es dolor lo que tengo dentro de la cabeza, que ya no cruje, ya ha dejado de latir de esa forma que parecía que iba a estallar. Lo que tengo dentro de la cabeza –porque hay algo dentro de mi cabeza, el dolor no ha dado paso al vacío– me hace ver las cosas a la vez y resulta difícil tratar de expresarlo con palabras. Es como si estuviera borracha sin estarlo, sin sentir nada en el estómago, ningún mareo. Como si viniera de asistir a una revelación que me hubiera dejado petrificada durante un rato, como si, al moverme yo, la realidad se fuera a romper. Tampoco es exactamente felicidad, porque no me siento del todo dentro de la vida sino casi rodeándola, por encima de ella. Está claro que estoy en otro lugar, un lugar al que se llega muy pocas veces. Sea como fuere, algo se ha quebrado y he entrado aquí, en este espacio sobre el que navega mi cama. A lo mejor es debido a la cantidad de pastillas que he tomado para combatir el dolor de cabeza. Todas se han mezclado y no se sabe qué extraños ingredientes recorren mis venas y hacen que todo me parezca ilimitado, y eso me hace respirar profundamente, me hace sentirme descansada. Porque lo que es ilimitado no se puede contener ni discernir ni definir, lo que es ilimitado hace finalmente lo que quiere, sin dar explicaciones, sin analizar nada, se expande y se encoge y no cambia de nombre ni de año ni de lugar. Estoy nadando suavemente en una piscina ilimitada y no me molesto en mirar hacia adelante para ver si alcanzo ya el extremo, no estoy en absoluto cansada, no hago ningún esfuerzo, el cuerpo se mueve solo.

Es difícil pensar en estas condiciones, aunque a la vez tengo la impresión de estar pensándolo y abarcándolo todo. Lo que ocurre ahora no se rige por normas razonables. No tengo ninguna norma, y estar perdida ahora, a diferencia de lo que me suele suceder cuando tantas otras veces me siento perdida, me produce un inmenso alivio. Siento una gran necesidad de fiarme de mí y creer en todo lo que estoy sintiendo, pensando y

195

viendo a la vez y en todo lo que de ninguna manera puedo decir ni expresar. Simplemente, la inmensidad de las aguas a mi alrededor, y yo flotando, deslizándome por la superficie, viendo el agua azul, iluminada por el sol.

Al fin, se acabaron esos sueños en los que deambulaba por calles y ciudades que me resultaban vagamente conocidas y profundamente ajenas a la vez, barrios oscuros y enredados como laberintos, desoladas plazas, anchas avenidas sin árboles y sin sombra alguna, polvorientas unas veces, adoquinadas otras, duras, áridas, a veces llegaba a algún puerto, a algún malecón, y veía el mar sucio de los puertos, donde a pesar de todo algún niño se bañaba, se tiraba de cabeza desde el muelle sobre una mancha de aceite que se expandía y chocaba contra el muro y los cascos de los barcos. Buscaba y me lamentaba, quizás lloraba, pero silenciosamente, porque nadie me podía oír. Hubiera preferido caerme al suelo de una vez, desmayarme, como me ocurre en la vida, pero en los sueños siempre seguía andando, agotada, andando por nuevas calles y nuevas ciudades, nuevos páramos. Buscaba y no renunciaba a seguir buscando, y eso era lo peor, ¡ojalá hubiera sido capaz de renunciar! Lo peor era la emoción que, con todo mi agotamiento, sentía, el deseo de encontrar al fin lo que había perdido, casi siempre a Guillermo, pero otras veces ni siquiera sabía lo que estaba buscando, sólo que podía aparecer de un momento a otro, al doblar esa esquina, en otra calle, en otro barrio oscuro y enredado. Los conocía de sobra, estos nuevos barrios desconocidos, llenos de laberintos, puentes y descampados, bordeados de altos edificios que parecían deshabitados, ¿qué hacía yo allí?, ¿por qué tenía que seguir como una sonámbula si las piernas apenas me sostenían? Pero eso se acabó. Esos escenarios que me conozco de memoria desaparecieron, y entré en una extraña brecha de color pálido con los pies descalzos.

Creo que el estado en el que me encuentro ahora es, en cierto modo, consecuencia de haber entrado en aquella brecha. No me sentiría así, en todo caso, si de repente todo lo que llevaba deambulando en el sueño y lo que he deambulado en sueños anteriores casi idénticos a ése no se hubiera esfumado, no hubiera sido súbitamente olvidado, tragado por el tiempo.

Ahora tengo una especie de clarividencia y estoy segura de que si fuera capaz de prolongar este estado acabaría por saber lo que tengo que hacer. De hecho, ya sé, al menos, que debo tomar una decisión, y hasta creo saber qué decisión voy a tomar, una decisión que es casi terrible para mí, pero que no me compromete del todo, es una prueba, un aplazamiento. Al fin y al cabo, esto es lo que veo esta madrugada con claridad, todo ha confluido para que, simplemente con dejarme llevar, con dejarme trasladar –ésa es la cuestión–, el nudo que me atenaza pueda deshacerse solo. Viajaré, cogeré un avión, durante unos días estaré lejos de aquí, sola; no dormiré en mi cuarto, no me encerraré en el despacho de la Biblioteca, no conduciré mi coche hacia la piscina, no nadaré. No nadaré. ¿Para qué todo esto?, ¿qué me lleva a correr de repente tantos riesgos? Una casualidad, a mí nunca se me hubiera ocurrido por mi cuenta. Si Olga, en medio de este caos en el que vivo perdida, no me hubiera llamado para pedirme el extrañísimo favor que me ha pedido, yo no sabría de ningún modo qué decisión podría tomar, pero ahora ya sólo veo este camino. En este golpe de clarividencia que ha irrumpido en medio de la noche, sé que éste es el camino que tengo que seguir. Todo será distinto cuando regrese del viaje. Si no hago nada, si me quedo quieta, me disolveré poco a poco. El nudo me ahogará. Todo lo que puedo hacer para que la realidad cambie es irme, alejarme de aquí.

De manera que ahora, imprevisiblemente, vuelvo a pensar en Olga porque ella, cuando ya se había ido muy lejos y todo indicaba que nunca volveríamos a vernos, nuestros caminos ya irremisiblemente separados, ha vuelto los ojos hacia mí, me ha llamado por teléfono, me ha pedido un favor. Y ahora yo pienso que quizá le haga el extraño favor que me ha pedido porque tengo que hacer algo, ponerme en movimiento como sea, y el favor que me ha pedido Olga podría ser una señal, una oportunidad para mí.

Es evidente que para ella no cuenta el tiempo, que no se ha puesto a contar los años que han transcurrido sin que nos hayamos visto, que todo eso son detalles insignificantes, el fluir de la vida y el olvido y también el rencor. Ella, si acaso la llamara yo, probablemente no se sorprendería, ni siquiera si la llamara, como ha hecho ella, para pedirle un favor, cosa absolutamente nueva entre nosotras, pues no creo que jamás le haya pedido yo un favor a Olga. Bastante favor me hacía siendo mi amiga, habiéndome distinguido, ya desde los tiempos del colegio, con su amistad, y habiéndola querido mantener y prolongar después, en la Universidad, incluyéndome incluso en el grupo de sus allegados y llevándome al Somos. Es posible que para Olga yo esté siempre allí –en realidad, muy lejos, invisible–, y ella me puede llamar en cualquier momento, como si el tiempo no transcurriera. Pero yo puedo ver ahora que su llamada es providencial, sin analizar ya la historia que nos une a Olga y a mí y que se viene arrastrando desde tan lejos, que de repente se esfuma y vuelve luego a aparecer, y puedo considerar que el favor que me pide cae sobre mi vida en el momento preciso, porque necesito hacer algo que me saque de aquí, necesito olvidarme de mis ataduras, liberarme.

Mientras me hablabas, yo no te entendía. Decías repetidas veces: un congreso en Quito, qué suerte he tenido al enterarme, precisamente en Quito yo tengo algo que hacer pero no puedo ir, así que voy a pedirte un favor...

No sabía de qué congreso hablabas, ni siquiera sabía si era yo la que me iba o tú, porque, aunque decías que no podías ir, finalmente parecía que ibas ya que tenías entre manos un asunto que te importaba mucho y no se lo podías confiar a cualquiera. Poco a poco, se me fue haciendo la luz. El congreso me pertenecía a mí, era un congreso de bibliotecas. Por lo que fuere, a través de quien fuese, tú te habías enterado de que se iba a celebrar ese congreso y, desconociendo completamente mi vida y mis costumbres y, sobre todo, conveniéndote como te convenía que yo asistiera a él, diste por sentado que iría. Yo, que ni siquiera viajo por España, sobrevolando los océanos... Estaba claro, Olga, que no sabías nada de mí. Naturalmente, no te expliqué nada. Sólo que me cogía por sorpresa, que no estaba siquiera enterada del congreso, así que difícilmente hubiera podido planear el viaje. Quizás Rosario, que es quien se ocupa de esas cosas y quien casi decide quién asiste a los congresos, estaba enterada del congreso de Quito.

En todo caso, cuando colgué el teléfono, con tu extraña historia aún resonando en mi interior, sentí curiosidad y le pregunté a Rosario qué sabía de aquel congreso. ¿No lo recordaba?, preguntó, mecánicamente, sin atisbo alguno de reproche; precisamente iba a volver a planteármelo, dijo, porque la persona que iba a asistir en nuestro nombre, en el de la Biblioteca, había llamado esa misma mañana para excusarse: no podía ir, a su padre le había dado un ataque al corazón, llamaba desde el hospital... Ahora tenemos este problema, dijo, preocupada, Rosario.

Un congreso en Quito, me dije, mirando luego a solas los papeles, ¿cómo se le ha podido ocurrir a Olga que yo pueda irme tan lejos?, ¿cómo se creerá que es mi vida? No asisto a congresos, no viajo, Olga. Pero ella no ha pensado en mí ni en la vida que llevo, que ignora por completo, ella sólo ha leído o escuchado en alguna parte el nombre de Quito y se ha dicho, he aquí una oportunidad, una coincidencia que no puedo desaprovechar, y yo creo, me dije, que me ha llamado sin pensárselo mucho, porque aunque el asunto le interesa y le gustaría que yo cumpliera el encargo que me ha pedido, si no lo hago no pasa nada, lo hará otra persona. Es así como Olga pide los favores, como si en realidad fuera a la otra persona, la persona a quien se le pide el favor, a quien le conviniera cumplirlos. Esto es lo que parece que te está diciendo: mira el favor que te hago al pedirte este favor.

Y esta vez, al menos, Olga ha tenido razón. En cuanto colgué el teléfono y tuve luego delante de mí la información del congreso de Quito, sólo de pensar en aquel extraño asunto, ya me aparté un poco de mí, lo cual me convenía.

La vida de Olga seguía siendo agitada. Sus viejas amistades, las que yo conocía y las más misteriosas, han seguido, sin duda, rodeándola y amparándola, proporcionándole motivos para ir de aquí para allá, para sentirse ocupada e imprescindible. Olga tenía ahora, dijo, un amigo bastante rico, banquero o financiero, un hombre poderoso. Pronunció despacio la palabra «amigo», para que yo hiciera mis deducciones. Era, como sin duda yo ya habría adivinado, un hombre casado, con los habituales problemas de distanciamiento e incomprensión mutua con su mujer que tienen tantos hombres casados a esa edad –que Olga no determinó, quizá la suya–. Su mujer, por su

199

parte, sufría graves desórdenes nerviosos, dijo Olga con toda tranquilidad. El caso era, y éste era el asunto por el que me llamaba, que el hijo menor del matrimonio, que se había ido hacía un año de casa y vagaba por el mundo, había ido a parar a la cárcel de Quito por tráfico de drogas. La condena que podía caerle era de veinte años. Su madre, la mujer del amigo de Olga, aún no sabía nada y el amigo de Olga no se atrevía a decírselo. Se había quedado absolutamente paralizado, como si le hubiera caído una losa enorme por la calle y lo hubiera aplastado sobre el asfalto. Paralizado y hundido. Pero Olga ya se había puesto en movimiento. Había contratado ya los servicios de un abogado para que defendiera al chico. Lo que me pedía, dado que casualmente yo iba a Quito, era que me entrevistara con el abogado, y, si eso era posible, que visitara al chico en la cárcel, que le dijera que sus padres estaban haciendo todo lo posible por él. Le habían dicho que aquel abogado era muy bueno, pero lo había tenido que contratar así, a ciegas, y se sentía un poco insegura. Sin duda, mi visita le demostraría al abogado el interés que estaban poniendo en el caso los padres del chico y yo podría luego comentarle a Olga mis impresiones. Si yo encontraba un hueco para eso, estupendo, todos me lo agradecerían mucho, especialmente el muchacho encarcelado, desde luego.

¿Es este favor que me pide Olga una señal?, ¿no resulta una coincidencia verdaderamente llamativa que haya fallado la persona que iba a asistir al congreso en representación de la Biblioteca?, ¿no indica todo esto que debo alejarme de aquí, de estos días en los que me siento presa, siempre a la espera de una llamada y, cuando ésta se produce y el encuentro que la llamada anunciaba se produce también, no siento sino una gran decepción, un gran vacío que, sin embargo, me hace desear más que nunca, con mayor ansiedad cada vez, con el objeto de poder borrar todas las anteriores decepciones, la recepción de una nueva llamada, el anuncio de una nueva cita? ¿Cómo he caído en este laberinto del que no puedo salir? Me lo he preguntado muchas veces a lo largo de estos meses, y esta madrugada, después de haber pasado unos días rendida por el dolor, fuera del mundo, sé que he llegado ya a un punto límite y que si no tomo una decisión, si no abandono el laberinto a la fuerza, radicalmente, toda posibilidad de salida se cerrará porque a mí ya no me quedarán fuerzas ni recursos.

Pronuncio al fin el nombre maldito, José Ramón Artal, y me asombra que suene con inocencia, como si fuera un nombre más, pero es que los nombres no son nada, sobre todo cuando se rompe la barrera de la intimidad, entonces el nombre se aleja, es un nombre sólo para los otros. Quizá Ernesto Zanner sea, sin embargo, aún un nombre para mí, porque nunca se rompió entre nosotros la barrera de la intimidad, acaso sólo el día en que fuimos juntos a nadar. Pero José Ramón Artal no es nadie. La intensidad de las esperas y de los encuentros no puede encerrarse en un nombre que todos pueden pronunciar, un nombre público. Me horroriza este nombre que no significa nada y me cuesta pronunciarlo. Verdaderamente me gustaría no tener que ver nada con él, pero sé que el nombre esconde algo, que por debajo de nuestros nombres, del suyo y el mío, fluye una corriente oculta, espantosa, agotadora.

¿Qué mejor que un viaje para escapar de esta corriente malsana?, ¿qué mejor que esos desplazamientos que he evitado con cuidado, con premeditación, durante toda mi vida? Un viaje es como lanzarme al vacío, desprenderme de todo, desnudarme y exponerme. Un viaje es como la muerte y yo ahora necesito morir.

Tardé un poco en darme cuenta de la intensidad de las emociones que me poseían. Era tal la sensación de sorpresa ante las nuevas emociones que lo demás –las consecuencias, cualquier idea de futuro, e incluso de presente, cualquier análisis– quedaba en segundo plano. Lo que verdaderamente me sorprendía era sentirme tan cambiada. ¿Cómo había sucedido algo tan imprevisible?, ¿por qué rendija se había colado ese sentimiento hasta invadirme por completo, hasta apropiarse de mí?, ¿no indicaba eso que yo, en el fondo, me desconocía e ignoraba, y que en ningún momento habían cesado de manar los errores y los malentendidos, por mucho que me hubiera ilusionado con la idea de que el empleo de la Biblioteca había resuelto mi vida y de que mi tardía pero intensa vocación de nadadora me había salvado? No era así, yo no estaba a salvo de nada, como se estaba viendo y como en realidad yo siempre había sabido, por eso había persistido y me había aferrado a todo lo que creía haber conseguido, todavía empujada por el temor, siempre el temor, nunca libre. Había caído en una obsesión que seguramente hubiera debido prever. Lo cierto es que, a pesar de todos mis cuidados, de mi aislamiento y de las innumerables rutinas que lo protegen, de repente me vi inmersa en una historia sin ningún preámbulo, sin ninguna precaución. Vivía pendiente de la llamada, de los deseos, de ese joven cuyo nombre preferiría no tener que pronunciar, un chico al que llevo veinte años enteros de vida, o de lucha por conseguir algo de vida, de luchar por saber si soy capaz de vivir. Esta obsesión me humilla y me degrada, porque ni él tiene el menor atisbo o sospecha de la verdadera naturaleza de mi lucha ni yo ningún interés en conocer la suya, que sin embargo puedo vislumbrar perfectamente, y es una lucha que nunca podría interesarme, enfocada en cosas a mi entender nimias e insignificantes o, en todo caso, por completo ajenas a mí. Esta obsesión es por completo incongruente. Puede que todo esto me haya pasado por tratar de mantenerme tan apartada de la vida, por querer, quizá, protegerme demasiado, por excesivo miedo. Y todo ha estallado de repente porque, de tanto esfuerzo, me he quedado sin defensas, extenuada, vacía, y así me he entregado de golpe, inesperadamente, a la vida, sin ninguna premeditación, sólo por instinto. He sucumbido a este espejismo, y también ha sido por temor, el de estar perdiéndome, precisamente por todos los esfuerzos que he tenido que realizar para mantenerme protegida, algo esencial; el temor de haberme muerto ya.

Toda esta historia ha venido de la mano de Paulina Ferrer. Es su único punto común con la de Ernesto Zanner. Se diría que Paulina está empeñada en crear vínculos conmigo, aunque lo cierto es que en esta ocasión actuó de manera inconsciente. Ella sólo estaba interesada en su exposición. Primero me lo sugirió por carta, luego me lo dijo en persona –y al fin nos conocimos, o nos reconocimos, yo a ella, por cierto, con dificultad, evocando la imagen borrosa de una niña rubia que ahora era una mujer que en realidad seguía siendo borrosa, porque todo en ella era indefinido, los rasgos de la cara, el color del pelo, el contorno del cuerpo–, y se entrevistó con posibles comisarios para su exposición. Finalmente, con la ayuda de Rosario, la exposición se organizó en la Biblioteca.

En su primer viaje, no vi mucho a Paulina, ya fuese porque ella estuviera ocupada con sus entrevistas o porque yo pusiera los inconvenientes habituales para romper mis costumbres y hábitos solitarios, pero los días previos a la inauguración de la exposición la veía muy a menudo. Solía pasarse un rato por el despacho a última hora de la tarde. Estaba contenta y se creía en el deber de mostrarme su agradecimiento como si yo fuera la responsable de su logro. No tenía más remedio que asistir, aunque sólo fuera un momento, a la inauguración.

Poco antes de la hora fijada, bajé a la sala de las visitas, en la que había quedado citada con Paulina. Le estaban haciendo una entrevista, y el periodista que la interrogaba, con un pequeño magnetofón en la mano, desde el sofá en el que estaba sentado de una manera que parecía que se encontrara en su propia casa, clavó los ojos en mí. Paulina me hizo señas de que me sentara y quizá hasta susurró que acababan en seguida. Pero era muy difícil acabar, dadas las largas y enrevesadas respuestas de Paulina. Perdía el hilo, lo volvía a coger, lo estiraba. Estaba empeñada en dar todo tipo de detalles. El periodista me lanzaba miradas profundas, taladradoras, como si inmediatamente hubiera adivinado que a mí, como, sin duda, a él, aquella mujer le resultaba insufrible. Una auténtica pesada, un plomo, eso era lo que teníamos delante.

Puede que yo me sonriera para mis adentros nada más sentarme en la butaca y escuchar las palabras de Paulina. Eso fue, en todo caso, lo que más tarde me dijo él: que se notaba perfectamente que yo sonreía por dentro. Es muy posible, desde luego, que yo me hubiera ido en seguida de la sala si el entrevistador no me hubiera lanzado con tanta frecuencia malévolas miradas de complicidad. A pesar de la torpeza y prolijidad con que Paulina se expresaba, yo permanecí sentada, mirándola unas veces, mirando al periodista, quieta, y con bastante probabilidad hasta sonriente –sonriente por fuera– hasta que al fin el diálogo se dio por concluido y el chico se despidió.

Paulina, en cuanto se quedó sola conmigo, se quejó de la falta de sensibilidad y preparación de los periodistas que se dedicaban a cubrir los acontecimientos culturales. ¡Cómo serán los otros!, exclamaba, los que se dedican a sucesos y deportes. Aunque le di la razón, porque yo también, a lo largo de los años que llevo trabajando en la Biblioteca, he tenido ocasión de conocer a algunos periodistas y he podido comprobar que en general no andan sobrados de sensibilidad ni de interés por la cultura, siempre he acabado por concluir que, comparados con los entrevistados, ganaban mucho. ¡Qué vanidad y petulancia la de estos entrevistados!, ¡qué sorprendente presunción de que lo suyo debe ser valorado y reconocido!, ¡qué convencimiento de que el mundo les debe algo! No pocas veces he sufrido la tentación de encararme con ellos y decirles cuatro verdades. Decirles simplemente que nadie les había pedido ese esfuerzo, esas obras, fueran libros, cuadros, fotografías o lo que fuese, de manera que no venía al caso que se pavonearan de esa manera y nos miraran a todos por encima del hombro. Eran ellos los que habían luchado por publicar el libro que presentaban ese día en el salón de actos de la Biblioteca, cosa, por cierto, por la que también habían luchado, o los que habían pintado los cuadros que ahora habían querido exponer. Nadie les había forzado a hacerlo. Encima querían que se les prestara toda la atención del mundo, que se anotaran o grabaran sus frases como si fueran trascendentes declaraciones y se publicaran después en lugar preferente. Por la más insignificante cosa se sentían ofendidos. Querían las mejores salas, las mejores horas, los mejores días de la semana –que nadie sabía a ciencia cierta cuáles eran–, lo inspeccionaban todo, las invitaciones, la luz de la sala, los micrófonos, y estaban atentos al menor fallo para luego recriminarlo.

¡Cómo no voy a entender y perdonar el escaso interés que algunos de los periodistas encargados de entrevistar a estos poetas, novelistas, pintores, dibujantes, fotógrafos y artistas de toda índole muestran por las obras presentadas o exhibidas! Yo, que me paso el día entre libros, también siento muchas veces un interés muy escaso por toda esta clase de gente e incluso, debo admitirlo, puede que el desinterés se haya ido haciendo extensivo a los mismos libros que me rodean. Sin duda no soy la persona indicada para decirlo y nunca haría una declaración así en público, pero la verdad es que cada día que pasa estoy más convencida de que leer es una tarea verdaderamente difícil y todo el empeño que se pone en demostrar que la lectura es beneficiosa en sí, incluso esencial, me parece inútil y hasta creo que equivocado.

Hay tantos libros –a lo mejor si no se vive rodeada de ellos no se tiene conciencia cabal del casi infinito número de páginas impresas que se han ido acumulando en las estanterías de las bibliotecas de todo el mundo–, que, por su sola cantidad, podríamos llegar a creer que la palabra escrita ha alcanzado un nivel de importancia. Pero yo me paseo muchas veces entre las estanterías y voy leyendo los títulos impresos en los lomos de los libros y cojo uno al azar y lo hojeo un poco, y cojo otro y lo hojeo también, y así voy hojeando libro tras libro y pasa mucho rato hasta que al fin encuentro algo de interés. E incluso de estos libros seleccionados, que me llevo a casa y que leo por las noches y los fines de semana, son muy pocos los que resultan de verdadero interés y más de una vez he dejado a la mitad, y hasta en sus primeras páginas, un libro de éstos, porque no soy una de esas personas que tienen que acabar todo lo que empiezan, y me produce una gran liberación dejar de repente algo que no me gusta nada, aunque tiene su lado frustrante, porque en todo abandono hay una dosis de desengaño y no hay nada mejor que estar leyendo un libro interesante, un libro que no se pueda dejar y al que se está deseando volver cuando se deja. En las contadas pero inolvidables ocasiones en que esto me sucede, mi empleo en la Biblioteca todavía me parece más milagroso y providencial, todavía me sorprendo y me felicito más por mi suerte, ya que tengo tan cerca de mí, al alcance de la mano, esos objetos que se revelan de pronto como lo más importante de la vida, lo que consuela y lo que reconforta.

Eso es sin duda lo que ansiosa e infatigablemente buscan esos lectores que entran en la Biblioteca con la mirada fija, casi desesperada, y que luego piden libros a los bibliotecarios en un tono perentorio, como si pidieran droga, ansiosos, convencidos en el fondo de que en la Biblioteca no tenemos esos libros, escritos exclusivamente para ellos y que no se encuentran en ninguna parte, de manera que, más que una petición, es una prueba, una trampa que nos tienden. En efecto, sonríen con suficiencia cuando se les dice que esos libros no están allí, que ni siquiera se ha tenido noticias de ellos, aunque por supuesto se podrían conseguir. Y el lector accede a dar los datos de los misteriosos e inhallables libros como si hiciera al mundo entero un gran favor, prestándose, condescendiente, a compartir sus saberes. Alguno de estos lectores ha venido incluso hasta mi despacho para recriminarme éstos y otros fallos de la Biblioteca, y yo últimamente tengo bastante paciencia con ellos, les sigo la corriente y les doy la' razón en todo y les digo que con toda probabilidad las cosas algún día serán de su gusto.

No sé si llegan a darme lástima, pero lo cierto es que estos lectores me producen una enorme fatiga en su incesante deambular por las bibliotecas en busca de libros raros e imprescindibles. Están siempre sedientos de más lecturas, siempre insaciables, y, ellos sí, sienten una gran lástima por el mundo, que vive de espaldas a la luz, la poca luz que a veces se vislumbra entre las tinieblas y la penumbra de este mundo tan inculto y tan horrible. Quizá tengan algo de razón. Porque es evidente que los otros lectores, los que no se molestan en mirar los archivos ni los ordenadores y piden sin más el libro de moda, no se rompen la cabeza con búsquedas inútiles. Abren muy satisfechos, muy ufanos, el libro que les han recomendado desde las listas de los libros más vendidos y se sienten acordes con la marcha del mundo, en el corazón de la cultura.

El caso es que por una u otra causa yo algunos días no siento ninguna simpatía por los visitantes de la Biblioteca, los seres que le dan el aliento y la vida y sin los cuales este gran edificio carecería de sentido. No sé si esta desconfianza e irritación mías son restos del resentimiento que he padecido desde la niñez respecto a muchos de mis semejantes y que con tanta frecuencia me hace verlos como felices feligreses o miembros de un partido, una conspiración, una conjura. Integrados, en todo caso, en un proyecto. La Biblioteca, a fin de cuentas, no deja de tener un aire colegial, un aire universitario, un aire del Somos. Todos los lectores, los exigentes y los acomodaticios, sienten una gran admiración por los libros, por las palabras escritas y publicadas, y eso les une a todos entre sí y les da seguridad para mirar al resto de los pobladores del mundo un poco desde arriba.

Pero tengo que admitir que he tenido entre los lectores muy buenos amigos, personas inteligentes y agradables que quizá no hubiera encontrado en otra parte, y he discutido con ellas y he pasado muy buenos ratos comentando libros y sucesos de toda índole.

Puede que encontrar un libro verdaderamente interesante sea difícil, me digo muchas veces, pero al menos, viviendo rodeada de libros, puedo llegar a encontrar uno que me guste de vez en cuando. Supongo que la desconfianza que frecuentemente me acomete hacia los libros, los lectores y sobre todo hacia los escritores es hasta cierto punto bastante natural, porque, vistas desde muy lejos, las cosas se pueden admirar y mitificar, pero desde dentro, viviendo como vivo yo, rodeada de libros, creo que no queda más remedio que admitir que en este vastísimo campo de la letra impresa son más los errores –y la torpeza, la nadería, la repetición– que los aciertos, aunque éstos nos compensen finalmente de todo.

Naturalmente, después de haber conocido a José Ramón, aunque no he modificado estas impresiones sobre los escritores y sobre los libros, sí he ampliado mis críticas hacia los periodistas, a quienes sobre todo les reprocho, no el desconocimiento y la ignorancia, que encuentro siempre más o menos disculpables y en algunos casos vedaderamente justificados, sino la actitud con que interrogan a los entrevistados, porque se ponen enfrente de ellos, sobre todo si los entrevistados son novelistas, y los miran con el ceño fruncido y una gran desconfianza, dispuestos a no pasarles la menor tontería, la menor veleidad, y alegrándose vivamente cuando los meten en callejones sin salida y les hacen contradecirse o hacer declaraciones comprometidas. Entonces sí que me dan pena los novelistas, porque algunos de ellos, sin quererlo, empiezan a disculparse por haber escrito su novela o por haber abordado un asunto que nadie esperaba y que se salía de la línea por la que habían transitado hasta el momento, o porque han complicado el argumento y es por lo tanto forzado, o, por el contrario, porque lo han simplificado al máximo, hasta el punto de hacerlo desaparecer y eso resulta un aburrimiento y un camino por lo demás muy trillado y absolutamente estéril. Les recriminan también que se cambien de editorial, lo que les parece una traición, o que permanezcan siempre en la misma, acaparándola toda para ellos, que escriban mucho, que escriban poco, que vayan a fiestas y al cine, que tengan amigos –sobre todo, que no se les ocurra tener un amigo entre los políticos–, que tengan dinero, casa y coche, que tengan mujer e hijos, o marido e hijos, que tengan amantes o que no los tengan.

A algunos novelistas, que ya no saben cómo contestar a las preguntas que les hacen, les recriminan prácticamente su vida entera, de la cabeza a los pies, mientras que a otros todo se les alaba y premia. Yo ya me había dado cuenta de estas diferencias de trato y consideración de que son objeto los artistas y sobre todo los escritores y me había preguntado muchas veces de dónde provenían, pero, al conocer a José Ramón Artal, tuve la oportunidad de ver muy de cerca la génesis de esas simpatías y enconos y me quedé un poco sorprendida: no venían, no se originaban, de ninguna parte, eran algo totalmente irracional. José Ramón admira a unos escritores y desprecia a otros sin necesidad de leer sus obras. Misteriosamente, unos le caen mal, y al interrogarlos se inviste de una autoridad terrible, como si emanara directamente de la Inquisición. De la misma manera inexplicable, admira fervientemente a otros, aunque no haya leído una línea de sus obras, y frente a ellos se convierte en una verdadera alfombra, en una nube de incienso. Las entrevistas que le causan más satisfacción son aquellas en las que consigue humillar y anular al novelista despreciado. ¿Qué se había creído?, se pregunta, rememorándolas, ¿se creía que a mí me iba a poder engañar? Como sé que sería completamente inútil replicarle que en mi opinión el novelista acosado no ha podido hacer otra cosa que defenderse, dadas las preguntas que, según me cuenta, él le ha hecho, me callo, sintiéndome más y más desanimada. Debería ser capaz de dejarle en ese mismo momento o en cualquier otro de los muchos momentos que vivimos parecidos a éste.

Pero aquel día, el de la exposición de Paulina Ferrer, desde luego no tuve tiempo de pensar en esta clase de asuntos. Sólo me asombré, una vez más, de la petulancia de los artistas en general, incluso de aquellos que, como en el caso de Paulina, parecían humildes y hasta algo borrosos al primer golpe de vista. Acompañé a Paulina a la sala de exposiciones y, en cuanto ella se desprendió de mí y se perdió entre el público, abandoné la sala y volví al despacho, una vez más huyendo de esas atmósferas tan cargadas e incapaz de permanecer por más tiempo de pie. Eran casi las diez cuando me decidí a volver a la sala a despedirme de Paulina. Todavía había gente porque, en una sala adjunta, se había servido un cóctel, según había pedido expresamente Paulina. El periodista que la había entrevistado aún estaba allí, con un vaso de vino en la mano. Un poco borracho, se me acercó, ofreciéndome una copa.

Así empezó todo. Éste es el brevísimo preámbulo de la historia. Vuelvo la vista atrás y reproduzco las horas que precedieron al encuentro, la entrevista de Paulina, la entrada en la sala, el regreso al despacho, otra vez en la sala... Mientras me tomaba el segundo o el tercer vaso de vino, comprendí que lo que sucedía no era sólo por el alcohol. En medio del barullo, la vi, abriéndose paso, una emoción remota, lejanísima, la vi en los ojos de mi interlocutor, y desde el primer momento fui consciente de todo y ya entonces decidí seguir y no perderme esa emoción sino, por el contrario, espiarla y empujarla, porque todo lo demás no servía para nada. Tiempo, esfuerzo, ¿para qué? Cuando se tiene enfrente la vida, da igual quién la represente.

Paulina insistió en que fuéramos a cenar. Desde luego, ella no podía saber hasta qué punto aquella salida mía era excepcional. Sin duda creía que eso era lo que yo hacía siempre después de las exposiciones en la Biblioteca, ir a cenar con los artistas. Asombrosamente, me vi envuelta en aquel grupo de gente que salió de la Biblioteca y empezó a meterse en los coches camino de un restaurante. Yo iba al lado del periodista, en la parte de atrás de uno de aquellos coches, pegada a su cuerpo, que no tardaría en conocer palmo a palmo, como él el mío, dándome la sensación de que jamás había sido conocido.

209

Yo ya sabía todo eso cuando la presión de los cuerpos en la parte de atrás del coche que avanzaba entre las calles conducido por un desconocido me lanzaba hacia José Ramón, me fundía con él. Era como si ya hubiera sucedido lo que iba a suceder, porque no sentí ninguna extrañeza.

Así empezó. Y probablemente Paulina pensará siempre, por mucho que yo insistiera en negarlo, que lo que ocurrió esa noche delante de sus ojos ha ocurrido muchas otras noches, todas las noches que salgo a cenar. Pero ni siquiera he llegado a decirle que no ceno jamás fuera de casa y que aquella emoción me asaltó como si nunca la hubiera conocido, cogiéndome absolutamente por sorpresa. Quizá toda la responsabilidad de que las cosas hayan sido así sea de José Ramón, que es un conquistador profesional, según he llegado a concluir. Me lo dijo luego repetidas veces: él, como yo, en la parte de atrás del coche desconocido –tan desconocido para mí como para él–, vio claramente lo que iba a suceder, y se dijo que lo único que tenía que hacer era estar allí, no separarse un minuto de mí.

Yo no sé si esa noche fui consciente de lo que ahora tanto me pesa, los veinte años que nos separaban, o ha sido poco a poco cuando esta verdad se ha ido revelando y mostrándose. Puede que me abandonara sin pensar a esa diferencia o sin saber hasta qué punto importaba o, por el contrario, tal vez intuyera en seguida que la brecha era demasiado grande y precisamente por eso me lancé, atraída por ella, negándome a claudicar. Había oído hablar de estas pasiones, desde luego, había leído sobre ellas, las pasiones que surgen en la madurez y que nos inclinan hacia una persona mucho más joven que nosotros y que repentinamente se convierte en la única representación de la vida.

Ahora ya no me parece nada raro que una pasión de esta clase me haya invadido a mí. Durante años, Guillermo me ha protegido. No es ninguna casualidad que el encuentro con José Ramón haya sucedido una vez que Guillermo ya vive por su cuenta. Hasta un ciego lo vería. Me he pasado la vida –he construido mi vida– pendiente de él, y eso me ha sostenido y me ha marcado. Hace años que se fue de casa y me ha costado mucho acostumbrarme a la soledad, me he ido aferrando más y más a mi vida enclaustrada y rutinaria y todos los hábitos que antes eran simplemente importantes se han ido haciendo esenciales. Ya no sería capaz de medir la distancia a la que vivo de todo lo que ha ido quedando fuera de mis hábitos. Pero siento una permanente nostalgia de Guillermo y del tiempo en que pude apoyar mi vida sobre la suya, de manera que no me parece nada extraño que haya caído al fin en una pasión cuyo objeto, al menos, tiene cierto parecido con él. Al mismo tiempo, me parece impensable sentir una pasión así por una persona de mi edad. Demasiado sé ya cómo son estas personas. Creo que eso es lo que he sentido algunas veces: que me ame Carlos u otro hombre de mi edad no tiene mucho mérito –o no me concede a mí mucho mérito–, pero que me ame un chico que tiene veinte años menos que yo es una prueba y me siento redimida y reconciliada conmigo misma, sé que la juventud está aún dentro de mí, que tengo, en realidad, veinte años menos que la gente de mi edad. No soy como ellos, no he querido en absoluto ser como ellos y ahora se demuestra que he tenido toda la razón al apartarme de su lado. Gracias a eso, no he envejecido.

Naturalmente, éste es un argumento que a estas horas de la noche no tiene ninguna consistencia, es un argumento falso, o falaz o por completo hipócrita, porque no se trata de aprovisionarse de argumentaciones. A mí no me ha lanzado hacia José Ramón ningún argumento, aunque luego mi cabeza se esfuerce por buscar explicaciones y razones. Y ya tengo la certeza de que José Ramón no puede darme ni un ápice más de amor del que me ha dado, con el que yo no puedo contentarme de ninguna manera, y sé que, a partir de este punto, los placeres, satisfacciones y alegrías cada vez serán menos, representarán menos, al lado de la insatisfacción, el disgusto y el dolor. De hecho, ha estallado el dolor. Y ante el dolor, me siento impotente. Ha venido en la forma que me resulta más insoportable. Me ha atacado a la cabeza, como en la época en que convivía con Carlos en la urbanización de las afueras, pero aunque el dolor no se puede reproducir cuando se está lejos de él, no se puede recordar, creo que el de estos últimos días ha sido el más fuerte que he tenido en la vida, y que el dolor de cabeza que me hacía pasar tantos días en la cama de la casa de la ur-

211

banización, en comparación con éste, era en realidad bastante soportable y llevadero y llegó a hacerse parte de mi rutina, porque el dolor de estos últimos días me ha rendido. No hay un dolor más terrible que el dolor de cabeza. Es algo que no se puede soportar y te tienes que echar sobre la cama y apagar todas las luces y cerrar la puerta y descolgar el teléfono y ahí te quedas, inmovilizada, llena de calor por una parte y también de frío, porque las manos y los pies se quedan fríos, helados, mientras que la cabeza arde. Parece mentira que uno no se muera entonces, porque se tiene la impresión de haber llegado al límite del dolor. No se puede entender que esta tortura se produzca en el interior del cuerpo sin razón aparente, algo que no ha sido causado por un golpe, una agresión cualquiera. Y el tiempo pasa y el dolor sigue allí, constante, sostenido, y desesperarse no sirve de nada. Es el peor que he tenido en mi vida, me digo siempre, me he dicho estos días. Todo será distinto después de este dolor, yo seré otra, una persona mucho más gastada y consumida. Y, a pesar de todo, en su infierno, este dolor tiene algo de placentero. Incluso ahora puedo admitirlo. Los otros dolores son todos molestos, de vez en cuando también insoportables, pero no tienen en ningún momento ese extraño punto de placer que el dolor de cabeza más intenso y espantoso lleva siempre dentro de sí. Es ese momento en que se presiente, o se desea creer, que va a empezar a disminuir el dolor y yo ya no quisiera levantarme de la cama ni encender las luces ni abandonar la habitación ni conectar el teléfono, sino que me quedaría siempre aquí, eso es lo que deseo entonces con todas mis fuerzas, poderme quedar en la cama, ya sin dolor, o con un dolor levísimo que apenas se puede localizar, porque de repente sé que aquí se está muy bien, que éste es el mejor lugar que puede encontrarse en el mundo. Pero el dolor no merece la pena, el dolor, con todos sus fugaces y pequeños placeres dentro, debería ser eliminado del mundo.

Pero el dolor pasó, se evaporó, y ya no puedo ni quiero recordarlo. Lo único que quiero es quitarme de encima esta pasión que de manera tan sorprendente y angustiosa se ha apoderado de mí. La verdad es que a estas horas de la madrugada me causa sorpresa y repugnancia, veo con toda claridad los defectos de

José Ramón, ¿y qué otra cosa tiene sino defectos?, en este momento no podría encontrar ni una sola virtud, algo que verdaderamente me gustara. Si alguna virtud tiene es, precisamente, que de repente se esfuma, desaparece, y yo siento alivio y me digo que esta vez ya se ha ido para siempre y que la historia se ha terminado al fin. Y mientras estoy con él, ese alivio de su inmediata despedida y desaparición está también dentro de mí, porque en realidad no me cabe en la cabeza que parezcamos tan unidos cuando estamos juntos, que nos comportemos el uno con el otro con tanta naturalidad, como si nos perteneciéramos mutuamente y conociéramos todos nuestros secretos, y me reconforta saber que no es así, que José Ramón, al cabo de un rato, se irá y se esfumará por un tiempo, porque no nos pertenecemos en absoluto, no tenemos nada que ver el uno con el otro, y que esto que ha pasado entre nosotros, esto que nos une, no tiene ninguna consistencia, ninguna entidad, es una de esas absurdas cosas que pasan, cosas que no se pueden explicar, que es inútil analizar, y que es mejor tomar como son, sin darles vueltas.

Y eso es lo que debería hacer yo, pero no puedo. Todo esto me molesta demasiado, me abruma y me supera y, como ya no puedo más, he dejado que el dolor me invadiera y resolviese las cosas a su modo, alejándome del mundo, deteniendo el tiempo y el curso de la historia, porque nada sucede, nada mejora ni empeora, mientras yo estoy en la cama, vencida por el dolor.

¿Por qué, entonces, esta obsesión por José Ramón, si, como veo esta madrugada y muchas otras veces –siempre, en realidad–, no hay nada que me guste de verdad en él? Me da vértigo la confianza que tenemos, que tienen nuestros cuerpos –eso es algo que no podría describir, esta confianza insólita que creo no haber tenido con nadie, con ningún otro cuerpo–, y el vértigo me atrae, quisiera saber hasta qué punto esta confianza es importante y valiosa, qué significa. Mientras estoy con él, no puedo pensarlo, no me permito ninguna distracción. Pensar sería como cerrar los ojos. Pero luego todo se reproduce en mi cabeza y me lleno de desconcierto, porque todo se me escapa y ya es tarde para pensar, ya sólo puedo esperar al próximo encuentro. Así que en determinado momento, en cuanto la liberación por encontrarme ya lejos de José Ramón se ha superado, empiezo a desear que vuelva a aparecer, que me llame, quiero volver a comprobar que esa confianza perdura, quiero volverla a sentir, porque es algo absolutamente extraordinario, inaudito, y tengo que averiguar qué significa.

Si ha habido antes de ésta una pasión en mi vida, me he dicho muchas veces, ha sido la que sentí por Luis Arévalo, por mucho que acabara de forma repentina, radical, por mucho que se esfumara en sólo unas horas, tan intenso fue el odio que sentí hacia el mismo amor, hacia el hecho mismo de haberme sentido enamorada. Sé, de todos modos, que esto es distinto. Creo que llegué a esperar algo de Luis, aunque fuera en sueños, aunque fuera batallando contra la razón, aunque fuera desde la desesperación y el más absoluto silencio, porque nunca me atreví a decirle nada ni a pedirle nada, pero es cierto que esperaba, lo esperaba todo, me entregaba a esa pasión devastadora y me olvidaba de mí. Pero ahora no espero nada, y eso hace la situación más aburda, más angustiosa, porque no la puedo entender ni admitir. Yo no me entrego; me veo de lejos cuando me entrego, y permanezco allí, consciente de que de un momento a otro regresaré, porque de ninguna manera querría quedarme para siempre allí. Eso es lo que me indigna, esta posividad mía que no puedo dominar. Estar segura de no esperar nada y vivir, sin embargo, como si esperara.

Ya no puedo soportar este vaivén. Creo que estos enigmas no pueden resolverse. Entre tanto, me estoy muriendo. He pasado muchos días sin ir a la Biblioteca, sin ir a la piscina. Mi vida entera está desapareciendo. Guillermo me mira como si sospechara algo. Le digo que estoy bien, que no se preocupe, que de un momento a otro me incorporaré a la vida, que no hace ninguna falta que se quede a dormir en casa. En cuanto se va, me hago la firme promesa de hacer todo lo que le he dicho, pero ¿cómo romper la cadena de dolor que me tiene presa? Y ahora que, por primera vez en muchos días, no siento ningún dolor –podría decirse que no siento el cuerpo, ni siquiera la cabeza, que no estoy dentro de mí–, sólo se me ocurre recurrir a esa espantosa solución de irme de viaje. Me aterra tanto y me parece tan espantosa que por eso creo que podría ser una solución. ¿Qué otra cosa puedo hacer?

214

Puede que si Ernesto Zanner viviera y fuera aún mi amigo pudiese contarle todo esto, puede incluso que no hubiera siquiera sucedido. Y creo que también a Carlos podría contárselo, o querría contárselo, pero sé que no debo recurrir a él. Debo dejar a Carlos fuera de este asunto. ¿Qué me diría Clara Ríos si aún tuviera confianza con ella, si supiera que puede escucharme y entenderme? Pero ya estoy cansada de hablar como si en realidad hubiera hablado mucho y me hubiera pasado la vida contándoles mis problemas a los demás, quejándome y quejándome, pidiendo ayuda y soluciones, amistad y apoyo. Ya no tengo ganas de decirle nada a nadie, estoy cansada de mi propia voz y de ver todas esas caras inexpresivas que me miran como podrían mirar a cualquier otra persona, una persona irrelevante.

Yo también estoy muy cansada de escuchar. Precisamente lo que menos me gusta de José Ramón, lo que me irrita de verdad, es la tendencia que tiene a contarme todo lo que le pasa, sus innumerables éxitos en todos los campos y, sobre todo, con las mujeres. No hay mujer que pase a su lado, que tan sólo se cruce con él por la calle, que no lo mire con ojos llenos de interés, de presagios. Para no mencionar a sus compañeras de trabajo, a sus primas y amigas, a todas sus ex novias, que pueden contarse por millares. Tanta mujer a su alrededor, desde luego, me agota, me parece risible, y siento deseos de decirle que se vaya corriendo tras ellas, que no pierda ninguna oportunidad. Sin embargo, hay algo que hace que reprima los comentarios irónicos, y es que de repente comprendo que él está asombrado de que eso suceda, que no se lo acaba de creer. No pone en duda que resulta atractivo para las mujeres y se queda ensimismado, embelesado con su propio éxito, que jamás hubiera imaginado. ¿Es a mí a quien le está pasando esto?, parece que se pregunta entonces con los ojos fijos en un punto invisible para mí, ¿no estaré dentro de un sueño? Y luego me mira como si yo misma fuera también una visión y me dice, llega a decirme, que es el hombre más feliz del mundo, y habla y habla de su felicidad y se hace elocuente mientras me mira.

Pero las palabras se disuelven en el aire y son muy fáciles de pronunciar, la gente está muy acostumbrada a ellas, se mueve entre ellas con toda naturalidad. He escuchado muchas cosas, he dicho muchas cosas. El silencio pesa y nadie lo soporta. Sin embargo, sé que hay algo de verdad en el asombro de José Ramón, y ese algo de verdad me hace mirarlo de nuevo y quizá extender la mano en busca de la suya. Está aquí, a mi lado, este hombre asombrado.

Pero si estoy cansada de escuchar no es sólo porque me sienta desengañada, no es sólo porque crea que todo lo que me dicen sean mentiras y engaños, sino, sobre todo, porque estoy siempre pensando en otra cosa mientras me hablan. La gente se pone a hablar sin preguntarse primero si aquello que cuenta será escuchado, si la persona que tiene delante es el receptor adecuado para sus palabras. Si me miraran con un poco más de atención, se darían cuenta de que yo ya no escucho de verdad. Oigo las palabras y a veces hasta podría reproducirlas, y desde luego, percibo y anoto mentalmente los gestos, las modulaciones de la voz de la persona que se dirige a mí, pero no puedo remediar que mis propios pensamientos se pongan en marcha. Me hablan, y me pongo a pensar de manera casi inmediata. La mayor parte de las veces pienso en la persona que me está hablando y me pregunto cómo será de verdad, cómo será su vida, qué espera en realidad de mí y de este rato de conversación.

Creo que esto lo he hecho yo siempre, desde el principio de la vida. He preferido imaginar a conocer. Es posible que haya tenido que conocer algo de cerca algunas vidas, pero he imaginado muchas, muchísimas más. Imaginar es siempre placentero, mientras que conocer me ha causado dolor y decepción. Sé muy poco de la vida de Rosario y de los otros bibliotecarios, lo ignoro prácticamente todo de los miembros del Patronato y de los comisarios, no sé a qué se dedican mis vecinos y los confundo a unos con otros, ni siquiera sé quiénes viven juntos en el mismo piso ni qué relación tienen entre ellos y lo cierto es que cuando lo he sabido me he quedado casi siempre muy sorprendida, de manera que llego a concluir que la realidad se me escapa por completo, que no sé nada de ella. A las mujeres con quienes hablo en los vestuarios del polideportivo nunca les pregunto cosas personales, ni tampoco a los otros nadadores; no sé si están casados o no, si tienen hijos o no, en qué trabajan, qué otras aficiones tienen. Sólo hablo con ellos de la temperatura del agua y de los días que uno u otro hemos faltado y del rato que llevamos nadando y el rato que nos queda.

Ya no estoy acostumbrada a que la gente me cuente su vida, ya no cuento yo mi vida a nadie. Por eso cuando, un par de días después de la extraña noche en que conocí a José Ramón, Paulina se instaló en mi despacho y comprendí que iba a contarme su vida, me dije que no podría escucharla. Y no podía dejar de pensar en José Ramón, aunque ya entonces hubiera preferido poder dejar de pensar en él con facilidad, no para escuchar a Paulina, cuya vida no me interesaba en absoluto, sino para sentirme libre, porque ya empezaba a sentirme atada y condenada a prolongar aquella historia.

Yo no tenía el número de teléfono de José Ramón, aunque desde luego sabía dónde vivía, puesto que la noche había concluido en su casa. Él podía localizarme fácilmente si quería. Yo no debía hacer nada, sólo esperar. Mientras estuviera allí, escuchando a Paulina, haciendo como que la escuchaba, sería fácil, pero en cuanto me quedara sola ya sabía lo que iba a pasar, sabía que no podría controlarme. Empezaba a intuir que esa historia, que hasta el momento había sucedido sola, sin que yo tuviera que esforzarme por pertenecer a ella, se desprendía ya de mí, se acababa. Era ahora, mientras Paulina me contaba su vida, cuando lo comprendía de golpe. Desperté del sueño allí, delante de Paulina, y empecé a sentirme más y más angustiada. No debía intentar buscarle, no debía enviarle ninguna nota, sólo esperar. Esperar nada, seguramente, eso empezaba a vislumbrar.

En mi cabeza, hasta el momento llena de imágenes felices, empezaba a extenderse la sombra del miedo. Hubo una imagen que cobró más vida: el regreso a casa de madrugada. El aire era casi cálido aquella madrugada de otoño en la que volví a casa en taxi, aturdida, sin tener del todo conciencia de quién era yo, abandonada mi mano en la de José Ramón. En la puerta de mi casa, le pedí que no se bajara, que regresara a la suya en el mismo taxi. Lo dije instintivamente, porque quería estar sola cuanto antes, quizá para saber si la euforia que me llenaba permanecería dentro de mí. En realidad, aumentó. Recorrí el piso en el que esta misma madrugada estoy y que ahora no puedo recorrer –no podría, creo, las piernas, que apenas noto, que me parecen insensibles y faltas de fuerzas, me fallarían– y lo miré todo como si fuera el más extraordinario de los lugares. No era yo quien lo miraba y lo recorría sino la persona que acababa de descender del taxi en plena madrugada.

Paulina, entre tanto, seguía hablándome de sus recuerdos del colegio, de las innumerables veces que había hecho de Virgen en los cuadros vivos y las representaciones teatrales. Ella, que era ahora tan borrosa, había sido una niña muy rubia y muy guapa, una niña que siempre hacía de Virgen, cosa que yo siempre había deseado y no había logrado jamás. Se acordaba de Olga, desde luego, que también había hecho muchas veces de Virgen, pero Paulina nunca había admirado a Olga, que quedaba demasiado lejos de ella. Luego me habló de Ernesto Zanner, de quien, declaró, había sido muy amiga, quizá antes de hacerse tan borrosa.

No sé qué podíamos tener ella y yo en común para haber sido, las dos, amigas de Ernesto. Me acordé de Beili, que me había hecho sentirme tan lejos de Ernesto. Le pregunté a Paulina cómo había sido Beili, porque aún me intrigaba. Aún podía imaginar sus ojos fríos y azules y la mirada de Ernesto al evocarla, el día en que vino a mi casa a lamentarse de su muerte y se pasó la noche en mi cocina, los ojos perdidos en la botella de tequila cada vez más vacía.

Cuando Paulina me habló de Ernesto y de Beili, sus ojos sin brillo empezaron a brillar. El tono monótono de su voz cobró fuerza. Eran muy parecidos, dijo, como si fueran hermanos gemelos. Cuando se les veía de la mano, cuando se daban un beso delante de todo el mundo, se sentía algo extraño dentro, porque en cierto modo Ernesto y Beili actuaban como si fueran actores de teatro, artistas de cine, a los dos les gustaba exhibirse y deslumbrar, y luego miraban al público, complacidos, seguros de haber cumplido su papel a la perfección. Así eran, suspiró Paulina, unos artistas perfectos, unos embaucadores. Y seguramente por lo mucho que se parecían no habían podido permanecer juntos, dijo Paulina. Beili siempre tenía a muchos hombres a su alrededor, dos o tres absolutamente fieles, devotos, entregados. Beili manejaba a los hombres, los dominaba. Sin embargo, dijo Paulina, cuando llegaba Ernesto, incluso con aquellos dos o tres hombres fieles al lado de Beili, Beili sólo hacía caso a Ernesto, casi ostentosamente, como si quisiera ofender a sus enamorados. Cuando Beili estaba con Ernesto, los otros hombres no contaban, desaparecían. Todos lo sabían y lo aceptaban, la unión entre Ernesto y Beili era más fuerte que las otras, era un vínculo cuyas razones parecían secretas, inalcanzables. Paulina suspiró. Estuve enamorada de él, dijo, como tantas otras chicas que pululaban alrededor de Ernesto, del mismo modo que los hombres pululaban alrededor de Beili. Y luché y perseveré, dijo, y finalmente lo conseguí. Eso había ocurrido hacía mucho tiempo, hacía más de veinte años, pero Paulina no lo olvidaba porque su vida había quedado marcada para siempre. En realidad, susurró, aunque tardé en darme cuenta, de quien yo estaba enamorada era de Beili. La había estado observando de lejos desde entonces, a la chica de los ojos fríos y azules, sin poder detener su paso vertiginoso, sin intentarlo siquiera, porque Beili, que siempre había sido muy considerada con Paulina, jamás le hubiera hecho caso de verdad. Ahora Paulina vivía con una mujer, una chica algo más joven que ella, que quizá se pareciera un poco a Beili, dijo.

Lo cierto era que Paulina, con la historia de Ernesto y de Beili, se había transformado. Vi algo en ella, vi la serenidad. Paulina era una mujer perfectamente tranquila, una mujer que sabía esperar, que confiaba, que no se daba por vencida, porque en algún momento de su vida –probablemente cuando había conseguido conquistar a Ernesto– había decidido que el tiempo siempre acaba por traer las cosas que más se desean. La niña de las largas trenzas rubias que había hecho tantas veces de Virgen en las representaciones teatrales del colegio había ido aprendiendo, con mucha calma, las extrañas lecciones de la vida. Esas trenzas, según me acababa de contar al relatarme su infancia –porque Paulina había empezado a hacerme el relato de su vida por el principio–, habían sido hechas y deshechas mil veces por sus cuatro hermanos mayores. Paulina había sido un juguete para ellos. Y más tarde, nada más finalizar el colegio, Paulina se había casado con el mejor amigo de su hermano mayor, Miguel Ubieta, un nombre así, un nombre que me recordó el de Rafael Uribe.

Miguel Ubieta, que siempre le había parecido a Paulina inasequible y lejano, se había abalanzado sobre ella en la penumbra de las escaleras de su casa y le había pedido que se casara con él. Paulina se quedó tan sorprendida, tan agradecida, que no se le pasó por la cabeza dudarlo ni por un momento. Si Miguel Ubieta quería casarse con ella, eso era lo que había que hacer. Todo lo que hacía Miguel Ubieta estaba bien, según habían dicho siempre los hermanos de Paulina y ella lo había llegado a creer firmemente, compartiendo con ellos la admiración que profesaban a su amigo.

Recuerdo esta madrugada la vida de Paulina, que quizá sea el símbolo de todas las vidas que siguen agitándose a mi alrededor, mientras yo sólo querría ahora huir de la mía. A pesar de que yo ya no estaba acostumbrada a escuchar, a pesar de que en aquel momento tenía verdaderas dificultades para escuchar, la vida de Paulina fue llegando hasta mí; y esta madrugada en que he decidido emprender la huida, vuelvo a pensar en ella, y ahora es como si la estuviera escuchando de verdad, como si de nuevo ella estuviera sentada en el sofá del despacho, enfrente de mí, y yo pudiera oírla y escucharla mejor de lo que lo hice entonces. Una vez que se casaron, Miguel Ubieta se transformó, dijo. Puede que ni siquiera se hubiera tratado de una transformación, sólo que Paulina no lo conocía, siempre lo veía de lejos, en el cuarto de sus hermanos. ¡Qué años!, ¡qué oscuridad! Paulina aún se estremecía al recordarlos. Lo de menos, insistía Paulina, era que Miguel le pegara cuando su cólera de borracho se desbordaba. Al fin, Paulina sacó fuerzas no se sabía de dónde y se marchó, pero no pudo llevarse a su hija, porque habían tenido una hija, me lo decía ahora Paulina: tengo una hija, pero es como si no la tuviera, la he perdido, éste es el drama de mi vida. ¿Llegaría el día en que Marta, su hija, la perdonara? Paulina, con toda su serenidad, no confiaba demasiado. Marta había sido educada por los padres de Miguel. Ellos no la habían perdonado. Miguel estaba hospitalizado, seguía una cura de desintoxicación. Quién sabe lo que Marta pensaría de todo eso. Probablemente, aún la culparía y la acusaría de haber desertado.

Pero Paulina se sobrepuso a ese drama, me digo en medio

de la madrugada. Incluso, en el mismo momento en que me estaba contando su vida, retrocedió un poco, como si hubiera omitido algo importante que de ninguna manera quería pasar por alto. Las palabras empujaban a Paulina, estaba borracha de confidencias, agotada por la emoción de haber realizado al fin la exposición, incapaz ya de frenarse.

Pasé la infancia rodeada de hombres, dijo Paulina –y es como si la escuchara ahora–. A lo mejor por eso, sonrió, he acabado conviviendo con una mujer. Además de mis cuatro hermanos, vivía en casa con nosotros el hermano menor de mi madre, el tío Gerardo. Yo era por entonces muy amiga de una prima segunda por parte de mi padre, Vicky Vallejo. A los quince años, mientras que yo aún parecía una niña (no sabes cuántas veces hice de «petit Marie», sonrió), Vicky estaba muy desarrollada, parecía una mujer. Las dos admirábamos muchísimo al tío Gerardo, era el hombre ideal, guapo y simpático, siempre dispuesto a pasarse un rato con nosotras, tomándonos el pelo, criticando a nuestros padres y poniéndose siempre de nuestro lado cuando queríamos hacer algo que ellos censuraban o prohibían. Por su parte, el tío Gerardo, que tenía novia, salía a escondidas con otras mujeres, de manera que los tres nos reíamos, cómplices, y nos entendíamos perfectamente, porque en la vida había que tener secretos, la vida había que disfrutarla. Un día Vicky me dijo que jamás amaría a nadie más que a mi tío y que, aunque sabía que no podía tener ninguna esperanza, quería decírselo porque de lo contrario se pondría enferma. Su declaración simplemente me produjo horror –dijo Paulina, aún con un resto de aquel horror en sus ojos ahora luminosos–. No me cabía en la cabeza que pudiera suceder una cosa así. Yo admiraba al tío Gerardo, pero sabía que no me pertenecía. Que Vicky se atreviera a tratarle de tú a tú, que osara asomarse a su mundo, enamorarse de él y desear que él lo supiera, me parecía casi monstruoso. Tuve la impresión, siguió Paulina, de que mi reacción la desanimó un poco. Vicky, en todo caso, no volvió a hablarme del tío Gerardo. Y muy poco después, el tío Gerardo anunció que se casaba con su novia de siempre, que la vida ya no estaba para más aventuras, que el tiempo se le echaba encima.

Fui feliz ese día, dijo Paulina, el día de la boda del tío Gerardo, hasta que Vicky, al final de la comida, me pidió que la acompañara al cuarto de baño. Hasta ese momento fui feliz. Me gustaba la novia de mi tío y la forma en que se trataban entre ellos. Parecían tenerse entre sí mucha más confianza que mis padres. Creo que fue la primera vez que vi que podía haber algo muy especial entre las personas, algo más profundo que la amistad, una complicidad que debía nacer en un territorio secreto, inaccesible para los demás.

Pero esa impresión se me borró en seguida, siguió Paulina, y fue sustituida por otra mucho más fuerte.

Y yo, en ese momento, mientras miraba los ojos brillantes de Paulina, pensé que ese trayecto también había sido, en cierto modo, recorrido por mí, lo conocía, y de repente supe qué trayecto era: vi a Olga cogiéndome del brazo el día de su boda con Leandro Aguiar, dirigiéndonos las dos también hacia el cuarto de baño, susurrando ella, exclamando, frases de felicidad.

Decía Paulina: Vicky me empujó hacia dentro de uno de los retretes. No sabes lo que ha pasado, decía Vicky, muy nerviosa, mientras me empujaba, no te lo imaginas. Se apoyó contra la pared de azulejos, dijo: Está enamorado de mí, tu tío Gerardo, me lo dijo ayer en tu casa, en el cuarto de tus hermanos. Yo estaba allí, mirando la colección de cromos de futbolistas, cuando él entró, tú habías salido a la calle a comprar no sé qué cosa que te había pedido tu madre y que se te había olvidado. Estábamos solos en la casa. Tu tío apareció en el cuarto de tus hermanos y entonces me lo dijo todo. Me dijo que le había llegado la hora de casarse, que lo hacía sobre todo por su madre, tu abuela, pero que se sentía triste porque tenía que renunciar a muchas cosas. Me dijo: sólo tienes quince años, eso es lo malo. Y me pasó el brazo por los hombros, empezó a besarme la cara y luego me dio un beso en los labios, Pauli, me abrió los labios... Luego me abrió la blusa, me bajó el tirante del sostén, ¿sabes lo que hizo? Me pasó la lengua por el pezón, nunca lo hubiera imaginado, no sabes el gusto que da... Aunque me daba un poco de vergüenza y me sentía asustada. Luego quiso subirme la falda, pero yo no le dejé, me entraron unas ganas terribles de hacer pis, y me escapé, me fui corriendo al cuarto de baño y eché el pestillo y me quedé allí hasta que tú volviste de la calle. Vicky respiraba muy agitadamente, decía Paulina. Pauli, murmuraba, no sabes cómo me siento, no hago más que pensar en eso, cuando me pasó la lengua por el pezón y me acarició el pecho, mira, dijo, bajándose el tirante de su traje amarillo de organza, mostrándome los pechos grandes y redondos, ¿ves?, decía, tocándose ella los pezones, humedeciéndose los dedos en la boca. Y luego se levantó la falda. Pauli, Pauli, murmuraba, con la cabeza apoyada contra los azulejos. Yo la miraba, decía Paulina, sin saber qué hacer ni qué decir, paralizada, horrorizada. Vámonos, Vicky, dije al fin, volvamos al salón. Pero me fui sola, dijo Paulina, Vicky se quedó allí, y tardó un poco en regresar. Ya no pude volver a mirar a mi tío, dijo Paulina. Mi madre me preguntó qué me pasaba, y dije que me dolía la cabeza, todos pensaron que había bebido demasiado champán.

Aquello fue un golpe para mí, dijo Paulina. La imagen de Vicky con mi tío en el cuarto de mis hermanos se me intercalaba con la de Vicky en el cuarto de baño, con el traje amarillo de organza bajado hasta la cintura, la falda levantada, la cabeza contra los azulejos blancos. Muchas veces me he preguntado, dijo Paulina, si mi tío, cuando vio a Vicky en el cuarto de mis hermanos y comprendió que estaban solos en el piso, se acercó a ella con la decisión de tenerla entre sus brazos o fue simplemente un impulso, un latigazo de deseo que no pudo controlar. Me he preguntado, también, hasta dónde hubiera llegado él si Vicky no hubiera salido, asustada, del dormitorio de mis hermanos y no se hubiera refugiado en el cuarto de baño, ¿es que no tenía miedo de que mi madre, o yo misma, volviéramos de pronto a casa y los sorprendiéramos? Y eso es lo que me hace pensar, siguió Paulina, que fue un golpe de deseo y que mi tío ni siquiera se daba cuenta de lo que hacía. Quizá era cierto que se casaba en contra de su voluntad o sentía, justo antes de casarse, nostalgia de la libertad que perdía, y quería decirse a sí mismo que no perdía nada, que no existían los compromisos.

223

Paulina suspiró. Mi admiración por mi tío se vino abajo, dijo. Y odié a Vicky, desde luego. Creo que no la he perdonado aún. Oigo su voz entrecortada recitando mi nombre, Pauli, Pauli... ¿Por qué repetía mi nombre? Mi nombre no le hacía ninguna falta... Tantos rencores, me digo esta madrugada. Veo el mundo lleno de rencores. Y lo que quisiera es tener mucha calma, que estas emociones que aún perturbaban a Paulina –aún brillaban sus ojos, aún temblaban un poco sus manos al evocarlas– estuvieran muy alejadas de mí. Después de escuchar a Paulina, volví a pensar en Olga y en lo que me dijo mientras se miraba y me miraba a través del espejo del cuarto de baño. No era lo mismo que lo que Vicky le había confesado a Paulina pero sonaba igual. Traiciones, deseos, entregas, vidas secretas que de repente se desvelan y traen la desilusión, el desencanto. Esta madrugada vuelvo a ver las dos escenas de los cuartos de baño, la de Paulina con Vicky y la mía con Olga, y voy de una a otra como si fueran las escenas de una representación única o una escena que se representa con leves variantes en todas las vidas. Dijo Paulina que seguramente aquella escena se guardó en su memoria y que puede que le haya impedido amar a los hombres. Yo no sé si la declaración que me hizo Olga el día de su boda me marcó tanto. Sólo supe que no podía seguir acudiendo a las citas con Luis ni esperar ya nada de él y, una vez más, me vi detenida, a un lado del mundo, mientras los demás me adelantaban presurosos.

Esta madrugada la revelación de Vicky, que he vuelto a ver yo misma como si se me hubiera revelado a mí, me remite a mi propia revelación, a mi obsesión por José Ramón, y entiendo muy bien que, en el cuarto de baño, Vicky acabara por repetir sólo el nombre de Paulina. Era una invocación y, si yo pudiera, si yo tuviera a alguien a quien invocar, también repetiría su nombre, un nombre. Pero no tengo a nadie a quien invocar. Me he entregado a la fuerza de la vida, a la fuerza de los cuerpos, siempre desconocidos, siempre sorprendentes, y no sé qué hacer con este descubrimiento que nunca he comprendido bien, nunca he sabido cuál era su verdadero significado. Veo yo a Vicky ahora, esta madrugada, apoyada contra los azulejos blancos del cuarto de baño, y la miro con fascinación, porque ella está entregada a su descubrimiento, pero mi entrega es angustiosa, porque todo lo que doy luego lo necesito y lo retengo finalmente porque no quiero de ningún modo disolverme, no quiero convertirme en la persona que deambula en los sueños, una persona a quien muchas veces no le veo la cara ni el cuerpo, sólo su sombra, sólo su rastro, y también siento su cansancio infinito y su dolor.

Pero antes de las pesadillas existió el placer, y la escena de Vicky apoyada en los azulejos del cuarto de baño me ha traído su eco. Tengo la visión del pequeño y desordenado cuarto de José Ramón, de la cama deshecha, del olor a tabaco que impregna las sábanas. Allí estamos, desnudos, José Ramón y yo. José Ramón, que en estos momentos se llama Joserra. Sólo ahora pronuncio su nombre, este nombre abreviado, que de repente viene fácilmente a mis labios. Joserra se ríe un poco de mí, de mis miedos y limitaciones, pero como si no tuvieran mucha importancia, como si fueran una invención mía para pasar el rato. Me pregunta si no me canso de estar juzgando todo el tiempo a los demás. Mi juventud no fue como la tuya, le digo. He crecido entre escrúpulos y remordimientos. Se encoge de hombros. La juventud, dice, no sé de qué me hablas, edades, etapas, clasificaciones, qué lata. La juventud no se acaba nunca, piensa, porque cree que nada se acaba nunca, que todo sigue y rueda y nada tiene principio ni fin.

Pero lo cierto es que yo también pienso eso cuando estoy con él. Soy exactamente igual a él. ¿Era esto, esta sensación de dejar de ser yo misma, de vaciarme de las preocupaciones e inquietudes de mi vida, de incorporarme a otra vida, a otro presente, lo que yo buscaba? Me incorporo a su inconsciencia, a su despreocupación, a su instintiva negativa a ver riesgos y limitaciones por todas partes. Y me entrego y me pierdo en este deseo de ser él, poco a poco su cuerpo se hace parte del mío, y no se sabe quién posee a quién, quién ama a quién, quién busca y quién encuentra, porque los dos somos exactos, somos el mismo. La emoción de la igualdad es tan intensa como el deseo que nos recorre y nos transporta. Y entonces lo confundo un momento con el amor, pero me callo, porque en ese mismo instante empieza la separación. No me importaría entonces decirle que le amo, porque ya sé que no le amo. Una vez le hablé de mi extrañeza. Te llevo veinte años, le dije, quizá esto sea lo más importante de todo, estoy acostumbrada a ser madre. Me miró indignado, fastidiado. Hace tiempo que dejé la tutela de mi madre, dijo.

Lo veo moviéndose desnudo por el cuarto, en busca de un cigarrillo o de algo de beber, de algo, cualquier cosa, que le sirviera para pasarlo mejor, para disfrutar más, y yo le seguía en todo, exactamente igual a él en ese momento, menos en el coñac que se bebía de un trago antes de cerrar los ojos y caer dormido. Sus brazos me rodeaban mientras dormía, apoyaba la cabeza en mi cuerpo, roncaba un poco y emitía pequeños ruidos de placer, de bienestar. Al cabo de un rato, yo me levantaba con cuidado, apartaba su cuerpo del mío. Él abría los ojos soñolientos, ¿te vas?, espera un poco, te acompañaré, decía. Me sentaba a su lado y le pasaba la mano por la cabeza, pero ya era un gesto forzado, ya mi mano quería apartarse de él, asustada de haberse sentido fuera de lugar, acariciando un cuerpo extraño.

Pero momentos antes mis manos se habían abalanzado sobre ese cuerpo como el tío de Paulina se había abalanzado sobre Vicky en la soledad del piso. A mí, como al tío de Paulina, también se me ha agotado el tiempo, y no sé si quiero recuperarlo como sea, retenerlo, o advertirle a él, a Joserra, que no lo deje pasar, que no lo pierda, porque aunque ya sabe muchas cosas de la vida –y del amor–, no sospecha la cantidad de vida que le queda por delante, y siento ya una profunda melancolía porque todo eso que le espera no me pertenece. Y tal y como Vicky se escapó del abrazo del tío de Paulina, soy yo la que debe ahora escaparse del lazo que me liga a José Ramón. Vicky se encerró en el cuarto de baño y luego apoyó la cabeza contra los azulejos y reprodujo la escena. Su instinto la salvó.

Cuando la vida abruma y sobrepasa, se pediría la ayuda de alguien. Por eso Vicky repetía el nombre de Paulina, y por eso también, intuyendo en el fondo su significado y negándose a hacerlo suyo, rechazándolo y hasta condenándolo, Paulina se indignaba todavía al recordar cómo la llamaba Vicky, cómo repetía su nombre. Las revelaciones de la vida deslumbran y aniquilan, así es como yo me siento ahora, deslumbrada, desfallecida. En cambio, el presentimiento de la muerte nos deja en un territorio devastado, sin ecos, y no hay ningún nombre que pronunciar, ninguna llamada que hacer; sólo cerrar los ojos y desear que la muerte no sea dolorosa ni cause dolor a los vivos.

Recuerdo ahora con mucha nitidez esa impresión, la del presentimiento de la muerte, aunque ocurrió hace mucho tiempo, porque vi la muerte con toda claridad, aunque muchas otras veces la intuya, la atisbe. Llevaba ya unos años trabajando en la Biblioteca y el presidente del Patronato, un hombre que era muy cordial conmigo, me pidió que lo acompañara al Retiro, donde en un pabellón se exponía «La dama oferente». Aquel día yo me encontraba muy mal, creo que tenía un malestar impreciso pero profundamente inquietante, la sensación de que nada en el cuerpo me funcionaba del todo, por lo que me costaba una gran esfuerzo hacer cualquier cosa, estar entre los demás, y hasta estando sola me encontraba mal y durante toda la mañana estuve pensando en marcharme o en irme a nadar y volver luego a casa, sin pasar otra vez por la Biblioteca. Pero no podía tomar ninguna decisión, de manera que ya, al final del día, no podía más, y cuando el presidente me llamó para pedirme que le acompañara al Retiro, hubiera debido decirle claramente que no, alegando lo que fuera. Sin embargo, no pude, no dije nada, asentí. Y así me vi, camino del Retiro, en el interior de un coche, acomodada en la parte de atrás, junto al presidente del Patronato, que no cesaba de hablar. Era una tarde de primavera, y sólo de ver las sombras de los árboles que se movían en el suelo cuando el aire los agitaba, sólo de ver allí, fuera del coche, aquel aire y aquella luz que lo fundía todo, ya me sentía un poco mareada. Una vez dentro del pabellón donde se encontraba «La dama oferente», perdí a mi acompañante y deambulé sola entre la gente que se arremolinaba alrededor de la escultura o contra las paredes donde, creo, también se exponían unos cuadros.

Era muy difícil que aquella escultura gustara a alguien y lo cierto es que no escuché ninguna frase de verdadera admiración, pero el solo hecho de que hubiera allí tanta gente reunida ya suponía una celebración, una aprobación. La «dama» era un enorme animal, pesado y oscuro, lleno de grandes agujeros. ¿Qué hacía yo allí, entre aquellas personas que se movían de un lado para otro, seguramente sin saber qué pensar de todo ello, pero, en todo caso, presas en el ambiente de la sala? No tenía miedo de desmayarme sino de morirme de cansancio, porque apenas podía sostenerme. Poco a poco, me dirigí hacia la puerta y salí al exterior. Hubiera querido alejarme más del pabellón, pero en cuanto vi un banco, me senté, a unos metros de la puerta, bajo la sombra móvil de un gran castaño.

Yo llevaba una blusa roja y, como había podido comprobar al ver mi reflejo en los cristales de las puertas, no se me veía la cara. Era una cara comida por el color rojo de la blusa, comida, en realidad, por el dolor que tenía ya en todo el cuerpo. Y, sentada en el banco, contemplando a cierta distancia a la gente que entraba y salía del pabellón y parecía muy animada –se oían sus voces, se veían sus gestos–, vi que todo ese dolor era debido a la muerte. Me asombró que con todo ese dolor aún estuviese viva y comprendí que todo lo que tenía delante de mí, todo lo que me rodeaba, era ya una visión desde la muerte. Pero no recuerdo que me sintiera entonces especialmente desdichada, no más desdichada, desde luego, de lo que me había sentido durante todo el día. Hasta llegó a ser agradable estar allí, con la puerta del pabellón enfrente y lejana, fuera de la sala abarrotada de gente, al aire libre, y sin la horrible presencia de la «dama». Era agradable, porque ahora la luz ya no me mareaba, y el aire, lleno de polen y sombras, se filtraba tranquilamente en mis pulmones. Yo ya estaba muy cerca de la muerte, y de repente podía disfrutar de lo que antes me había parecido insoportable y amenazador, la luz y el aire.

Me hubiera quedado mucho tiempo allí y seguramente así habría sucedido si el presentimiento de la muerte no hubiera desaparecido de golpe, dejando, en su lugar, la sensación de que yo estaba pegada al banco y de que, si caía la noche, ya no podría levantarme y ni siquiera podría pedir ayuda porque ya no habría nadie en el Retiro. Tenía que aprovechar la luz y el movimiento del atardecer.

Eso fue lo que sucedió, el presentimiento de la muerte se

convirtió de repente en un instante tranquilo, lleno de sosiego, y, como ahora no siento ningún dolor en la cabeza ni en parte alguna del cuerpo, no puedo tampoco imaginar la intensidad del cansancio que me invadía entonces y que se fue transformando en dolor, y sólo puedo reproducir aquella sensación de estar viendo la luz y respirando el aire y de decirme a mí misma: qué hermosa es esta vida que estoy abandonando.

Evoco con nostalgia esa sensación porque esta madrugada sólo tengo la voluntad de abandonar la vida que de repente se ha echado encima de mí y que no encuentro nada hermosa. Me están matando, esto no es la muerte sino un asesinato, y por eso la muerte se ha convertido en una evocación casi placentera.

Me he lanzado de cabeza a la vida de pronto, sin pensarlo, ¿cómo podría retroceder? Lanzarme hacia otra parte, lanzarme a viajar, a romper todos los vínculos que ahora me sostienen, puede ser una salida equivocada. Dudo mucho de que yo sea capaz de hacer un viaje tan largo, sencillamente no creo que pueda coger un avión, no creo que pueda dormir en la habitación de un hotel, no me veo andando por las calles de una ciudad desconocida, eso se parece demasiado a mis pesadillas, al horror de la desconexión absoluta.

Cuando Guillermo era muy pequeño, me lo llevaba unos días del verano a la playa. Ésos han sido los pocos viajes que he realizado. Hemos estado en pensiones y hoteles baratos, sin aire acondicionado, hoteles con turistas ingleses y alemanes que alborotaban y se emborrachaban por las noches. Hemos pasado mucho calor y hemos comido mal y yo, que no soporto tomar el sol en la playa, me he pasado horas debajo de la sombrilla leyendo uno o más libros al día. Más que ropa, eso es lo que me llevaba en aquellas vacaciones, montones de libros. He hablado con Guillermo de estos viajes, y él los recuerda de manera confusa, sin distinguirlos bien unos de otros. Equivoca pensiones y hoteles, playas, amigos. No acabo de saber lo que representaron para él y posiblemente él tampoco lo sabe. Creí que tenía que hacer esos viajes, aunque me horrorizaban los turistas ahorrativos que se metían en sus bolsos la fruta que no conseguían comerse en el desayuno. Y yo hacía lo mismo que ellos, yo llevaba a la playa las naranjas y las manzanas, yo era también una turista ahorrativa.

No sé cuántas veces he ido a pasar unos días en la playa con Guillermo, pudieron ser cuatro o cinco veranos, y sin duda fueron viajes cortos, que apenas duraron una semana, pero, recordándolos, me parecen largos, infinitos, y los días en la playa, bajo la sombrilla, inacabables. Las habitaciones eran desoladoras. Nos levantábamos temprano, dormíamos largas siestas y nos acostábamos nada más cenar, cada cual con nuestro libro. Nada de lecturas serias, al menos, no las mías; quizá las de Guillermo fueran más serias que las mías. Puede que el primer año me llevara esos libros que se van dejando para leer en períodos tranquilos, libros importantes que hay que leer muy despacio y que yo podría leer en cualquier época del año, en los ratos muertos de la Biblioteca o en casa, echada en el sofá, cualquier tarde o cualquier noche, pero, al mirarlos, al leer sus títulos, quise meterlos allí, en la maleta de los libros del verano, porque aquellos días en la playa me asustaban y quería estar llena de provisiones. Pero luego sólo servían los libros ligeros, los que trataban de asesinatos, chantajes y constantes sospechas, los que, nada más abrirlos, me absorbían en su agitado y peligroso mundo. Agoté todos los libros de este género que se encontraban en la Biblioteca y al final recurrí al quiosco, donde siempre había novedades. Me compré colecciones enteras. Libros que no se guardaban en el recinto sagrado de la Biblioteca, ésos eran los libros que leía cuando íbamos a la playa. Menos mal que existen.

Curiosamente, también tengo ahora nostalgia de aquellos días inacabables, de esas vacaciones que no sé cuántas veces repetí, y del mismo mar azul, verde y gris que cambiaba constantemente de color, de forma, de ruido, de temperatura. Ojalá pudiera vivir siempre frente a ese mar, ésa es la vida que de verdad me gustaría llevar algún día. Como en una ocasión, en los vestuarios, oyendo una conversación entre mujeres que tenían perros y comparaban sus costumbres y su carácter y hasta los arañazos que les hacían, por cariño, porque se abalanzaban sobre ellas siempre que las veían de nuevo, yo había pensado de repente que alguna vez tendría perro y que me acompañaría a todas partes, incluso a la piscina, y me pareció una idea alentadora, pienso ahora que viviré alguna vez también cerca del mar, enfrente del mar. Me veo paseando por la playa, seguida por mi perro, y me veo sentada, con el perro ahora sentado a mi lado, mirando los dos el mar, el mar infinito. Sin embargo, dudo mucho de que yo sea capaz de realizar el viaje a Quito. Conforme avanza la madrugada me van invadiendo las dudas, porque, por desgracia, la compañía de los libros no es suficiente para disipar todas las nubes de miedo y angustia que me amenazan en cuanto abandono mi casa y que en casa, al menos, veo de lejos, a resguardo. No me bastan los libros para escapar a todas las amenazas de la vida. ¡Si me bastaran, si me bastaran los libros, o la música, o simplemente el cine! Pero creo que sólo la vida, tirarme de cabeza a la vida, como estoy haciendo ahora, desde que he conocido a José Ramón, me hace olvidar sus amenazas, aunque el resultado de esa inmersión sea, a la larga, muchísimo peor, porque finalmente la vida me puede y me vence y yo me siento ahogada y anulada por ella y sólo esta noche me encuentro con fuerzas para salir, para quitarme de encima esta losa que me está aplastando, o me gustaría tener fuerzas para hacerlo, al menos.

Es quizá esta idea de la losa la que me trae a la cabeza la imagen de mi pobre madre –a quien llamo así, mi pobre madre, por primera vez–, desde hace un mes recluida en una residencia en la que probablemente morirá, porque ni mi padre ni mis hermanos ni yo misma hemos podido asumir la responsabilidad de cuidar de ella. De repente, la losa que me aplasta no es nada comparada con la losa que aplasta a mi madre, y su soledad me parece más injusta y mayor que la mía, porque ya no podrá resolverla nunca. No sé si me culpo de su dolor y de su aislamiento, o si culpo a mi padre y a mis hermanos, a quienes ella durante tanto tiempo dedicó su vida, pero sí me culpo de haberme olvidado de ella casi definitivamente desde que ha sido internada en la residencia, y quisiera poder cambiar el curso de las cosas, poder tener los ánimos suficientes para ir a visitarla con frecuencia, sentarme junto a ella en su habitación

231

y preguntarle si tiene amigos allí, comentar los partidos de fútbol, a los que se hizo tan aficionada, y que sin duda sigue viendo por la televisión.

Desde que está en la residencia sólo la he visto una vez. Estaba sentada frente al televisor, vestida, peinada y perfumada, pero no se había peinado ella, de manera que su cara parecía distinta, más despejada y triste, era una cara extraña que no se reconoce bien, una cara de esas que se ven muy deprisa, borrosas, a través del cristal de la ventanilla de un tren, una cara que se pierde –las estaciones de ferrocarril están llenas de esas caras pálidas y perdidas–. Sin embargo, me reconoció, me llamó por mi nombre, y me preguntó por Guillermo e incluso por Jacobo, como si ahora se concediera casi premeditadamente el privilegio de no reconocer lo que había sido tan incómodo para ella, aunque sus palabras sonaban un poco mecánicas y desganadas, como si mi madre, recluida en la residencia, sólo pretendiera quedar bien, decir de esa manera que sabía perfectamente dónde estábamos cada una y cómo teníamos que tratarnos entre nosotras, con la necesaria cortesía con que se tratan los extraños obligados a verse de vez en cuando. Dijo que los programas de televisión estaban pensados para gente estúpida y que si ella supiera escribir, si supiera expresarse, le escribiría una carta al director de la televisión o al mismo presidente del Gobierno y le diría que eso era una vergüenza, todos esos concursos para confundir a la gente y tratarla peor que mal, reírse de ella, en realidad, y todas esas entrevistas indecentes, en las que los presentadores sonsacaban a la pobre gente que sólo quería que su familia la viera por la televisión y que de repente acababa contando su vida, dando de sí misma los detalles más escabrosos y repugnantes, los más íntimos. Aunque algunos de ellos lo hacían con gusto, ésa era la verdad, y puede que se inventaran aquellos detalles y episodios o fueran simples exhibicionistas, gente desenvuelta y sin escrúpulos. Y de las películas, añadió, no hablemos.

Pero mi madre no sabía escribir, no sabía expresarse, decía, de manera que no podía desahogarse. Envidiaba a una señora que se pasaba el día escribiendo cartas a los gobernantes, incluido el Rey y el Defensor del Pueblo, y los dos le habían contestado, el Defensor del Pueblo en un par de ocasiones. Aquella señora se expresaba con una precisión impresionante y la directora de la residencia la respetaba mucho. Muchas veces se las veía hablando juntas, como verdaderas amigas. Mi madre lo decía con envidia, con perplejidad, como si la estuvieran privando de algo que no sabía bien lo que era. Y ella, ¿no tenía amigas?, ¿no hablaba con alguien en especial?, le pregunté. Negó con la cabeza. Hay una gente muy rara aquí, dijo, la mayoría de ellos pertenecen a sectas. Vienen a visitarles personas de todas las razas, sales al pasillo y te topas con un negro o con un chino o con un indio de verdad, de los que llevan la cara pintada y muchos colgantes al cuello. Bueno, le dije, entonces estarás muy entretenida viendo a toda esa gente tan pintoresca. Mi madre sonrió e hizo un gesto de asentimiento. No creas que todos son buenos, dijo después, algunos sólo vienen por el dinero. Han arruinado a estas personas que ahora están encerradas aquí, conmigo, pero son insaciables, no sé lo que aún quieren. He visto a algunos de estos extranjeros en cuclillas en el pasillo, con una especie de breviario en las manos, leyendo en voz baja, en murmullos, como si rezaran, dijo mi madre. Por la noche oí decirles a una de las enfermeras que cómo no se daban cuenta de que a ellos también los estaban engañando y que si sabían quién era el jefe de la secta, si lo habían visto alguna vez.

Es entretenido, dijo mi madre, pero a la vez da miedo, toda esa gente por los pasillos, rezando en murmullos, son religiones desconocidas, no como la nuestra, que nadie te obliga a dar nada, predican y tratan de convencerte, pero no te obligan de esa manera.

Mientras estuve en el cuarto de mi madre, sentada junto a ella, enfrente del televisor encendido, sin volumen, al que mi madre dirigía los ojos una y otra vez, como constatando que seguía allí, no pensé en José Ramón. Mi madre y las personas que convivían con ella en la residencia, todo ese rumor y silencio de los pasillos, se filtraron en mi interior, lo invadieron. No podía evitar pensar que quizá yo también acabara en una residencia como aquélla, y mi vida se resolvería al fin en una sola habitación, consagrada ya enteramente a la enfermedad, a la espera de la muerte. Interrumpí a mi madre en su torrente de quejas, su recital de todo lo que le dolía y, sin proponérmelo, yo, que nunca me quejo ya, empecé a quejarme. Poco a poco vi que mi madre se alejaba, me miraba cada vez con más extrañeza. No estabais nunca enfermos, dijo, erais los niños más saludables del mundo, llamabais la atención, teníais un color estupendo, en la piel se nota la salud.

Mi madre miró entonces sus manos oscuras y marchitas y las levantó un poco hacia mí, como si quisiera que yo también las mirara, quizá que las cogiera. Quizá mi madre me estaba ofreciendo sus manos.

Bajé los ojos y miré sus pies, enfundados en unas zapatillas azul cielo –estridentes– de pana. ¿Quién se las habría comprado? Los pies de mi madre parecían ahora más grandes y estaban deformados por la artritis. Habían sido su única vanidad. Nada le había gustado más que mirárselos dentro de unos zapatos nuevos, lo único que se compraba cuando disponía de dinero. Por la calle, se detenía en los escaparates de las zapaterías, tan abundantes en nuestro barrio, y se quedaba mucho tiempo allí, escogiendo. Al fin, entraba en la tienda y señalaba los zapatos en el escaparate y se los probaba una y otra vez, aunque, si ya se había encaprichado, por largo que fuera el tiempo de sus dudas, siempre acababa comprándoselos. Las tías también le iban pasando sus zapatos, junto con los vestidos, pero a mi madre los zapatos de sus hermanas le quedaban un poco pequeños, por lo que había que llevarlos a la horma en cuanto llegaban y luego los volvía a llevar más veces, hasta que le quedaban bien. Eran unos zapatos muy buenos, comprados en tiendas caras e incluso hechos a medida, por eso mi madre los llevaba tantas veces a la horma y era muy amiga del zapatero. Saturnino, Justino, algo así se llamaba el zapatero, que hacía verdaderos milagros con los zapatos, los teñía, les cambiaba el tacón, y alababa siempre los zapatos que le llevaba mi madre. Pero a pesar de tener los zapatos que le enviaban sus hermanas, mi madre no podía resistirse a comprarse zapatos nuevos, no tan buenos como los otros, pero más atrevidos, a la última moda, de tacón muy alto y llenos de trabillas y complicaciones. Tenía una verdadera colección de zapatos. Los guardaba en las cajas, envueltos en papel de seda, al fondo del armario. Yo miraba el armario lleno de cajas y sospechaba que ella se compraba los zapatos a escondidas, sin decir nada a nadie, y que no nos los enseñaba hasta que llegaba la ocasión de utilizarlos. Ahora, los pies de mi madre, enfundados en aquellas estridentes zapatillas, parecían vencidos, ajenos al mundo. Me dieron pena los pies de mi madre y la colección de zapatos probablemente perdida, deshecha.

Y, sin embargo, cuando abandoné la residencia, lo que me pregunté, aún con algo de ira, con resentimiento, con dolor, fue por qué mi madre se negaba a aceptar que yo había sido una niña siempre enferma. Mi madre vivía ya lejos de todos nosotros, con la cabeza navegando desorientada por el tiempo y por las cosas, y yo aún quería que ella supiera quién era yo, aún quería que me dijera algo, ¡una excusa! ¿Cómo había podido olvidar mis enfermedades, todas las veces que la llamaban las monjas por teléfono para que viniera a buscarme o enviara a alguien a hacerlo?, ¿cómo había olvidado aquel desfile de médicos que me examinaron y todos los reconstituyentes que me recetaron y hasta las recomendaciones de cambio de vida que me hicieron, tales como, lo recuerdo muy bien, ir a vivir al campo o estudiar piano? Recuerdo, sobre todo, la indignación de mi madre, que, nada más salir a la calle, exclamó, fuera de sí, ¿quién es él para darnos consejos?, ¿qué sabe de nuestra vida?, ¿de qué viviríamos en el campo?, ¿de dónde sacamos un piano?, ¿cuánto cuesta un piano?, y habría que tener un profesor de piano, también. Todo eso era demasiado ridículo, demasiado insultante.

Después, mis enfermedades ya no la incumbieron. Sólo cuando volví a casa, ese año en que, ya nacido Guillermo, viví con mis padres con la extraña sensación de ser una madre soltera, tuvo ella que volver a recordar la debilidad de mi naturaleza, pero la volvió a rechazar. Aún se reproducen en mi memoria algunas de sus frases: Los hombres no soportan a esta clase de mujeres, las mujeres tienen que ser fuertes si no quieren quedarse solas.

Pero ella se había cansado de ser fuerte, había sucumbido a la enfermedad, su antigua fortaleza no le había servido de na-

235

da y ahora vivía en una residencia de ancianos en la que todos esperaban la muerte. Puede que se arrepintiera ahora de haber querido ser tan fuerte y haber estado tan sola. Y yo aún le pedía algo, aún esperaba algo de ella. Aún la culpaba de mis enfermedades, aún la sigo culpando. Probablemente creo que, si ella me hubiera hecho caso, yo no me hubiera pasado la vida atada a este recurso que me desangra, enfermedad tras enfermedad, cada vez más desgastada y desesperada. Pero puede que este empeño mío por culparla no sea, una vez más, sino una forma de huir del espantoso e incomprensible mundo. Si hubiera encontrado acomodo en él, no la culparía, eso me digo ahora, aunque no puedo negar que he encontrado cierto acomodo, que, inusitadamente, he tenido ocasión de ponerme a salvo, no sólo por el empleo en la Biblioteca, lo más importante que me ha sucedido para sobrellevar la vida, para salvarme, sino por muchas otras cosas más.

Pero sigo siendo una enferma, aunque ya casi nadie lo sabe, puesto que yo me cuido y me receto mis propias medicinas. Ya no consulto a los médicos. Hace mucho que dejé de confiar en ellos, en sus inquisiciones y escrutaciones, hechas sobre todo con el objeto de impresionar y achantar a los pacientes, que no les interesan nada en el fondo, de los que incluso sospechan que mienten y tratan de desorientarles; en todo caso, están convencidos, los médicos, de que los enfermos somos una pandilla de estúpidos, gente de verdad retrasada, tarada, a quien hay que tratar como a niños, pero niños retrasados y tarados y, cuando intentamos hablar y explicarnos, porque a fin de cuentas sabemos mucho de nuestros dolores, nos interrumpen, miran hacia otro lado y tuercen la boca en una pequeña sonrisa de superioridad, seguros de nuestro error. Ha habido, en mi largo recorrido por las consultas de los médicos, algunos distintos de los demás, que me han escuchado y examinado con interés, casi con afecto, pero éstos se han evaporado, ya no sé por qué, si porque en un caso de urgencia no pude encontrarlos, si porque se trasladaron a otra ciudad, por no sé qué otra razón, pero el caso es que desaparecieron. Combato mis enfermedades yo sola, pero de ninguna manera puedo vencerlas; las adormezco, las amaino, las guío, las llevo de aquí para allá, vivo pendiente de ellas, ellas me guían, ésa es la verdad. Tanto es así que algunas veces me digo que si las enfermedades desaparecieran yo me quedaría de pronto desconcertada, desasistida, sin señales, colgada en el vacío. Porque todo lo que duele está vivo; el dolor, al fin y al cabo, es vida, y ésta ha sido también una lucha por no entregarme por completo a la muerte. Las enfermedades, siempre un poco secretas, han pasado a ser mi gran secreto. Pero a veces me derrumbo, a veces quisiera desaparecer y no vivir entre estos rieles que me asfixian, que verdaderamente me impiden vivir. El dolor va creando un cerco alrededor del enfermo, lo va aislando, lo hace enloquecer y morir día a día. Los remedios contra el dolor crean también su propio cerco, una atmósfera sofocante y obsesiva. Y, por otra parte, tampoco este recurso de la enfermedad –que muchas veces he considerado que era ya parte de mí misma ya que luchar contra ella era lo que me sostenía, lo que me ayudaba a ir trazándome objetivos– me ha salvado de caer en otras trampas, como ahora mismo se está demostrando con mi obsesión por José Ramón. De manera que ahora, en medio de la madrugada, sólo se me ocurre esta idea insistente: marcharme, someterme a la conmoción de un viaje. Sea por lo que fuere –quizás por Guillermo–, no quiero morir. Siempre me he mantenido –creo que, efectivamente, a causa de Guillermo– algo apartada de la muerte. Y es verdad que en cuanto vi a Guillermo instalado en su propia casa, absolutamente independiente de mí, he sentido más vértigo y más vacío y he tenido que realizar mayores esfuerzos. Por eso estoy tan cansada, por eso he sucumbido.

Pero la gente enferma no viaja, no vive como los demás, no se arriesga a abandonar el lugar donde se encuentra el depósito de sus medicinas, su cama lo suficientemente cómoda, sus almohadas, el escenario de sus ritos y cuidados. Es muy posible que en la Biblioteca crean que no viajo a causa de mi carácter, de mi falta de curiosidad, pero eso, siendo verdad, es accesorio. No viajo porque no puedo, de la misma forma que no como nunca ya, desde hace mucho tiempo, fuera de casa. Creo que fue Clara Ríos, con la excepción de la vez, mucho más re-

237

ciente y desde luego más especial, que comí con José Ramón, la última persona con la que almorcé en un restaurante –el mismo restaurante chino al que habíamos ido otras veces–, y cuando terminamos de comer, mientras trataba de no caerme al suelo, sólo me decía que nunca lo volvería a repetir, que de ahora en adelante alegaría la excusa, por otra parte verdadera, de la natación. Y eso es lo que he hecho siempre desde entonces cuando alguien me ha propuesto que quedáramos a comer para hablar de algo, normalmente sobre una de las actividades de la Biblioteca. No doy ninguna otra razón, simplemente digo que yo voy a nadar al mediodía, y la gente lo acepta perfectamente, como si ellos nadaran también a esas o a otras horas.

A José Ramón, desde luego, nunca le he hablado de mis enfermedades. Nuestros encuentros han sido siempre lo bastante breves como para que yo pueda manejarlos y conciliarlos con toda facilidad con mi vida regular. Menos una sola vez, en que cedí a su insistencia en que comiéramos juntos. Naturalmente, fue al principio de todo, cuando yo me movía con más indecisión e inseguridad y todavía no se habían establecido las pautas de nuestros encuentros. Estaba demasiado asombrada de sentirme deslumbrada por José Ramón, no me lo acababa de creer, lo miraba, tratando de explicarme mi propio deslumbramiento, y no avanzaba en absoluto, pero desde luego no podía dejar de mirarle. ¿Cuándo vamos a comer juntos?, preguntaba José Ramón, como si eso fuera muy importante para él. Finalmente, accedí, con miedo, pero con algo de curiosidad. Quizá José Ramón se transformaba mientras comía, puede que entonces, entre bocado y bocado, se convirtiera en un excelente conversador, un hombre extraordinariamente ingenioso, ameno, atentísimo. Pero ya entonces, al principio de todo, mis presentimientos me decían todo lo contrario, porque cuando José Ramón me hablaba de sí mismo, sobre todo si me hablaba de su familia, me aburría extraordinariamente y acababa por no prestarle la menor atención. No me interesaba nada su familia, no me hacían ninguna gracia las anécdotas familiares. No sólo no era ameno ni ingenioso sino que resultaba presuntuoso y hasta grosero.

Pero comí con él y tuve ocasión de confirmar todas mis

previsiones. Lo que más me asombró fue el placer que para él suponía la comida. Miraba los platos con una satisfacción desmesurada, y comía rápidamente, engullía, casi volcado en el plato, como si temiera que el camarero se lo llevara en seguida. Cuando terminaba, suspiraba, feliz, y miraba a su alrededor, para que su felicidad se expandiera todo lo que fuera necesario, lo que diera de sí. Mientras duró la comida, apenas habló. Le bastaba con comer. Para eso había querido que yo le acompañara, para que le viera comer, me decía yo, que no conseguía tragar bocado. Hubiera preferido no mirarle, porque su forma de comer me quitaba el apetito, pero al mismo tiempo, como siempre me sucedía con él, no podía dejar de mirarle, cada vez más horrorizada, dudando si no declarar de pronto que me sentía sumamente mal y abandonar el restaurante.

Pidió café y una copa de coñac. Al fin parecía colmado, tranquilo. Me miró, en perfecta concordia con el mundo, y me cogió la mano. Era desde allí desde donde hubiéramos debido partir. No volveremos a comer juntos, le dije internamente, como, años atrás, le había dicho, también en silencio, a Clara Ríos.

Me voy a alejar definitivamente de él, me digo, me voy a ir. Y decido levantarme de la cama, como si con este gesto diera ya los primeros pasos del viaje. Me paseo por este territorio en el que vivo, por este piso en el que se guardan recuerdos de los otros pisos en los que he vivido, todas estas cosas y objetos que me acompañan y que seguramente me reflejan. He pasado muchas horas sola en este y en otros pisos, rodeada de estos muebles y objetos. Mi vida se ha ido grabando aquí. He limpiado y ordenado mil veces este piso y, sin embargo, tiene un aire de desorden, porque nunca he conseguido hacer de la limpieza y el orden del piso una tarea que verdaderamente me gustara. No puedo limpiar ni ordenar durante mucho rato.

Ahora lo miro y lo inspecciono todo, veo lo que debe ser ordenado y limpiado, pero aunque podría ponerme a hacerlo porque tengo tiempo y fuerzas, no quiero hacerlo y lo dejo para otro rato, no sé cuándo; todas esas tareas de orden y de limpieza me agotan, me marean, y no las puedo hacer de forma continuada sino un rato aquí y otro allá. Pero me gustaría tener la casa muy limpia y ordenada, y algunas veces he contratado a una señora para que hiciese todas estas tareas de la casa que tanto me cuestan a mí, una asistenta, pero al poco tiempo concluyo que aún me cuesta más dar todas las órdenes necesarias y, sobre todo, hacerlas cumplir debidamente. Siempre que he contratado a una asistenta nueva me he dicho que parecía al fin que había dado con la persona ideal, alguien a quien no hubiera que explicarle nada ni dar instrucciones, una persona silenciosa, pero al mismo tiempo afectuosa, porque una persona que conoce mi piso y mis costumbres no puede ser indiferente para mí. Soy silenciosa, pero no muda, y las breves frases de saludo o sobre el tiempo que me cruzo con la gente, que intercambio con mis vecinos, los tenderos, otros empleados de la Biblioteca, y desde luego los empleados de la piscina y los nadadores, son esenciales para mí, son las pautas entre las que transcurre mi vida. Pero no he tenido suerte con las asistentas, y a mí me descompone tener que habérmelas cotidianamente con una mujer antipática y dejar en sus manos estas tareas para luego comprobar que hay por todas partes desorden y suciedad. Muchas veces he acabado por limpiar yo lo que la asistenta dejaba de hacer, por no tener que señalárselo, por no tener que hablar con ella y encontrarme con su mirada de incomprensión, sus ojos como muros. Sin embargo, ha habido una excepción, Lupe. No venía a horas fijas sino cuando podía, cuando encontraba un hueco, muchas veces los sábados por la mañana. Limpiaba, fregaba, planchaba y cocinaba, y se diría que todo lo hacía a la vez, porque cuando entraba ella en casa todo se ponía a funcionar y al final la casa resplandecía. Encontró trabajo en una fábrica de cerveza y naturalmente me dejó. Era una mujer extraordinariamente simpática y yo hablaba mucho con ella. El trabajo fijo en la fábrica de cerveza supuso un gran logro para ella. Al cabo de los años, su vida, que había sido difícil –estaba separada y tenía cuatro hijos–, se resolvía. La felicité y me despedí de ella y aún nos estuvimos llamando por teléfono de vez en cuando durante una temporada para tener noticias la una de la otra, y ahora, esta madrugada de desvelo, pienso en ella con añoranza.

Mientras he tenido asistentas, todas las otras asistentas que no han sido como Lupe, soñaba con ellas todas las noches. Eran sueños muy agitados, cansadísimos. Les decía al fin a las asistentas todo lo que durante el día no me decidía a decirles, me enfadaba con ellas y les hacía todo tipo de reproches, era capaz de expresarme con toda claridad y justicia y muchas veces acababa diciéndoles que se fueran, que no volvieran más a casa, que podía perfectamente prescindir de ellas, porque ellas no me habían ayudado nada ni me habían servido para nada.

Y también he soñado que yo limpiaba la casa hasta los rincones más ignorados y ocultos, y ordenaba las estanterías de la cocina y los armarios de la ropa, dejándolo todo impoluto, y lo hacía frenéticamente y sin cansarme, disfrutando al hacerlo, cogiendo y dejando las fregonas, las bayetas, los detergentes, la aspiradora. Sí, también la aspiradora, que es lo que más odio de todo, ha aparecido en mis sueños alguna vez. Pero en la realidad nunca he podido tener la casa como he llegado a tenerla en estos sueños, ni cuando tenía asistentas ni ahora, que ya he prescindido de ellas, salvo en alguna que otra ocasión excepcional.

Y muchas veces, sin llegar a estar completamente dormida, mientras voy avanzando hacia el sueño, pienso, con toda la conciencia que tengo entonces, en el orden que debería imperar en el piso y me imagino a mí misma recorriendo la casa y organizándolo todo, sobre todo los armarios, que me gustaría tener impecables, cada cosa en su sitio, todo guardado y clasificado en las baldas, los cajones y otras cajas. Y ahora creo que todos esos pensamientos tienen su origen en la fascinación que el gran armario de mi abuela ejercía sobre mí, todas aquellas cajas que contenían, en opinión de mi madre, cosas inútiles que hubieran debido ser tiradas y que a mi abuela y a mí nos gustaba volver a encontrar, revolviendo en las cajas, para aspirar, a través de aquellos pedazos de collares, broches, carteras, cinturones, el olor de viejas historias que nos parecían llenas de resplandor, puesto que aún quedaba un indicio del pasado brillo, aún nos parecía a mi abuela y a mí que todos esos restos inclasificables, esos objetos rotos, eran hermosos.

A pesar de las protestas de mi madre por aquel afán de mi abuela de guardarlo todo, ella no era ordenada. A excepción de su colección de zapatos, siempre al fondo del armario, metidos en sus cajas, sus cosas se amontonaban en las baldas sin orden ni concierto. Nunca encontraba nada y hasta llegaba a perder cosas –un jersey, un collar, un pañuelo–, pero no le daba mayor importancia pues al cabo de un tiempo aparecían, y, entre tanto, a ella le daba lo mismo ponerse una cosa que otra. Pero precisamente porque odiaba las tareas de la casa, las asistentas le eran absolutamente necesarias. Nunca la vi con un trapo limpiando un cristal ni mucho menos en la cocina, y tampoco hacía la compra sino que le anotaba en un papel a la cocinera todo lo que había que comprar y luego lo inspeccionaba, convencida de que la timaban. Mi madre quería a las asistentas y era benévola con sus fallos, porque hubiera sido incapaz de hacer lo que ellas hacían, y se creía que freír un huevo era una tarea complicadísima –y, naturalmente, es difícil, pero no creo que sea complicado, aunque yo no sea experta en freír nada– y no sabía el rato que podía llevar hacer una cosa u otra, de manera que la mayoría de las veces, si mi padre o mis hermanos se quejaban de algo, ella las defendía o las disculpaba y las imaginaba abrumadas de trabajo, y sólo temía que se enfadaran y se marcharan, que nos dejaran plantados, e imagino que tenía la visión de la casa cada vez más desordenada y sucia, y de la despensa y la nevera vacías, y la mesa sin poner y nada que comer, y la ropa sucia o ya limpia pero sin planchar, y eso la horrorizaba.

Quizá haya sido la absoluta dependencia de mi madre de las cocineras, las doncellas y las asistentas lo que me haya rebelado contra ellas, lo que me hace desconfiar y preferir, muchas veces, casi siempre, hacer yo misma las tediosas tareas de la casa. Naturalmente, todo eso ha supuesto mucho trabajo para mí, sobre todo cuando Guillermo era pequeño y en realidad todo el tiempo que vivió conmigo, porque entonces había que cocinar todos los días. Ha habido temporadas en que todas estas tareas me desvelaban y no me podía dormir pensando en menús y en platos fáciles de preparar y conservar. Por fortuna, mi trabajo en la Biblioteca, que ha sido tan providencial en mi vida, me ha permitido, por su horario flexible, ocuparme, mal que bien, de todos estos asuntos domésticos.

Pero tengo esa nostalgia, la del hogar perfecto, la de no haber sido la perfecta ama de casa cuyo ilimitado y profundo universo se encierra en el hogar, la nostalgia de no haberme pasado muchas tardes de domingo ordenando la ropa blanca en los armarios, o cociendo tomates para luego guardar en botes de conserva, o mermeladas, como a veces me veo en los sueños.

Y ahora, mientras amanece y recorro la casa y veo que todo podría estar mucho más limpio y ordenado, me miro hacia dentro con censura y también con impotencia, porque sé que, aunque tuviera fuerzas, aunque me encontrara siempre tan bien como me encuentro esta madrugada, no me dedicaría a esto, a tener mi piso inmaculado. Y es que odio profundamente las casas inmaculadas, como deshabitadas, temerosas de los pasos y los roces humanos. Cuando vivía con Carlos en la urbanización de las afueras, visité algunas de estas casas, casas limpias y relucientes por cuyos salones se pasaba deprisa hasta llegar a un pequeño cuarto, al final de todo, donde se hacía la vida. Casas llenas de muebles y objetos que no se podían tocar porque la huella de los dedos se quedaba inmediatamente impresa en los barnices y los brillos. Cocinas y cuartos de baño que parecían de hospitales. Aquellas casas me producían verdadero rechazo, me horrorizaban y me sacaban de quicio, no entendía para qué estaban hechas si había que mantenerlas siempre tan limpias e impecables como para una exposición.

Pero como me he esforzado tanto por mantener mi casa limpia y ordenada, no puedo decir que en el fondo no envidie estas inhóspitas casas relucientes. He perdido muchas energías, que probablemente hubieran podido utilizarse con más provecho, en estas tareas domésticas. Hubiera podido leer todos los libros importantes que se guardan en la Biblioteca y que me traigo a casa de vez en cuando para luego sólo hojearlos, porque en cuanto me pongo a leer recuerdo que hay muchas cosas pendientes en la casa, aunque también es verdad que algunas veces, una tarde de sábado o de domingo, he dejado los libros porque me ha acometido el deseo de ir a la piscina, y he preferido mil veces estar nadando, estar deslizándome, resbalándome, por el agua, que estar leyendo. Y otras veces he deja-

243

do los libros porque, una vez empezados o inspeccionados un poco, no me han parecido ni mucho menos tan importantes.

Y puede que estas tareas de limpiar y ordenar la casa, y hacer la compra y la comida, aun siendo fastidiosas, me hayan también servido para distraerme de mis miedos y mis angustias, porque siempre he preferido pensar que tenía muchas cosas que hacer a la sensación de que ya no había nada que hacer; la sensación de vacío, eso ha sido siempre lo más espantoso para mí. Muchas veces he llegado a pensar, e incluso lo pienso ahora, esta misma madrugada, que yo hubiera debido tener muchos hijos, por lo menos doce, porque, por lo que ha supuesto Guillermo, sé que los hijos ocupan la vida de verdad, plenamente. Y con doce hijos no hubiera tenido tiempo para mí, hubiera tenido que estar permanentemente atenta, cuidándolos y defendiéndolos del mundo y a unos de otros. No me hubieran asaltado las pálidas sombras del vacío, esas sombras pegajosas y traslúcidas como las telarañas. ¿Es que hubiera tenido tiempo, con doce hijos, de estar enferma yo?

He puesto el mayor empeño en cuidarme a mí misma, en observarme, como si el mundo estuviera en deuda conmigo. Esta soberbia me avergüenza un poco, pero, ciertamente, siempre he estado a la espera de algo, de un regalo. Durante épocas, sin que existiera ningún motivo, cada vez que llamaban a la puerta creía que iba a aparecer un recadero con un paquete, un regalo, para mí. Aún el día de mi cumpleaños me extraña que la gente no me pare por la calle y me felicite, que todo no sea distinto ese día. ¿Es que no tengo ningún mérito en vivir?, ¿es que no se me debería mostrar más agradecimiento? Muchas veces sueño que entro en un cuarto lleno de cosas que han sido preparadas para mí, como una sorpresa. O que entro en una tienda y alguien me dice que me puedo comprar todo lo que quiera, sin límite. Estos sueños se han ido repitiendo, casi iguales, a lo largo de mi vida –creo que tengo un sueño de éstos todas las noches–, han convivido con mis pesadillas, con esas ciudades interminables por las que he deambulado tantas veces a punto de desmayarme, habiéndolo perdido todo, mi casa, mi identidad, habiendo perdido, en el sueño que era el más horrible de todos, a Guillermo.

Me acuerdo ahora de uno de esos sueños que se desarrollan en una tienda de ropa, un sueño que tuve poco después de visitar a mi madre en la residencia, el día en que extendió sus manos marchitas y oscuras hacia mí y miré luego sus pies, que me trajeron el recuerdo de su colección de zapatos. Habíamos ido juntas a una tienda muy cara que, por ser final de temporada, ofrecía incitantes descuentos. Era yo quien me había empeñado en llevar a mi madre a la tienda, que había visitado con anterioridad, sin decidirme a comprarme nada, porque necesitaba consejo. Mi madre estaba, dentro del sueño, enferma, y parecía muy cansada, pero yo insistí y la metí dentro de la tienda y me estuve probando delante de ella muchos trajes, hasta que de repente la perdí. La tienda era enorme y yo había ido adentrándome por sus muchas dependencias y recovecos, olvidada ya de mi madre. Nada de lo que me probaba me convencía, aunque ahora me había puesto una especie de jersey negro que, sin gustarme mucho, me podía servir y, ante la insistencia de la dependienta, que me decía que ese jersey o camisa o lo que fuera era una verdadera ganga, me lo iba a comprar, cuando de repente caí en la cuenta de que hacía mucho rato que no veía a mi madre. Aún dudé un momento, pero al fin, con una punzada de angustia que me ahogaba, salí corriendo en busca de mi madre. Por fortuna, la encontré en seguida. Estaba sentada en un banco –un largo asiento, tapizado de color granate–, sola, en uno de los recovecos de la tienda. Me miró y me sonrió y luego se levantó, con la cara radiante de dicha. ¡Qué bien se lo había pasado!, me decía, ¡cómo le había gustado acompañarme! No, no estaba cansada, se había sentado allí y había estado muy entretenida. La abracé, llorando de pena y felicidad, y me desperté. Me dolía terriblemente la piel, como me sucede siempre que me despierto de una pesadilla, y la pena prevaleció sobre la felicidad, porque mi madre, en el sueño, parecía muy desvalida, tanto como en la residencia.

Quisiera que el recuerdo de mi madre se mantuviera dentro del sueño, que no invadiera mi vida, que no me atormentara tanto, que no se llevara del todo la felicidad que siento ahora, mientras la luz del amanecer va iluminando el piso.

Nunca he estado lo suficientemente aferrada a la vida, me

245

digo de repente. La vida no me ha interesado demasiado, me ha dado miedo. Sin embargo, he vivido muchísimos años y he conocido a muchísima gente, pero esta forma mía de vivir no sé si responde a un soterrado empeño del que ni yo misma soy consciente, que no controlo, o ha sido, sobre todo, una forma de dejarme morir con toda pasividad, porque, aunque he pensado en morir, en darme muerte a mí misma, han sido pensamientos fugaces, en los que no me he detenido mucho tiempo, en primer lugar, a causa de Guillermo, a quien no podía de ninguna manera abandonar, pero luego por otras muchas razones, confusas, pero también poderosas. La idea de matarme me ha parecido siempre excesivamente viva y activa, más un acto de la vida que de la muerte. Se necesitan todas las fuerzas de la vida para cortarse las venas, abrir la llave del gas o tirarse por la ventana. La muerte está más cerca del dejarse morir. Varias veces a lo largo de mi vida he sido muy consciente de que me estaba muriendo, consumiendo, poco a poco, pero en ningún caso he podido tomar la decisión de abandonar la vida abrupta, radical, tajantemente.

No sé qué es lo que hay después de la muerte. Quizá se acabe todo, por mucho que este pensamiento sea extraño, porque los finales no se pueden comprender y hasta llegamos a dudar de ellos muchas veces. Sin embargo, hace mucho tiempo que no se me ocurre perderme en estos laberintos y especulaciones sobre la posibilidad de otra vida. Durante la infancia, durante la adolescencia, incluso en la juventud, sí pensaba en esa otra vida. Estaba, en realidad, esa otra vida tan presente en la vida cotidiana, que era parte de ella, era su meta, su destino. Después de la muerte empezaba la verdadera vida, en ella se nos recompensaba o se nos castigaba, y duraba eternamente, no como ésta, tan precaria, tan limitada, que habíamos vivido. Esta vida no era nada, un paso, un tránsito.

No acabo de comprender que todas esas ideas sobre la otra vida que con tanta tenacidad trataron de inculcarme en el colegio y en las que yo, por mi parte, creí a ciegas, entregada por completo a ellas, puesto que me proporcionaban un gran consuelo, se esfumaran tan rápido, sin conmociones, casi en el mismo momento de abandonar el colegio. De repente me encontré sola y perdida en el tránsito insondable de la vida, de repente el tránsito ocupó el primer plano y borró todo lo demás. La eternidad se encuentra en la vida, y ahora mismo, a la luz lechosa del amanecer, he entrado en ella, he sido invadida por ella. Es evidente que ahora estoy viviendo en otra parte, tengo la impresión de que me he salido de la vida. Y mi verdadera vida, mi vida anterior, se me olvida, se me borrra, y llego a decirme que ha merecido la pena vivirla y olvidarla. Pero esto sólo sucede a solas. Ha sido necesario mucho aislamiento, perder muchos amigos y muchos vínculos para lograrlo, y por eso sé que debo mantener esta soledad, el único lugar donde puedo reconocerme y desde el que puedo emprender la huida. Si no recupero esta soledad, me moriré, pero no será un dejarme morir sino un dejarme matar. Tengo que huir de esta muerte que ha venido desde fuera, una muerte que no me pertenece, que no es la mía. Si, como Clara, creyera en los horóscopos, yo sabría que esta muerte no es la que se ha ido haciendo para mí desde el día de mi nacimiento. No estaba prevista en el día y la hora en que nací, datos, según Clara, sumamente importantes. Nunca he llegado a saber la hora en que nací, puede que alguna vez se lo preguntara a mi madre pero ya no me acuerdo de la respuesta, y ahora es tarde para preguntárselo de nuevo, ya no podría saber si me estaba diciendo la verdad o estaba confundiendo la hora de mi nacimiento con la del nacimiento de mis hermanos, y tengo la impresión de que mi padre no sabe nada de esto, no ha retenido esos datos, y yo tampoco podría ya preguntárselos, tanto tiempo como hace que no hablo con él.

A lo mejor todo empezó en ese momento, en la hora exacta en que nací, a lo mejor todo se debe a la posición que en ese preciso momento tenían las estrellas. Y verdaderamente entonces es por completo inútil que yo me pase horas y horas tratando de alcanzar esa otra vida que se escapa de ésta y que es la única que me interesa. Quizás resulte que todos estos sufrimientos y desajustes no sean debidos sino a una fatalidad contra la que es inútil luchar, del mismo modo que no se puede cambiar la posición de los astros. Y todos mis esfuerzos han sido vanos, porque estoy atrapada en esta vida y soy, a la vez, alérgica a la vida. Todos los caminos por los que he ido transitando, y que han sido, en realidad, los únicos caminos que he podido seguir, me han producido dolor y enfermedades, pero es que muy probablemente yo he sido alérgica al incienso que se expandía por el aire ya enrarecido, nunca renovado, de la capilla del colegio, a la cera que impregnaba las losas de mármol de los pasillos, he sido alérgica al humo y al aire que se respiraba en el Somos y en las aulas y la cafetería de la Facultad, y puede que sea alérgica, también, al polvo acumulado en los libros que llenan los estantes de la Biblioteca. ¿No seré alérgica, finalmente, al cloro disuelto en la piscina, y cuando creo que mejor me siento es, precisamente, cuando peor estoy, bañada en cloro, respirando cloro por todos los poros?, ¿por qué, si no, sobre todas mis enfermedades crónicas, cojo tantos catarros y gripes? Quizá todo sea un asunto de alergia, de alergia a la vida.

Me ha costado estar entre la gente, nunca he sabido cuál era mi papel, lo que esperaban de mí y lo que yo debía esperar de ellos. En cuanto sospecho que represento un papel para alguien, me echo literalmente a temblar, porque temo causar iras y decepciones. Por eso nunca dejo de asombrarme, cada día que pasa, de que mi trabajo en la Biblioteca haya sido tan constante, casi imperecedero, el pilar de mi vida, aun cuando nunca he sabido bien cuál era mi cometido allí. Por si acaso, me he buscado, me he refugiado en un papel muy poco público y les he dejado a los demás las funciones de representación, para las que no estoy en absoluto dotada porque si ni siquiera sé qué represento yo individualmente, qué clase de persona soy para los otros, qué valor y afecto se me dan, ¿cómo podría representar a una institución, y una institución tan extraña como la Biblioteca, que se rige por normas tan complicadas?

En los pocos actos públicos a los que no he tenido más remedio que asistir, he estado sólo lo justo, lo mínimo. En cuanto he podido me he escabullido por una puerta trasera, siempre aliviada al comprender que nadie se da cuenta de si sigo entre los demás o me he marchado, porque es imposible, cuando hay mucha gente reunida en una sala, saber todo lo que hacen los demás. Pero es que en público no me reconozco y los pequeños esfuerzos que en contadas ocasiones me he creído en la obligación de hacer me han dejado extenuada y con una profunda sensación de extrañamiento. He vuelto al despacho o a mi casa un poco mareada, desorientada, y no he podido leer ni ver la televisión ni hablar con nadie, porque tenía la cabeza llena de voces y de gestos, y luego he soñado con esas personas y he seguido estando entre ellas, ahora mucho rato, porque, en sueños, algo me impedía marcharme y hablaba y gesticulaba –y hasta reía y gritaba– tanto como ellas. Estos sueños no son verdaderas pesadillas, pero me dejan agotada, vacía. Una noche de éstas es una noche completamente perdida. Me levanto como si no hubiera dormido, dispersa, anulada.

También me da miedo, las pocas veces en que estoy en público, inmersa en una muchedumbre, al estar tan absolutamente expuesta a las miradas de todos, quedar en evidencia. Que de repente no sirvan de nada mis esfuerzos y mi disimulo y que se vea cómo soy con toda exactitud, o con bastante aproximación, que, sobre todo, se vea en mis ojos, porque es muy difícil controlar la expresión de los ojos. Conozco muy bien la cara de pánico que se me pone algunas veces, la reconozco nada más mirarme al espejo. Ha debido de fraguarse durante la noche, en una pesadilla que ya no puedo recordar.

Me gustaría vengarme de todo esto, desde luego, pero no sabría ya contra quién vengarme, y todo el rencor, el odio y el resentimiento que he sentido se han ido haciendo cada vez más vagos y ni siquiera podría apoyarme en ellos con firmeza si encontrara al fin a alguien de quien vengarme o algo de lo que vengarme globalmente. A lo mejor es que las enfermedades me han ido debilitando. Es curioso que a veces me cueste incluso evocar todo el odio que he sentido hacia la incomprensión de los demás, hacia las desigualdades y las injusticias, hacia todas las personas que me han hecho daño. Quizá me haya escapado del odio y de todas las personas a quienes he odiado.

Pero yo sé que aún me estoy vengando, en todo lo que hago, en cada paso que doy, me estoy vengando. Y ahora quisiera vengarme de José Ramón y desaparecer, vengarme de su incapacidad de amarme. Pero lo importante no es eso, no es que él me busque y se desespere y se diga entonces que me amaba, sino olvidarme yo de él, escaparme de esta obsesión, de esta necesidad de conocer el sentido de nuestros encuentros, como si fuera una verdad descifrable.

De manera que creo que viajaré, que iré a Quito, que daré ese paso que tanto me asusta, porque ahora mi vida es una cárcel y mi piso es una cárcel, aunque haya palpado la felicidad esta madrugada, o un bienestar parecido a la felicidad. Por unos instantes, me ha gustado mi casa tal como está. Y no voy a ponerme a limpiarla y a ordenarla, no voy a ponerme a cocinar, como he oído que hacen algunas personas, algunas mujeres que, yo creo que por necesidad, cocinan de madrugada y, tal vez, acaban cogiéndole gusto a ese estar cocinando mientras despunta el alba, pero a mí no se me ocurre ponerme a cocinar, no tendría ninguna razón de ser. Me dan pena todas esas mujeres que cocinan de madrugada, se me encoge un poco el corazón pensando en ellas, en esas mujeres que a estas horas están amasando la pasta de las croquetas o rellenando un pollo o cortando puerros y zanahorias. Incluso si están contentas, si canturrean un poco, no puedo dejar de sentir pena por ellas. Siento que estén encerradas en sus casas.

Vuelvo a la cama, súbitamente cansada, y pienso, quién sabe por qué, tal vez por contraste con esas mujeres encerradas en sus casas, en las mujeres del vestuario del polideportivo. Las veo secándose el pelo, porque casi todas se llevan su propio secador, que suelen ofrecerme. Pero en los vestuarios hay secadores y yo me arreglo con ellos, aunque no son de mango; hay que poner la cabeza debajo del chorro de aire y agitar el pelo con las manos. Con eso me basta. Pero a ellas no les basta. La mayoría de ellas se están mucho rato peinándose frente al espejo y no entiendo cómo no se cansan de sostener el pesado secador, cómo pueden tener los brazos en alto después de haber nadado, o incluso aunque no hubieran nadado, pero más aún habiendo nadado, porque yo, cuando vuelvo a los vestuarios después de nadar, no puedo ducharme ni vestirme inmediatamente sino que me tengo que sentar un buen rato en el banco de madera porque el cuerpo no me responde ya fuera del agua, y así como hubiera podido seguir nadando un buen rato, un rato indefinido, no puedo andar ni sostenerme bien, rodeada de aire y pisando tierra firme.

Pero estas mujeres que se peinan durante horas parecen perfectamente recuperadas, y suspiran con satisfacción, y a mí ahora me gustaría encontrarme entre ellas, estar allí, sentada en el banco de madera de los vestuarios, mirándolas, admirando su habilidad para mover de aquí para allá el secador, a la vez que sostienen con la otra mano un cepillo o un peine en los que enredan el pelo para darle forma de rizo o simplemente ahuecarlo. Sus cabezas, hacía un rato mojadas, van esponjándose y al final son cabezas perfectamente compuestas y se despiden de mí y de quien quede aún en el vestuario, agitándolas con orgullo.

Recuerdo también a mi madre, cuando era muy joven y nosotros éramos niños, en los vestuarios del Club donde pasábamos los días del verano. Se peinaba deprisa, creo que ni siquiera se miraba al espejo, y salía así a la calle, con el pelo mojado, peinado hacia atrás y su traje floreado de tirantes anchos, dispuesta a emprender el largo regreso a casa en tranvía, si es que mi padre no venía a recogernos. El pelo se le iba secando en el trayecto y cuando llegábamos a casa ya era el mismo pelo despeinado de siempre, ese pelo que no se sujetaba y que caía por todas partes, lacio, finísimo, cada vez más frágil y menos brillante, casi incoloro.

Es curioso que apenas recuerde a mi madre nadando en la piscina o tomando el sol en el solárium de las señoras, en aquel espacio protegido de las miradas de los hombres en el que las mujeres se bajaban los tirantes del bañador y se quitaban las pequeñas faldas con que se cubrían para ir de un lado a otro por el Club. Sólo las más jóvenes, las mujeres que aún no se habían casado, se atrevían a prescindir de aquellas faldas cortas que hacían juego con el bañador. Recuerdo muy bien el bañador de mi madre, de fondo blanco y grandes flores azules, verdes, rojas. La tela se fue empalideciendo y gastando, pero yo reconocía de lejos a mi madre sólo por el bañador. En realidad, estaba mejor así, cada vez más gastada y borrosa la tela. Me pregunto si, entre la confusión de sus recuerdos, ella aún podría recordar quién fue la modista que le hizo ese bañador, puesto que entonces los bañadores no se compraban en las tiendas, no había bañadores en las tiendas. No sé si se lo haría Felicidad, Feli, la costurera que mi madre compartía con mis tías y que venía a casa alguna tarde para hacer arreglos en la ropa, o si, de forma excepcional, recurrió a una de las modistas de mis tías a quienes había que ir a visitar a sus pisos, porque confeccionar un bañador no debía de ser un asunto fácil. Es verdad que recuerdo ese bañador de flores cada vez más pálidas, y recuerdo a mi madre en bañador, pero sobre todo la recuerdo con el pelo mojado, peinado hacia atrás, ya de vuelta a casa, en el tranvía, y la veo fijar su mirada en un punto indefinido, seguramente cansada de haber pasado todo el día en el Club o cansada ya, anticipadamente, de las tareas que la esperaban en casa, poner los trajes de baño y las toallas a secar, preparar la cena, decirnos una y mil veces que no lo dejáramos todo por ahí, medio tirado, porque nuestro padre estaba a punto de llegar y no le iba a gustar encontrar ese desorden.

Siento pena, compasión, un extraño apego, hacia esa mujer joven del pelo mojado, y siento su cansancio del mundo y de todos los quehaceres y responsabilidades que han caído sobre sus hombros. Mecida por el traqueteo del tranvía, mi madre no nos mira y yo sé que está muy lejos, no sólo de mí, sino de mis hermanos y hasta de mi padre, sé que ahora está en un lugar desconocido, sólo suyo, en el que seguramente quisiera permanecer más tiempo, y creo que ya entonces, en el tranvía, siento esta misma pena y compasión y apego que me invaden ahora, porque yo puedo quererla ahora en este rato en el que se ha alejado de todos, pero luego, cuando lleguemos a casa y ella se ponga a darnos órdenes y parezca que está entre nosotros, tampoco estará del todo conmigo, sino que sobre todo estará pendiente de ellos, de mi padre y de mis hermanos, y le contará a mi padre los progresos de mis hermanos en los saltos del trampolín y cómo todo el mundo en el Club les admira, y a mí ya se me escapará por completo, no podré encontrarla en ningún lugar desconocido, no podré, al menos, imaginarla allí.

Pero en el tranvía, tan cansada y reconcentrada, me pertenece a mí, que también me siento cansada y que estoy concentrada en observarla. Finalmente, la mirada que ahora fija en el televisor de su habitación de la residencia se parece a aquélla, la del lento regreso a casa en el tranvía. Y ahora ya no nos pertenece a nadie, no sólo se ha desprendido ella de todos, sino que todos nos hemos desprendido de ella. Las enfermedades la han ido alejando del mundo, han ido rompiendo todos sus vínculos, y hasta los lazos que eran para ella más importantes también se han roto. Mis hermanos, ante la desesperación de mi padre por no entenderla, por no poder atenderla ya, lo fueron animando a romper el lazo más fuerte de su vida. En la habitación de la residencia, mi madre nos recibe y nos saluda de lejos, a veces nos reconoce y nos habla y nos dice cosas que nos dejan confusos. Imagino que también a mi padre y a mis hermanos les dirá cosas así. Apartará un momento los ojos de la pantalla del televisor, siempre encendido, y los dejará en el aire, en el trayecto hacia los suyos, suspendidos, lejanos, mirando hacia atrás.

Me gusta quedarme con ese momento, mi madre en el tranvía, me gusta volver a ver su traje de flores amarillas y tirantes anchos, siempre ese traje, un traje de algodón que le había hecho Feli, la costurera, para ir a la piscina. Yo creo que Feli venía dos o tres tardes al mes y ese día era un acontecimiento para mí, porque Feli, mientras cosía, hablaba y hablaba sin parar, y yo me quedaba a su lado, sin poder despegarme ni un minuto de ella. Algunas veces excepcionales mi madre también se sentaba junto a Feli, todas alrededor de la mesa camilla donde Feli dejaba las tijeras, los hilos, el metro, y donde extendía las telas y los trajes que había que hacer o que arreglar. Entonces mi madre ayudaba a Feli, más bien la reñía un poco, porque no sabía interpretar del todo bien sus ideas, y finalmente mi madre, con las pesadas gafas bien caladas, las gafas del doctor Ballard, cogía las tijeras y la aguja ella misma. Estas extraordinarias ocasiones se han guardado en mi memoria como si hubieran sido muchas o hubieran estado iluminadas por una luz especial, intensa y tamizada. Mi madre, Feli, la mesa camilla cubierta de telas, los hilos, las tijeras, la máquina de coser a un lado, que las dos manejaban con entera soltura y que a mí me aterraba porque no podía soportar la visión de la aguja que subía y bajaba mientras los dedos de mi madre o los

253

de Feli iban empujando la tela –dos telas emparejadas– para que se fuera deslizando debajo de la aguja. Tanto me aterraba esta visión que aún hoy sigue apareciendo en mis sueños y me produce verdadero horror. Sólo se ve la aguja que sube y baja y la tela que se desliza, y eso es bastante para que yo me despierte dando un grito y bañada en sudor.

A Feli le dolían mucho las manos. Decía siempre que, de lo contrario, hubiera podido hacerse rica –sí, hubiera podido hacerme rica, suspiraba–, ganar en fin más de lo que ganaba, porque estaba muy solicitada, pero ya no quería coger más casas, no quería ampliar su clientela. Siempre decía: éste es el último año que trabajo. Al cabo de unas horas de estar cosiendo, tenía que descansar. Se ponía una toalla sobre la falda y sacaba del bolso un frasco de linimento que olía a gasolina con el que se impregnaba las manos y se las frotaba una contra otra. Luego las movía en pequeños círculos, muy despacio, y el olor del linimento se iba extendiendo por la habitación. Al fin, Feli se iba al cuarto de baño y volvía con las manos aún un poco mojadas, como si quisiera convencernos así de que se las había lavado muy bien y ya no quedaba en ellas nada de linimento, de manera que las telas no se estropearían. De esas manos doloridas de Feli salió el traje floreado de mi madre que se me ha quedado grabado en la memoria, el traje que se ponía para ir al Club, siempre el mismo el traje, como el bañador.

Sin embargo, mi madre tenía muchos otros trajes. Año tras año, llegaba el día en que mi madre sacaba los trajes de verano, que habían pasado ya y volverían a pasar por las manos doloridas de Feli, siempre con un remoto olor a linimento, y los extendía sobre la cama, y nos parecían más resplandecientes cada vez, más fastuosos, esos trajes heredados de sus hermanas para ir a fiestas y bodas, y que mi madre no tenía muchas ocasiones de ponerse, pero se los probaba todos los años, se paseaba encantada por el cuarto, se miraba al espejo, y pensaba en una boda a la que estaba invitada y en cuál de esos trajes podría llevar. Más tarde, cuando llegaba el día de esa boda, mi madre ya no se encontraba tan favorecida y decía que el traje estaba pasado de moda, pero yo seguía pensando que estaba muy bien con él, que sería la más guapa de todas, y me extrañaba mucho que mi padre no se lo dijera en seguida, nada más verla. Algunas tardes de verano mi madre se ponía uno de esos trajes de seda, de gasa, llenos de bordados y encajes, simplemente para estar en casa. Me gustaba verla así, sonriendo, como pidiendo disculpas por haberse disfrazado.

¿Qué queda ahora de aquella sonrisa silenciosa en su mirada? Nunca estuvisteis enfermos, jamás tuvimos que recurrir al médico, me dijo a mí, borrando una vez más mis enfermedades y mis quejas. Pero en este momento aún siento compasión y apego hacia ella, aún veo la mirada perdida de la joven del pelo mojado en el tranvía. Ojalá tenga un rato, un atisbo, de felicidad, ya sea cuando rememore lejanos y confusos recuerdos, ya sea cuando no piense absolutamente en nada, cuando se quede vacía, cuando sea casi intercambiable con la señora del cuarto de al lado, que ni habla ni mira a las personas ya, o cuando hunda los ojos en la pantalla del televisor, porque la felicidad es necesaria, su felicidad es necesaria.

Ojalá esté dormida ahora, felizmente dormida, soñando sueños felices. Así yo podría incorporarme a la vida fácilmente, y todo el dolor de estos días se me olvidará por completo, y viviré la vida que tanto me gusta vivir.

Y me imagino que ya he regresado de Quito o que no he ido porque no ha sido necesario porque no ha vuelto el dolor ni la obsesión ni la espera angustiosa, y estoy ya dentro de la piscina, nadando en la piscina transparente, recorriendo una y mil veces sus metros de agua templada con la que mi cuerpo se confunde, siguiendo mi camino entre las aguas. Nado, muevo suavemente, como sólo se mueven en el agua, los brazos, las piernas, el cuerpo entero, y, en la disolución del agua, avanzo sin esfuerzo, sin cansarme nunca, avanzo aunque a veces me detenga y me quede simplemente flotando, sostenida, en la superficie del agua, sin hacer nada, avanzando, sin peso alguno, y veo, a través de la cristalera que cubre la piscina, las nubes que, como yo, flotan y avanzan por el cielo.

5

No sé bien los años que han pasado desde la última vez que vi a Olga, me digo esta noche de invierno en que de nuevo estoy encerrada, o medio encerrada –la puerta del cuarto está abierta–, sentada frente a la máquina de escribir, repitiéndome a mí misma, en alta voz, en voz muy baja, y casi siempre para mis adentros, que Olga ha dejado de existir, tal y como leí en el periódico esta mañana mientras desayunaba –ahora, antes de leerlo más despacio en la Biblioteca, le echo una ojeada a la hora del desayuno, que se ha hecho más lento, porque ya no salgo de casa a toda velocidad, habiéndome tomado sólo un café–. Ha muerto en un accidente de coche, en una carretera comarcal al norte de Perú, la presidenta de una fundación de ayuda humanitaria, decía la noticia, Olga Francines, una mujer infatigable, una luchadora. Tenía cerca de setenta años, pero no los aparentaba, era una mujer muy joven, todos los que la habían conocido podían atestiguarlo.

Han pasado años desde la última vez que la vi, precisamente en el cementerio, como si hubiera sido una premonición, y en todo este tiempo no he sabido nada de ella, porque eso es lo que ha sucedido siempre con Olga desde que, en determinado momento de la vida, nos separamos. Me han llegado noticias, comentarios, rumores, pero no la he visto. A la hora de su muerte, me digo, ya era alguien que estaba muy lejos de mí.

Sin embargo, su muerte me ha pesado durante todo el día y en cierto modo cambiará mi vida, me liberará de algo y me añadirá algo, algo seguramente muy sutil pero sin duda esencial, porque Olga, mientras ha vivido, una vez que se alejó, volvió a acercarse a mí sin que ella lo supiera, por otro camino, el que han trazado las tardes de domingo que he pasado recluida en mi cuarto, y alguna noche perdida en que me costaba caer en el sueño. Una vez que se alejó, Olga no ha sido sólo una sombra que se cruza conmigo por la calle, ni una voz que repentinamente surge un día al otro lado del hilo telefónico, ni una persona casi desconocida, a quien cuesta mucho reconocer, en la pantalla de la televisión, o alguien que de repente te pide un favor que tú le haces, sabiendo mientras lo haces que a ella ya casi ha dejado de importarle. Olga me ha conducido hasta aquí, me ha servido de guía en estos ratos en los que me hundo en el silencio, lo atravieso, lo voy llenando de palabras, estos ratos casi secretos sin los cuales no podría ya vivir.

Poco a poco, he llegado a entender a las personas que se empeñan en ponerlo todo en palabras escritas, en escribirlo todo, para después ver su obra convertida en libro, un libro más de los innumerables que se guardan en la Biblioteca, y que a veces me oprimen y me pesan, como si los tuviera puestos, amontonados, sobre los hombros. Tantas veces los he mirado, he leído los títulos impresos en sus lomos, los he abierto, mis ojos se han detenido en unas líneas, los he vuelto a cerrar, porque no puedo entrar en todos ellos, algunos de ellos se me cierran antes de ser cerrados. Tantos libros, me he dicho muchas veces, tantas personas empujando la pluma o apretando la tecla de una máquina, tantas personas al fin hablando solas pero persiguiendo, ambicionando, que las escuche el mundo entero, tantas horas de apartamiento y concentración. Yo también soy una de estas personas, me digo ahora, quizá a mí también me haya empujado, como a ellas, el insoportable dolor de la soledad y la inaudita pretensión de romperla, de hacerla estallar. Olga ha sido la excusa, el punto de partida; fue el recuerdo de Olga lo que me empujó a quedarme una tarde en casa frente a la máquina de escribir, aunque Olga ya no me importara mucho, pero de repente me importaron mis propios recuerdos, y retrocedí, como si estuviera nadando en una piscina inacabable, como si los recuerdos se hubieran guardado, incorruptibles, en alguna parte y yo los pudiera ahora, al cabo de los años, alcanzar y comprender.

Y alguna vez me encontré, como sin quererlo, hablando con ella, con mi vieja amiga Olga, a quien tanto admiré en el colegio, a quien seguí admirando después, en los años de la universidad, a quien odié de golpe y luego probablemente perdoné, pero ya no era a Olga Francines a quien yo hablaba sino a una Olga que finalmente me escuchaba, a una Olga inexistente. Es la otra la que se ha muerto, me dije esta mañana, Olga Francines, la que se alejó de mí; esta mía, la Olga a la que me dirijo, se mantendrá aquí mientras yo quiera, pero ahora veo que, sin la otra, también la mía ha muerto. Se ha muerto, me digo, te has muerto, y todo lo que he recordado con tu excusa concluye ahora, esta noche llenaré la última hoja de papel de este montón que se ha ido formando a lo largo de los años. Si luego vuelvo a coger la máquina de escribir, una vez que me he ido acostumbrando a pasar así las tardes de domingo y las noches de insomnio, ya no será para hablar de ti, Olga.

Ni siquiera sé si a fin de cuentas he hablado tanto de ella porque, conforme ella se aproximaba de nuevo, yo me he ido alejando y los recuerdos fueron quedando atrás. Puede que, poco a poco, haya ido dejando de hablar de Olga y de hablarle a Olga, y este montón de hojas de papel sea la crónica de algo que en el fondo no tiene mucho que ver con Olga, de mi vida tal vez, de mi impaciencia.

Pero su muerte vuelve a remitirme a ella, a la última vez que la vi, en el cementerio, el día del entierro de Luis Arévalo, hace años, porque nuestros últimos encuentros han tenido lugar en los cementerios, con motivo de la muerte de alguien, lo cual indica que nuestras vidas se están haciendo largas y la gente desaparece a nuestro alrededor. Esta noche de invierno me sumerjo en el recuerdo de ese largo día y en todo lo que entonces pensé, esta noche vuelvo a retroceder.

Y tengo que retroceder unos días más allá de ese día, unos meses, cuando, después de mucho tiempo, volví a escuchar el nombre de Luis Arévalo, volví a acercarme un poco a su vida, aunque fuera de lejos y ya tan al final de la suya. Es verdad que sus libros andaban por ahí, que alguna vez los veía no ya en las estanterías, sino encima de una mesa de lectura, muy pocas veces, desde luego, y puede que al verlos pensara un momento en él, en el desaparecido Luis Arévalo, de quien ya nadie hablaba, porque sus últimos libros, publicados hacía ya varios años, habían decepcionado, habían sido unos libros estériles, sin eco. ¿Qué habrá sido de él?, puede que me preguntara si leía su nombre escrito en una tarjeta de lectura, pero pronto mi curiosidad se desvanecía, porque desde que hacía muchísimo tiempo había decidido olvidarlo, mis pensamientos, si se fijaban en él, huían inmediatamente hacia otra parte de manera mecánica.

Yo tenía por entonces un amigo que solía instalarse en la sala de la prensa, un lector de periódicos, una de esas personas que leen un periódico tras otro como si los cotejaran, como si una sola versión de las noticias no les fuera suficiente. Detrás de la muralla de papel impreso que sostenía entre las manos me miraba y me sonreía siempre y se le veía como a punto de hablar. Yo detecto siempre a estas personas comunicativas, yo también me las quedo mirando, si tengo un día o un momento comunicativo, y rara es la vez que o ellas o yo no rompemos a hablar en seguida, después de ese intercambio de miradas de reconocimiento, de prospección. Después de saludarle, me senté no lejos de él en la sala y hojeé un periódico y al momento ya estábamos hablando. A partir de ese día, siempre que pasaba por delante de la sala de la prensa, me asomaba y, si estaba él, entraba.

Gabriel Vega –así se llamaba– era un joven ingenioso y locuaz y tenía opiniones y un poco de conocimiento sobre casi todo. Él creía que ese conocimiento era ingente y profundísimo, se sentía preparado para explicar los conflictos del mundo y se expresaba con una seguridad que me hacía dudar de su inteligencia, pero nunca dejaba de ser simpático. Podía haber sido insoportable, pero era simpático. Cuando estaba a punto de caer en un abismo de pedantería, repentinamente daba un paso atrás y se descolgaba con una frase irónica que lo ponía todo en cuestión y que lo dejaba a él un poco al descubierto, expuesto a una luz a la que parecía un poco ridículo. Sonreía entonces y se encogía de hombros. Sus pretensiones, decía,

259

eran bien modestas, por ahora tenía una ocupación mínima, publicaba pequeños sueltos en algunos de los periódicos y revistas que en aquel momento nos rodeaban, cosas breves, asuntos de cultura, a los que debería darse más importancia, pero así estaba el mundo. ¿A qué aspiraba?, todavía no lo sabía, pero esa incógnita ya se iría aclarando, quería tener una formación sólida, eso era a lo que aspiraba por encima de todo, y ésa no era, ni mucho menos, aclaró, una pretensión modesta, ya se daba cuenta, era casi inalcanzable. Lo que quiero decir, me decía Gabriel Vega como llevado por un rapto de sinceridad, es que no sé en qué voy a emplear, o sobre qué voy a proyectar, esa formación, quiero saber juzgar, eso es lo que busco; la segunda parte, el comunicar al mundo mis juicios, todavía no sé si me interesa. Al escribir estos comentarios, por breves que sean, estoy haciendo una prueba, decía. Leía los periódicos para indignarse, para hacer acopio de fuerzas y concentrarse en su formación, habida cuenta de la escandalosa falta de formación general. Tenía una especie de maestro, me dijo un día, un hombre a quien en verdad admiraba. Y así fue como oí de nuevo el nombre de Luis Arévalo. Él era el maestro de Gabriel Vega.

Tanto tiempo sin tener noticias de Luis Arévalo y ahora tenía delante de mí a un discípulo, a un seguidor. Le dije a Gabriel Vega que yo había conocido a Luis Arévalo, aunque hacía muchos años que no le veía. No sabes, entonces, cómo está, dijo Gabriel Vega, está en las últimas, prácticamente desahuciado, ha intentado muchas veces dejar de beber, pero siempre vuelve y ya no tiene remedio, ya no puede durar.

Ya no salía de casa, siguió diciéndome Gabriel Vega, no de la suya, de la que Rosa, su mujer, al fin le había echado, sino de la de sus padres, donde se había refugiado. Allí le iba a ver Gabriel algunas tardes, fumaban y bebían y hablaban de literatura, aunque Luis no leía sino extraños libros, sobre los gorilas, sobre las hormigas, alguna novela policíaca comprada en el quiosco por su madre, ensayos políticos absolutamente pasados de moda. Luis los subrayaba y le leía a Gabriel un párrafo que Gabriel no conseguía descifrar y Luis se lo glosaba pacientemente, aunque la mayor parte de las veces Gabriel seguía sin entenderlos –el lenguaje de Luis se había vuelto un poco críptico– e incluso se perdía más. Lo admiraba todavía, dijo, a pesar de su decadencia, de su hundimiento. Es verdad que no había tenido voluntad, se podían decir muchas cosas contra él, de su egoísmo, desde luego, de su inmadurez, de su incapacidad para atender o cuidar de los otros, de sus hijos, fundamentalmente.

Siendo sinceros, dijo Gabriel Vega, no se le podía reprochar a Rosa que al fin lo hubiera abandonado, bastante lo había soportado, Luis no había sido un buen padre ni siquiera un buen marido, como casi todo el mundo sabía, quizá yo también lo sabía, dijo, Luis se había enredado con muchas mujeres, siempre le había gustado ir de conquistador y había tenido con las mujeres, había que decirlo, una suerte extraordinaria. Incluso ahora, que daba pena verlo, que verdaderamente partía el corazón o helaba el alma, sí, eso era, helaba el alma, incluso en esas condiciones, tumbado todo el día en la cama, leyendo esos extraños libros de tapas horribles y muy viejos, muy gastados, de papel oscuro y letras a veces borrosas, mal impresos, a medio vestir, quizá con la chaqueta del pijama todavía por la tarde, o con el pantalón, el pelo absolutamente blanco, las manos temblorosas, los dedos quemados por los cigarrillos, una botella de whisky sobre la mesilla, en el mismo suelo, incluso así, aunque pareciera mentira, tenía cerca a una mujer, una chica que se llamaba Patricia y que era profesora de algo, creo que de matématicas, dijo Gabriel Vega, en un Instituto. Luis no le hacía mucho caso, la verdad, o esa impresión le daba a él, a Gabriel, pero ella iba a visitarle muchas tardes, le llevaba dulces, pasteles, y mientras Luis se los comía –aunque algunas veces Luis ni siquiera deshacía el envoltorio, que se quedaba allí, sobre cualquier sitio, como si no existiera–, Patricia lo miraba con complacencia. Habían coincidido algunas tardes, desde luego, se habían estado unas horas los tres en el cuarto de Luis, fumando, bebiendo, a veces comiendo pasteles, y hablando de literatura, no sólo de la literatura extraña que ahora consumía Luis sino de la literatura en general, de la función, la esencia y el origen de la literatura. Gabriel también había podido darse cuenta, dijo, de que entonces Patricia miraba a Luis con verdadera admiración, con entrega, lo cual no le extrañaba, porque él mismo lo admiraba, aunque su admiración era de otra clase, su admiración no le llevaba a visitarlo todos los días, a estar pendiente de él, como parecía que lo estaba Patricia.

Algunas mujeres eran incomprensibles, dijo Gabriel Vega, él había conocido a mujeres así, abnegadas y generosas, completamente enamoradas, ése podía ser el diagnóstico, la explicación, que actuaban como si de repente hubieran encontrado el sentido de su vida, más bien su destino. Una profesora de matemáticas, ¿qué podía ver en ese hombre acabado, ese hombre que, me lo tenía que decir, era ya un desecho humano? Apenas miraba la bandeja de pasteles algunas veces, decía Gabriel, otras se los comía, no todos, uno y un poco de otro, con verdadera desgana, nunca le había oído agradecérselos, ¿qué satisfacción podía esa pobre Patricia obtener de su vivir pendiente de Luis? Pero algunas mujeres eran así, le constaba, decía Gabriel, algunas mujeres sólo eran felices cuando podían dárselo todo a un hombre, inacabablemente, incansablemente. Él, desde luego, nunca se había encontrado con esa clase de mujeres, simplemente las había visto, las había observado, él no era el tipo de hombre que ellas buscaban, él hacía caso a las mujeres, las consideraba, las escuchaba. Esas mujeres, decía, estaban un poco locas, o un mucho, les había dado por la bondad, por la generosidad, la locura podía cobrar muchas formas, había locos llenos de buenas intenciones, con verdaderos deseos de agradar y ayudar a los demás. Una pobre profesora de matemáticas, una chica que además no era fea ni tenía ningún defecto ni deformidad manifiesta, le gustaría ver a esa chica bien vestida y bien peinada, bien arreglada, una chica que, objetivamente, no tenía por qué pasarse las tardes haciéndole compañía a un hombre acabado, siempre medio borracho, completamente alcoholizado, ésa era la verdad, que además leía libros horribles, extrañísimos, sucios todos ellos. Claro que él también lo seguía admirando, porque aun así, en aquel lamentable estado, seguía siendo el que había sido, el que era, y si lo iba a ver algunas tardes era por eso, por los destellos de genio que a veces lo iluminaban y que los enardecían a todos.

Desde entonces, siempre hablábamos un rato de Luis. Gabriel me fue haciendo la crónica de ese lento declive del que todo el mundo estaba casi tan cansado y exhausto como Luis. Sólo Patricia parecía tener alguna esperanza, sólo la profesora de matemáticas, ¿es que creía en la resurrección? Era la única que a veces hablaba del futuro, de algún viaje que iban a realizar ella y Luis. Los demás simplemente esperaban, agotados de haber cuidado tanto a Luis, de haberle visto escapar tantas veces.

Gabriel le dio recuerdos míos, me dijo, y Luis había dicho que por supuesto, que claro que se acordaba de mí, no hacía tanto tiempo; se alegraba de que me encontrara bien, trabajando en la Biblioteca, un sitio tan bueno, tan agradable, rodeada de libros y de gente que leía, y también de salas de exposiciones y de gente que entraba y salía, contemplaba cuadros, fotografías, opinaba, disfrutaba de todo eso. Sin duda era un ambiente estupendo, también así debía yo conocer a gente nueva, tener interesantes conversaciones, estar al tanto de muchas novedades. Así era al fin como le había conocido a él, dijo Gabriel Vega, dándole la razón a Luis.

Justo antes del verano, murió Luis. La última vez que Gabriel vino a la Biblioteca me había dicho que ya no sabía lo que podía durar. Él mismo se había sentido mal cuando había ido a verle, inoportuno, sobrante. Se había asomado al cuarto de Luis, pero era inútil permanecer a su lado, no hablaba, no hacía caso de nadie. En el portal, al salir, se había encontrado con Patricia, que ya no traía una bandeja de pasteles, y eso a Gabriel le había impresionado, le había angustiado, aunque lo comprendía: a nadie se le podía ocurrir comprar pasteles en esas circunstancias, eso hubiera sido muy extraño, pero ya se había acostumbrado a ver llegar a Patricia con el paquete en las manos, con aquellos ánimos. Con cierta ansiedad y sobre todo con profunda desesperanza ella le había preguntado cómo había encontrado a Luis, si había podido hablar con él, porque con ella ya no hablaba en absoluto y a ella no se le ocurría nada, ningún método, ninguna estrategia, para hacerle hablar. Era terrible el silencio, terrible. Gabriel se había sentido lleno de lástima, de compasión, por aquella pobre profesora de

263

matemáticas que, inexplicablemente, se había ido a enamorar de un alcohólico, un hombre postrado, ahora a punto de morir. Una vez más pensó, me dijo, en lo raras que eran las mujeres, algunas mujeres, aunque él nunca se había cruzado con una mujer así, abnegada y sacrificada hasta ese punto, no, las mujeres no habían sido generosas con él, no tenía más remedio que decirlo. En todo caso, allí, en el portal oscuro, se despidió de Patricia y le dio ánimos, ¿no era mejor que todo acabara cuanto antes?, y tocó las manos frías de Patricia, las apretó un poco mientras le decía esas frases sobre la vida y la muerte y sobre el fin de las cosas y de las personas, frases que ni siquiera había sido capaz de terminar.

Recibí la llamada de Gabriel comunicándome la muerte de Luis una mañana de junio, en la Biblioteca, y en cierto modo respiré con alivio porque la muerte lenta que me había ido llegando a través de sus palabras me espantaba. Desde luego, me sentí obligada a ir al cementerio, a hacer ese gesto de despedida que Luis ya no podía ver, yo no sé si lo hacía por mí, por el paso fugaz de Luis por mi vida, o por no dejar absolutamente solas a las otras personas con quienes había vivido mucho más, como si yo tuviese con ellas alguna clase de responsabilidad.

Fui al cementerio y me uní al pequeño grupo que rodeaba la tumba de Luis. Miré las caras de las mujeres, en busca de una señal que me permitiera reconocer a Rosa, a quien nunca había visto, y a Patricia, a quien tampoco conocía. Me pareció identificarlas, Rosa, rodeada de sus hijos, Patricia, sola, pero cerca del grupo, las dos vestidas de negro, las dos miraban hacia abajo tras oscuras gafas de sol, muy serias, muy graves, lloraban. Vi también a los padres, a los que imaginé que eran los padres de Luis y los padres de Rosa. Ese grupo de personas mayores no lloraba, no vi a ninguno entre ellos que llorara, era un grupo de mirada petrificada, agotada. Vi a Gabriel, que se me acercó y me dijo quién era Rosa y quién era Patricia, aunque yo ya lo había adivinado. Más tarde, las dos mujeres se abrazaron y se quedaron un rato así, la una pegada a la otra, quizá por primera vez, tan desdichada la una como la otra, habiendo perdido las dos parte de su vida, aunque más la mujer mayor, Rosa. Para la mujer mayor, ya no había remedio. Gabriel, en la Biblioteca, me había hablado de su odio, del rencor que tan al final le había llevado a echar a Luis de casa, después de haberle soportado tanto, pero no vi en aquel momento odio en su cara cubierta de lágrimas, sino tristeza, pena infinita, muerte. Por eso se quedaba pegada a la otra mujer, la más joven, la profesora de matemáticas, porque sabía que ella entendía su pena, pena por la vida perdida, malgastada, pena por el mismo dolor insuperable, pena por la vida.

Imaginé sus días, los largos años de Rosa al lado de Luis, esperándole y alentándole, sintiéndose repentinamente ahogada, aguantando aún no se sabía cuántos años más hasta que, exhausta, enferma ella también –no había más que verla, la cara demacrada y pálida, envejecida, el cuerpo encorvado, empequeñecido–, había podido separarse de él. Con odio, como sabía por Gabriel, pero con dolor, como ahora todos podíamos ver. Yo había escuchado su voz al otro lado del hilo telefónico algunas veces en que, desesperada por no saber nada de Luis, por haber estado esperando inútilmente su llamada, me aventuraba a llamarle y, en cuanto escuchaba la voz de Rosa, la voz de una mujer que, según me imaginaba, correspondía a Rosa, colgaba, sin llegar a pronunciar palabra. Había envidiado a Rosa entonces, porque vivía con Luis. Ahora, esa mujer cuya voz, años atrás, me había parecido llena de seguridad –la seguridad que le proporcionaba convivir con Luis–, parecía desprovista de todo, incluso de odio. Sólo le quedaba el dolor.

Imaginé también la vida de la profesora de matemáticas, muy organizada, pensé, con todo en su lugar, una cosa detrás de la otra, la preparación de las clases, la corrección de los ejercicios, el momento en que hay que ir a la pastelería en busca de la merienda de Luis y aquella visita de cada tarde, aquel acto de piedad, de amor o de obstinación. Ahora tendría ese vacío, me dije, ahora las tardes serían lentas, inacabables, y todo el día se sentiría como desconcertada, desorientada, sin finalidad. Dado como había sido mi vida, como era aún, yo estaba más cerca de esas mujeres ahora que Luis había muerto que antes, cuando vivían pendientes de Luis, aunque yo también había vivido pendiente de Luis hacía muchos años, pero no había tenido paciencia ni perseverancia con él, mi entrega había durado poco, yo, si así podía decirse, me había salvado.

Se me acercaban ahora, una vez que Luis había muerto, se me hacían próximas, aunque su dolor y vacío eran tan intensos y repentinos que al asomarme a ellos, al mirarlas a los ojos, sentí vértigo.

Luego me di la vuelta y vi a Olga. Te vi, Olga. La verdad es que cada vez que te he visto en estos últimos años, las pocas, contadas veces que te he visto, me has parecido una mujer distinta y me ha costado al principio reconocerte porque nunca eras una continuación de la anterior. En el cementerio, la mañana del entierro de Luis, me sonreíste de lejos, como haciéndome una seña de que te alegrabas de verme, una seña incluso de que luego hablaríamos. Te apoyabas en el brazo de un joven en quien no me fijé. Me había sorprendido verte, como si nunca hubieras tenido nada que ver con Luis, y seguramente también por la sonrisa, demasiado radiante en esa mañana triste, dispersa, en la que todo erraba sin meta, el ruido de los coches al otro lado del muro del cementerio, las voces de las gitanas que vendían flores a la puerta, los pasos torpes sobre la grava y los susurros de todos nosotros y de otros grupos que se vislumbraban en aquel mar de tumbas grises. Y quizá también por aquel joven en cuyo brazo te apoyabas, y en quien al principio no me fijé bien, pero que allí a primera vista desentonaba un poco, estaba claro que no tenía nada que ver con ese entierro, que era simplemente alguien que tú habías traído para no venir sola. Era un joven guapo, un joven rico, eso parecía, me dije, por la forma en que se vestía y se movía, y eso lo pude percibir antes de mirarlo bien y de reconocerlo.

Por un momento me pregunté qué hacías allí, como si hubiera olvidado tu historia particular con Luis, pero en seguida la pregunta se volvió hacia mí misma, ¿qué hago yo tantas veces en el cementerio?, me pregunté, ¿por qué me empeño en guardar tan extrañas fidelidades con el pasado, si todo está tan lejos, si ya no puedo ni recordar a Luis? Puede que Olga tampoco lo recordara y, sin embargo, también había ido al cementerio. Allí estábamos las dos, al cabo de los años, poniendo el punto final a un episodio de nuestras vidas. Y al fin, al ver a

Olga, me acordé de su historia y de la mía, me acordé del dolor, de los celos, de la rabia, del orgullo pisoteado, y todo eso ya no era nada, porque Luis había dejado de existir y lo que quedaba detrás de su ausencia era el dolor triste y fatigado de las mujeres que lloraban.

Fue cuando echamos a andar, cuando nos separamos de la tumba de Luis, cuando Olga se acercó a mí, o más bien nos encontramos frente a frente y, yo creo que sin soltar el brazo del joven en que ella se apoyaba, cogió, con la otra mano, el mío, y me preguntó, mirando al joven, si no lo reconocía, al tiempo que él, con un gesto que me pareció lleno de desgana, se me acercó, estrechó mi mano, desprendido ya de Olga, y me dio dos besos. Era Sergio, Sergio Núñez, el chico que yo había visitado en la cárcel de Quito cinco años atrás. ¿Cómo se había producido el milagro de que estuviera allí?

En esos años habían pasado muchas cosas, me estaba explicando Olga, también intervenía él, asintiendo, terminando una frase incompleta. Primero, se había conseguido la extradición. Naturalmente, eso lo había cambiado todo. Sergio había tenido un juicio justo, bueno, relativamente justo, todo lo justo que se podía pedir. Había pasado cuatro años en la cárcel. Ahora todo iba estupendamente, decía Olga, sobre ruedas, ella era completamente feliz. Había vuelto con el padre de Sergio, claro, y el chico, ya lo ves, me susurró, un encanto, me acompaña a todas partes, está estudiando Derecho, tiene muchísimo interés, es un estudiante magnífico.

Sergio Núñez me sonreía, al otro lado de Olga. Esperaba que me dijera algo, que me recordara la visita a la cárcel, que me dijera si había recibido los libros que yo le había mandado a mi vuelta, incluso que me los agradeciera ahora, tardíamente, y se excusara por no haberme contestado. Desde luego no podía hablar en ese momento, porque era Olga la que hablaba, pero yo lo miraba, esperando sus palabras, empujándole a que me dijera algo. Estaba muy cambiado, no sólo por la ropa de buena calidad que ahora vestía, o por el pelo, más corto y más oscuro, peinado de otra manera, sino, sobre todo, por la expresión de los ojos. Cuatro años en la cárcel podían haberle cambiado la expresión de los ojos, me dije, podían haberse llevado por delante aquella mirada de asombro, de estupor, de no entender absolutamente nada de lo que le estaba sucediendo, aquella expresión que se había clavado dentro de mí y que no dejó de hacerse sentir durante todas las horas de todos los días pasados en Quito, y aún largo tiempo después, a mi vuelta, todavía la sentía dentro de mí. Se diría que Sergio Núñez ya había empezado a entender o a aceptar o a vivir como si entendiera y aceptara. Eran unos ojos cansados, doloridos. Aunque me sonreía, rehuía mi mirada. Prefería mirar a Olga, asentir a lo que ella decía.

En el momento de despedirnos, quedamos cara a cara, nunca olvidaría mi visita a la cárcel, dijo entonces, y luego, los libros, los había agradecido mucho, me había escrito para decírmelo, ¿no había recibido su carta? Pero yo le había mandado dos paquetes, le dije. No, él sólo había recibido uno, seguramente el segundo había llegado después de la extradición, se lo habría quedado alguien, ojalá lo hubiera aprovechado alguien. No, yo no había recibido ninguna carta suya, le dije, y él se me quedó mirando como si no supiera qué decirme, como si nunca me hubiera escrito ninguna carta.

De repente, se fueron. Se metieron en un coche grande y reluciente que estaba allí aparcado, a la puerta del cementerio, esperándoles. Yo, que había sentido temor de perderme en mi propio coche por esos parajes, y que en consecuencia había ido en taxi, me quedé un rato a la puerta del cementerio hasta que vislumbré un taxi y, haciendo acopio de todas mis fuerzas, levanté la mano para pararlo. Me alejé del cementerio con todas aquellas impresiones tan distintas en mi cabeza, el dolor y el vacío de aquellas dos mujeres que lloraban y se abrazaron silenciosamente, la felicidad invariable de Olga, la nueva expresión en los ojos de Sergio Núñez. Y, sobre todo, aquella sorpresa de estar solo, tan rodeado de gente que lo empujaba, que apenas le cedía un sitio para dormir –los ojos con los que me había mirado en Quito–, se había evaporado. En su lugar, ahora miraba a Olga, quizá con agradecimiento o con resignación, adaptándose a la vida.

Durante todo el día, en la Biblioteca, pensé en él, más que en Rosa o en Patricia, en Olga o en el mismo Luis, que acababa de morir. Pensé en él como era en el patio de la cárcel, aquella mañana de cielo encapotado y aire fresco en Quito, abandonado allí, sin tener noticias de su familia más que a través del abogado y de mí misma, que lo veía por primera vez, que me había empeñado en verle aunque Olga sólo me había dicho que tratara de verle si era fácil, pero yo luché por verle como si fuera una cuestión de vida o muerte, conseguí verle en un extraño alarde de voluntad y empecinamiento.

Ni cuando salí de casa camino del aeropuerto ni durante el largo vuelo a Quito pensé una sola vez en Sergio Núñez, en cumplir aquel recado que Olga me había dado por teléfono sin demasiada insistencia. Anoté el número de teléfono del abogado de Sergio Núñez, y eso sí que lo llegué a pensar, que podía llamar al abogado y preguntarle por el chico. La llamada de Olga me dio sobre todo la impresión, una vez más, de que su vida seguía por el camino de las aventuras y las complicaciones, que aún luchaba por lograr dirigir o dominar las vidas de los demás, que estaba envuelta, en fin, en todos los accidentes de la vida. Y yo, que quería salir a escape de uno de ellos, de aquel accidente que inesperadamente me había sucedido y del que no podía de ningún modo desembarazarme, probablemente la envidié de nuevo, tal como era y como estaba, bien inmersa en sus maquinaciones como si nada la pudiera herir, como si, en todo caso, sólo pudiese ser ella quien hiriera.

Por primera vez, yo hacía un viaje, atravesaba el océano en un trayecto de ocho horas y me dirigía a una ciudad desconocida donde asistiría a un curso organizado con la colaboración de la Biblioteca. Había habido muchos cursos como ése, había habido muchas ocasiones de viajar, de desplazarme por el mundo, pero siempre había preferido quedarme y enviar en mi lugar a otra persona que disfrutara con esos ajetreos. A todos los empleados de la Biblioteca les había asombrado al principio que yo no viajara, sobre todo porque, al parecer, mi predecesora en el cargo –la anterior directora, decían– no paraba de ir de un lado para otro y estaba siempre proyectando viajes nuevos. Luego vieron que el que yo no viajara tenía sus ventajas, porque aunque eso significaba que estaba siempre en la Biblioteca, su régimen de vida, sus horarios y sus hábitos no se modificaron, yo no me pasaba todo el tiempo haciéndoles venir a mi despacho ni vigilándoles, y en seguida, además, empecé a proponerles que fueran ellos a los cursos, a los coloquios, a los congresos y las exposiciones, lo cual, asombrosamente, les encantó, porque a todos los empleados de la Biblioteca, según he podido comprobar hasta la saciedad, les gusta mucho viajar, conocer nuevos países y ciudades, volver a los conocidos, y sobre todo establecer nuevos contactos personales y quizá salir de sus casas y perder de vista por unos días a sus familias. Incluida Rosario, que fue quien más se extrañó al principio de que yo renunciara a los viajes, como si en su opinión éstos fueran honores y privilegios. Finalmente, Rosario es la que más viaja, y se ha aficionado de tal forma a encargar a las agencias billetes de tren y de avión, a buscar en las guías de hoteles los emplazamientos más oportunos, los precios más ajustados y las condiciones más favorables que se llevaría un verdadero disgusto si yo ahora, al cabo de los años, cambiara mis costumbres y empezara a viajar, amenazando así su ocupación favorita, algo que ha dado a su vida un sentido completamente nuevo y creo que inesperado para ella.

El viaje a Quito fue una verdadera excepción en mi vida. Aún me asombro de haberlo realizado y, desde luego, no dejé de asombrarme ni un momento de que yo estuviera haciendo una cosa así desde que, al fin, tomé la decisión de ir a Quito. Incluso con la maleta hecha y el billete en la mano, dudé, y estuve a punto de quedarme sentada en una butaca del cuarto de estar, dejando pasar la hora de la salida del vuelo. Pero Guillermo había quedado en venirme a buscar para llevarme al aeropuerto, y aún creo que, si no hubiera sido así, yo no habría ido a Quito; si hubiera tenido que llamar a un taxi, estoy casi segura de que no me habría movido de casa, tanto había dudado y tanto seguía dudando.

Yo no era la única que dudaba. A mi alrededor, todos estaban extrañados. Cuando se lo comuniqué a Rosario, me miró con temor, no tanto, desde luego, porque en ese momento presintiera un cambio en mis costumbres y por tanto una amenaza para las suyas, sino porque, mientras yo se lo decía, debió de sospechar que yo también tenía miedo, que en el fondo no quería hacer ese viaje, como no había querido hacer nunca ningún otro, y que algo me obligaba a emprenderlo, en contra de mi voluntad –y ésa ha sido la primera y única vez que he leído en sus ojos una leve sospecha de mis males y angustias–. Varias veces me preguntó si estaba segura, si no serían demasiados días, si Quito no estaba demasiado lejos, pero en ese momento yo no pensaba en nada, no podía razonar, apenas podía escuchar o tener en cuenta las objeciones que ponía Rosario. Y todas las noches, cuando apagaba la luz de la mesilla, pensaba en cancelar el viaje. Miraba los muebles y los objetos que me rodeaban y que de algún modo me protegían –la cómoda, la butaca, la mesilla de noche, la lámpara, los libros...– y me parecía que no podría subsistir lejos de ellos. La sola idea de hacer la maleta se me clavaba en la punta del estómago. Pero durante el día, mientras miraba el teléfono inmóvil que no me traía nunca la voz de José Ramón y sentía que me estaba hundiendo sólo por estar esperando esa llamada, algo muy dentro de mí se rebelaba y me decía que me marchara, que me tenía que poner a salvo y que ese viaje podía ser como una sesión de electroshock, ¿es que me iba a dejar morir?, ¿no era mejor, a fin de cuentas, el electroshock?

Era horrible, era penoso, no poder quitarme nunca de la cabeza a José Ramón. Lo quisiera o no, todo el tiempo estaba pensando en él, ya fuera para decirme que no me gustaba en absoluto, que ni sus modales ni sus aficiones ni sobre todo su misma personalidad, su carácter, me agradaban lo más mínimo, ni mucho menos me convenían, ya fuera, repentinamente olvidada de todos sus defectos, para desear verle con una ansiedad tal que apenas podía respirar; me ahogaba. Me sentía agotada y exhausta, y ni siquiera podía tener el propósito de dejar de pensar en él, no se me ocurría volver a vivir como vivía antes de conocerlo, me extrañaba esa vida anterior sin esperas, citas y despedidas y estaba convencida, interiormente convencida, de que me pasaría años así, quizás el resto de mi vida. A veces tenía la visión de una anciana muy anciana, decrépita, encorvada, de pelo blanco, comiendo a la mesa de un restaurante en compañía de un joven de ademanes bruscos y algo despectivos, un joven un poco asilvestrado y verdaderamente hambriento, y la pobre anciana, después de una comida silenciosa, pagaba la cuenta. La visión me estremecía, claro está, pero me veía fatalmente abocada a ella. Tal vez, me decía para consolarme, eso era una exageración, la anciana no era tan anciana, se mantenía erguida y con un porte digno, y el joven hablaba de vez en cuando entre bocado y bocado, bromeaba, no tenía literalmente la cabeza dentro del plato. Aquella visión y otras aún peores debieron de darme las necesarias fuerzas para emprender el viaje, para hacer finalmente la maleta y salir de casa camino del aeropuerto.

Huí hacia Quito, me dije en la Biblioteca el día del entierro de Luis, sin saber hacia dónde huía, huí porque ya nada me sostenía, y en el avión, suspendida en el aire, entre las nubes, me sentí irremisiblemente enclaustrada, irremisiblemente sacada de mi despacho y de mi casa, y me entró el mismo miedo de las noches, cuando apagaba la luz de la mesilla y pensaba en cancelar el viaje. Ya no podía cancelarlo, pero me arrepentía, porque no quería estar allí, en aquel pequeño espacio aparentemente inmóvil que avanzaba por el cielo. Sentí vértigo y horror durante aquellas interminables ocho horas, rodeada de personas desconocidas que probablemente sabían qué hacían allí o qué iban a hacer en el lugar de destino, unas al lado de las otras, con toda naturalidad.

Pero la idea de ver a Sergio Núñez, aquel empeño por superar todos los obstáculos que existían entre nosotros, esa meta se me metió en la cabeza ya en Quito, cuando, tumbada en la gran cama de la habitación del hotel, aún sin sentir plenamente el soroche o mal de altura que luego me acometió, hojeé el programa que me había dado el funcionario que me había ido a recoger al aeropuerto. Mis intervenciones, según podía ver, eran todas a las siete de la tarde, lo que quería decir que, aparte de poder asistir a las otras –y, una vez leídos los títulos de las mismas, esta posibilidad no me seducía en absoluto–, no tenía, durante toda una larga semana, nada que hacer en Quito. Ya no podía recordar el desastre del que tenía que salvarme. Me encontraba absolutamente sola, sin refugios. Me desplomé. Las ocho horas de vértigo y horror pasadas en el avión estallaron. Sin embargo, la explosión se amortiguó porque el soroche se fue apoderando de mí, me fue venciendo. Y dentro de aquel descenso vertiginoso, vi aquella luz remota, pensé en el encargo de Olga y lo convertí en mi meta.

El funcionario que me había ido a recoger al aeropuerto me lo había advertido, medio recordé mientras, casi perdida la conciencia, me iba hundiendo en mi inmensa cama, por eso había insistido en que los que veníamos de fuera llegáramos la víspera, para que tuviéramos tiempo de reponernos. No debía preocuparme, me había dicho, al día siguiente me encontraría estupendamente, el mareo duraba tan sólo unas horas. El funcionario nunca hubiera podido imaginar que yo casi agradeciera que sus vaticinios se cumplieran, una vez que había sentido aquella incipiente acometida del pánico y que el oscuro recuerdo de otras acometidas amenazara con invadirme. Afortunadamente, creo que llegué a decirme, me estoy hundiendo en esta cama inmensa.

Por la mañana, cumpliéndose de nuevo las predicciones del funcionario, no tenía ya ningún rastro de soroche. Pero sentía todavía oleadas de pánico dentro de mí y volví a ver la remota luz que había vislumbrado mientras, envuelta en aquel extraño mareo, me fui quedando dormida. Tengo que verle, me dije, iré a visitarle a la cárcel, no tiene más que veinticuatro años, está solo, lejos de su familia y de su país, sobre su cabeza gravita esta amenaza, veinte años de cárcel. Busqué el teléfono del abogado de Sergio Núñez, que había anotado en un cuadernillo, marqué el número y pregunté por él, por Roberto Argüelles, el abogado. Me presenté y le expliqué mis pretensiones.

Creo que ya mientras marcaba el número, y desde luego nada más escuchar la voz de Roberto Argüelles, me di cuenta de que mis propósitos no se iban a realizar fácilmente. Su voz sonaba como una pared en la que rebotan todas las pelotas, una pared infranqueable. Le costó comprender quién era yo, quién era Olga, hasta el nombre de Sergio Núñez, su cliente, pareció extrañarle. Repetía parte de mis frases como si no pudiera entenderlas. Me tuvo un rato así, en suspenso, remoto, hasta que abruptamente me dijo que aquel mes estaban canceladas las visitas, porque había habido no sé qué disturbios y que era imposible entrar en la cárcel. No me lo aconsejaba en

273

absoluto, no debía siquiera intentarlo, los directivos estaban muy nerviosos y no hacían caso de nadie. Él ya había tratado de comunicarse con el director porque le urgía ver a otro preso, pero casi le habían colgado el teléfono. Podía anotar el número, si yo quería, él pensaba que era inútil hacer ningún intento, pero ése era el número, ya vería: o comunicaba, o no respondían, o colgaban de inmediato.

Llamé varias veces desde mi habitación pero, efectivamente, sólo me tocó escuchar ruidos, el timbre largo de la falta de respuesta, el clic corto e impertinente de la línea ocupada, ninguna voz humana. Decidí al fin salir a la calle y volver después e intentarlo de nuevo.

Podía recordar muy bien, y ahora también lo recuerdo perfectamente, como si no hubiera pasado un poco más de tiempo, aquellos paseos míos por la avenida Amazonas, aspirando el aire fresco y perfumado de la mañana, deteniéndome en los tenderetes de los indios, cruzándome con otros turistas de mirada curiosa y sonriente. Recorrí la avenida, me perdí un poco por las calles de los alrededores, entré a curiosear en alguna de las tiendas de artesanía que se sucedían, casi idénticas unas a otras, en aquel barrio, me senté luego en la terraza de un bar y me tomé una cerveza. Recordé este momento, igual a muchos otros que vinieron después, porque parecía un permanente punto de partida, allí de donde siempre se repetía mi obstinación.

No sé en cuál de esas mañanas, todas iguales, me decidí a coger un taxi y pedirle al conductor que me llevara a la Penitenciaría, tenía la impresión de haber pasado muchas mañanas dando vueltas por la avenida Amazonas, volviendo al hotel, llamando por teléfono, sentándome en la terraza de un bar, esperando que llegaran la siete de la tarde para ir al curso de la Biblioteca e intervenir yo misma frente a un pequeño grupo de bibliotecarios, yo, que odiaba hablar en público, que odiaba fundamentalmente no estar en mi despacho de la Bilioteca, no saber adónde ir ni qué hacer durante todo el día, acudía al fin a alguna parte y las oleadas de pánico quedaban sepultadas. Pudiera ser que sólo hubiesen sido dos mañanas, dos mañanas de espera e indecisión, viendo que mi meta se alejaba y que el pánico se volvía más amenazante, tan lejos de mi verdadera Biblioteca y casi de mí misma, ése era mi miedo: que yo desaparecía y me quedaba desamparada, sin saber quién era la persona que dembulaba por las calles. Aquellos dos días lentos fueron como muchos días, lo sentía aún, al cabo de los años, como se siente todo lo que deja huella. Yo estaba en lucha constante, agotadora, y al fin no se me ocurrió otra cosa que parar un taxi y pedirle al conductor que me llevara a la Penitenciaría, quizá porque pensaba que aquel desconocido Sergio Núñez estaba mucho peor que yo, que él era el que necesitaba ayuda, que era cuestión de vida o muerte que yo lo visitara y hablara con él. Por supuesto, tenía miedo de que, repentinamente, me sobreviniese el mareo, no el soroche o mal de altura, sino ese mareo que se inicia con un sordo zumbido en la cabeza, y que se convierte en insoportable dolor, como si con un taladro me estuvieran horadando, destruyendo, y sencillamente me quedara sin respiración mientras el mundo giraba, temblaba y finalmente se derrumbaba, desaparecía. Durante aquellos dos largos días, anduve siempre con ese miedo, y fue después de pasar un buen rato en la terraza de un bar de la avenida Amazonas, contemplando el ir y venir de la gente, sonriendo remotamente a los otros turistas, sobre todo, a los solitarios, después de beber una o dos cervezas, cuando me dije que tenía que hacer algo, salir como fuera de allí, y detuve un taxi y le pedí al conductor que me llevara a la Penitenciaría.

Podía recordar perfectamente cómo el taxista, un hombre joven, me había mirado con extrañeza. Sin duda, yo tenía aspecto de turista. Creo que me sentía algo mareada, aunque no a causa del soroche, y tampoco, por fortuna, por el ataque de pánico contra el que todo el rato luchaba, sino por las cervezas, que nadaban en mi estómago vacío y mandaban a todo mi cuerpo una sensación de dulce balanceo. El taxista me dijo –¿cómo no recordarlo?– que se llamaba Raimundo y que desde ese mismo momento se ponía a mi disposición. No era un barrio el de la Penitenciaría muy recomendable, no debía aventurarme sola por allí, con mi aspecto de turista, siendo mujer... ¿Es que iba a visitar a alguien? Viéndole tan solícito, le pedí ayuda. Sonrió, para él era un placer ayudarme, ¿es que hay algo mejor que ser útil a los demás?

El día se había nublado. Una tonalidad gris se extendía sobre todas las cosas. Unas nubes oscuras se habían quedado como enganchadas, enredadas, en las montañas, en los poblados que crecían en las verdes faldas de los montes. Atravesamos la ciudad, cuyo centro cruzaba por primera vez, vi a otra clase de gente, los habitantes del centro de la ciudad, los que deambulaban por ella, en su mayoría indios, y, mirándoles, avanzando entre ellos en el taxi, tuve una idea muy vívida de mi aislamiento. He vivido prácticamente encerrada toda mi vida, me dije.

Enfilamos una calle que remontaba una colina y repentinamente nos encontramos frente a la Penitenciaría, un edificio de aire colonial que descansaba sobre un alto muro de piedra gris. Bordeamos el muro que luego remataba con alambrada, y buscamos la puerta lateral. Raimundo estaba dispuesto a acompañarme. Él ya había estado en la cárcel, a visitar a un tío suyo. Había sido hacía un par de años, pero me lo advertía: la cárcel era un lugar peligroso, tenía que tener cuidado con la cartera. Había muchos presos y pocos carceleros, aquel mundo superpoblado se regía por sus propias leyes. Yo no podía entrar sola allí, ni siquiera podía andar sola por aquellas calles. A él no le costaba nada decir que era mi primo o mi sobrino o lo que fuere. Las visitas estaban canceladas, le advertí, ¿cómo nos las íbamos a arreglar para entrar? Raimundo se encogió de hombros, como si la prohibición no significara gran cosa.

Dejamos el coche en una de las calles de los alrededores de la Penitenciaría y nos dirigimos hacia la puerta lateral, una puerta amplia de hierro forjado. Una mujer, que llevaba a una niña de la mano, nos dirigió una mirada de extrañeza, un grupo de hombres –posiblemente, chóferes–, apoyados contra unos coches aparcados al pie del muro de piedra gris, levantaron un momento los ojos hacia nosotros, luego siguieron a lo suyo, parecía que estuvieran jugando a algo. Al lado de la fila de coches aparcados, empezaba la basura. Dos grandes contenedores desbordantes, uno de ellos volcado, eran insuficientes para toda aquella basura que se había ido acumulando a la puerta de la cárcel. No sólo papeles, bolsas, cajas de cartón, sino restos de comida, verdura, fruta. La calle estaba inundada de ese olor y Raimundo hizo un gesto de taparse la nariz.

Nos acercamos a los guardias que estaban al otro lado de la verja. Allí, a la puerta, en un poyete, estaban sentadas unas mujeres y unos niños. Se diría que estaban allí como si ése fuese un buen lugar para pasar la mañana. Miraban a su alrededor, nos miraron a nosotros, pero no parecían esperar nada, al menos, nada urgente, nada inmediato. Raimundo se puso a hablar con uno de los guardias como si lo conociera de toda la vida, le preguntó por alguien, por mucha gente, hasta que resultó que sí se conocían y que tenían muchos amigos en común. Estuvieron un buen rato hablando mientras el otro guardia dejaba caer un comentario medio escéptico, un lugar común, de vez en cuando, quizá para no sentirse al margen, y yo, desde luego, no decía nada, aunque a lo mejor asentía, también para justificar mi presencia. Y no sé cómo ni por qué –algo me debí de perder en aquella conversación–, repentinamente las puertas se abrieron y Raimundo y yo entramos en el recinto de la cárcel. Atravesamos un patio y entramos en otro edificio y fuimos luego franqueando puertas gracias a no sé qué habilidad o clave que tenía Raimundo, que parecía investido de una autoridad irrefutable.

Me pregunté si sería tan fácil salir de la cárcel como entrar, porque por todas partes surgían pasillos y puertas y yo ya había perdido la orientación. Andando por uno de aquellos corredores oscuros e interminables, oímos un fuerte murmullo, casi un clamor, dimos la vuelta al pasillo y aparecimos en una especie de vestíbulo en el que por lo menos diez guardias se encontraban en una animada tertulia. Fumaban y gritaban y, aunque nos miraron, tardaron en hablarnos, se diría que de una manera consciente, como si quisieran hacernos ver que molestábamos allí, que estábamos de más. Uno de ellos, al fin, se encaró con nosotros, que esperábamos en silencio, pacientemente, a ser interrogados. Yo, desde luego, imitaba en todo la actitud de Raimundo. Fui mirada de nuevo de arriba abajo y nos hicieron entrar a una sala pequeña y oscura en la que sólo había sillas. Al cabo de un rato que se me hizo eterno y en el que estuve varias veces a punto de pedirle a Raimundo que abandonáramos la empresa, apareció un señor que dijo ser el secretario del director y me preguntó qué quería, añadió que, según sus cono-

277

cimientos, el director no tenía ninguna cita con nadie. Recordé en la Biblioteca y lo recordaré siempre el enorme esfuerzo que tuve entonces que hacer para no dejar de aprovechar esa oportunidad. Estaba al fin ante la meta. Casi milagrosamente, había entrado en la cárcel. Sergio Núñez debía de encontrarse tan sólo a unos pasos de mí. Me escuché hablar y yo misma me asombré, porque mi necesidad, mi urgencia, esa cuestión de vida o muerte de ver a Sergio Núñez parecieron evidentes y el secretario del director me pidió que le siguiera.

Poco después, ya estaba en el despacho del director, grande, sombrío, destartalado. El director, un hombre corpulento que surgió de la penumbra, al otro lado de la mesa, estrechó mi mano y me hizo sentarme. El secretario, entre tanto, explicaba que yo era familia de Sergio Núñez, el chico español, el único español que en ese momento había en la cárcel, cosa rara, porque siempre había más de uno, a principios de año había una docena. El director puso cara de entendido, de saber perfectamente quién era Sergio Núñez y cada uno de los numerosos presos de la cárcel. Dijo que le había llamado muchísimo la atención que hasta el momento no hubiera venido nadie de la familia a verle, tratándose de un chico que no parecía un muerto de hambre, que seguramente había estado sometido a malas influencias hasta dar ese desgraciado traspié, que por su parte no quería presos extranjeros porque tenía la cárcel superpoblada, y que era partidario de la extradición, sobre todo en un caso como ése, de un chico tan joven. Él sentía una gran simpatía por España, por todo lo español, había estado en España en su juventud, había viajado por Andalucía, había conocido a músicos y poetas que luego le habían devuelto la visita y se habían hecho grandes amigos de Ecuador. Seguía muy de cerca los acontecimientos españoles, los culturales y los políticos, me hizo preguntas sobre asuntos y personas concretas, que contesté como pude, e hizo una amplia loa de los valores democráticos y liberales. Resultaba un poco absurdo que el director de la Penitenciaría gastara tanto tiempo en hablar conmigo para luego despedirme sin más, a no ser que sencillamente fuera un hombre a quien le gustara hablar, que se sintiera, Dios sabe por qué, en la obligación de ser amable conmigo y me despidiera ya con buenas palabras. Haremos una excepción, dijo entonces, ya sabe que hemos tenido algunos problemas y hemos tenido que cancelar las visitas, pero no ha sido nada verdaderamente grave, hay que tener flexibilidad, dijo, principios firmes, pero aplicarlos con flexibilidad.

Me despidió, sumamente amable, dándome recuerdos para todas esas personas que habíamos mencionado, políticos, escritores y hasta cantantes y artistas de cine, como si yo las conociera personalmente, y me confió a un funcionario que me llevaría a la sala de visitas.

En la Biblioteca, después del entierro de Luis, recordé aquellos pasillos oscuros y sofocantes, en los que apenas se podía respirar, que atravesamos hasta llegar a un recoveco en el que nos detuvimos frente a un par de carceleros. Por lo que comentaron, yo no era la única excepción en aquel día o aquellos días en que las visitas estaban prohibidas, otros familiares de presos habían entrado también en la Penitenciaría y aún estaban en la sala de visitas. Llegamos, al fin, a la sala, cuya puerta estaba abierta, y me dijeron que esperara allí. Había bastante gente en aquella sala, aunque no tanta, oí comentar, como en los días y horas normales de las visitas. Todo el mundo hablaba a gritos y era imposible distinguir a los presos de los visitantes. Recordé el consejo de Raimundo y sostuve el bolso contra mi cuerpo. Por fortuna, mi carcelero apareció en seguida en el marco de la puerta, acompañado de un joven que debía de ser Sergio Núñez. Me hizo una seña con la mano y empujó al chico hacia mí.

Al recordar en la Biblioteca la aparición de Sergio Núñez en la oscura sala de visitas de la cárcel, me dije de nuevo que aquel joven no se correspondía en absoluto con el que había visto esa misma mañana en el cementerio, al lado de Olga, impecablemente vestido, distante, un poco ensimismado. Aquel Sergio Núñez, que evidentemente no se había afeitado ni lavado en varios días, se me quedó mirando, asombrado de recibir una visita, porque no sabía quién era yo.

En los breves instantes en que me había quedado sola –sola en la sala llena de gente–, había sido literalmente acorralada por un grupo de hombres de los que era difícil saber si eran presos o visitantes. Nada más entrar en la sala, se acercaron a mí, mirándome con curiosidad, abiertamente. Cuando Sergio Núñez estuvo delante de mí, los hombres decidieron apartarse. Dijeron no sé qué, me dieron un leve empujón –uno de ellos tocó despacio mi bolso, como si lo acariciara–, y se instalaron en otro rincón.

Le dije a Sergio Núñez, a aquel Sergio Núñez sucio y harapiento, quién era yo, y los recuerdos y los ánimos, dije, insistí, que le enviaba su familia. Vamos afuera, dijo, ¿quieres ver mi celda? Me asombró que pudiéramos movernos con toda libertad, aunque con dificultades, chocando y tropezando unos con otros, por aquel estrecho pasillo atestado de gente. Me llevó a un cuarto exiguo, en el que un hombre cocinaba en un hornillo, otro se lavaba en una palangana, y otros, cinco o seis, estaban medio recostados en el suelo, jugando a las cartas. Señaló una colchoneta enrollada, su cama. Ninguno tenía verdadera cama, no hubieran cabido, se echaban en el suelo, que por las noches y a veces también durante el día, quedaba completamente cubierto. Luego fuimos al patio, también abarrotado de gente que iba y venía y hablaba a gritos. Un grupo de presos regateaba con un balón de fútbol, empujando a todos los demás y produciendo esporádicas peleas.

Al menos, no estás solo, recordé que le dije. Yo seguía apretando el bolso contra mi cuerpo, como me había aconsejado Raimundo. Nos sentamos en una especie de banco. Tengo algunos amigos, dijo él, mirándome con una débil sonrisa, dejándola allí, en el aire, frente a mis ojos, con toda su sorpresa, su profundo estupor. Llevaba un año en la Penitenciaría, sus padres sólo le habían escrito dos cartas, la última hacía un par de meses, para decirle que ya habían contratado a un abogado y que de todos modos confiaban en la extradición. Hasta ese momento, no le habían dicho nada, simplemente se habían quejado de su suerte. Sin embargo, los padres de su novia, que también había sido detenida con él, me enteré en aquel momento, habían venido a verla, y le escribían y le mandaban cosas. Ella iba a salir ya de la cárcel, porque no podían probarle nada. Estaba seguro de que también él saldría pronto, no le cabía en la cabeza estar allí.

Aunque me había empeñado en verle, yo no tenía muchas cosas que decirle a Sergio Núñez, a aquel Sergio Núñez que me miraba con una insondable expresión de sorpresa. Sé que están haciendo todo lo que pueden, que tus padres se están moviendo mucho, algo así le dije, y Sergio Núñez, que durante aquel largo año no había recibido más que dos cartas de sus padres, parecía en aquel momento convencido de que se estaban ocupando de él. Me dijo que los días eran largos, infinitos, aunque estaban llenos de tensión, siempre había que estar luchando, por un sitio donde extender la colchoneta, por el lavabo, por la palangana, por el hornillo. Sólo cuando dormía descansaba, se tendía, agotado, en el colchón, y a pesar de los ronquidos y de las voces de los otros, y de la falta de aire, y de la falta de todo, se quedaba dormido.

Volvimos, sorteando los grupos que llenaban el patio, a la sala de visitas, más despoblada que antes. Allí nos esperaba el carcelero que, en lugar de protestar por nuestra desaparición, palmeó la espalda de Sergio Núñez. Tranquilo, muchacho, le dijo. Pero Sergio Núñez parecía tranquilo. Ya nos vamos, me dijo el carcelero. Extendí mi mano hacia el joven desaliñado y triste que aún me sonreía, lo cogí por los hombros, lo abracé, le dije, ten ánimo, y él murmuró algo, luego estuve pensando en lo que me había dicho, esto es horrible, puede que fuera eso lo que me había dicho.

Y desde entonces a esta mañana, me dije en la Biblioteca, ha ido pasando el tiempo. Todo aquello quedó atrás, como un mal sueño del que al fin se despierta. Sergio Núñez iba ahora bien vestido, bien peinado, olía a colonia, acompañaba a Olga, estudiaba Derecho, había recuperado a su padre y quizás también a su madre. Olga me había dicho que todo iba sobre ruedas.

Recordé que, al salir de la cárcel, había respirado el aire de la calle, impregnado del olor de la basura acumulada al pie del muro de piedra, y me había parecido fresco y asombrosamente abundante. Raimundo, a mi lado, también hizo ademán de coger una gran bocanada de aire. Señaló el cielo, cubierto de nubes ocuras. Va a llover, dijo. Y antes de que llegásemos al coche, empezó a caer agua, no gotas de lluvia, sino agua a chorros. No me molestó mojarme, aún me sentía asfixiada. Aquel chaparrón, que me empapó la ropa, el cielo oscuro que cubría los montes y la ciudad, las calles por las que pasaba, corriendo, la gente –algunos, extrañamente despacio, como si no les importara mojarse–, el olor a ozono y a humedad que se respiraba, todo eso se me reprodujo en la Biblioteca, donde el aire era seco, donde ya empezaba a sentirse el calor del verano, que en el mes de junio se suele anticipar algunos días con extraña fuerza. Me sentí, recordaba, disuelta en el ambiente, absolutamente de acuerdo con él. Raimundo, mi taxista, me sonreía con los ojos por el espejo retrovisor. Hablamos de la Penitenciaría y de la lluvia, lo que teníamos delante de los ojos. ¡Qué oscuro estaría ahora el patio de la cárcel, qué desolado! Y las celdas y los pasillos más abarrotados que nunca, el olor de la lluvia se sumaría a aquel otro olor tan denso, aquella nube en la que vivían todos, que ya se había hecho parte de ellos.

Durante el resto de los días que pasé en Quito, y que fueron ya tan distintos a los primeros, la sonrisa de estupor de Sergio Núñez iba siempre dentro de mí. Lo imaginaba en la celda, en el pasillo, en el patio, lo imaginaba dormido, hablando con otros presos, jugando a las cartas o al fútbol. Desde la ventana del hotel, miraba hacia la colina donde se encontraba la Penitenciaría y le hablaba en voz alta, me dirigía a él contándole todo lo que hacía. Se me borró todo atisbo de mareo, desapareció el miedo, como si no lo hubiera sentido jamás. Por las mañanas, solía ir al centro histórico de la ciudad. Visitaba iglesias, paseaba por las calles estrechas, llenas de gente, me perdía entre los puestos de los mercados callejeros. A media tarde, después de descansar un rato en el hotel, salía a la avenida Amazonas y me tomaba una cerveza en la terraza de un bar. Me sentía bien allí, contemplando el ir y venir de los otros, mirando también hacia los ocupantes de las mesas, algunos solitarios como yo. La Biblioteca, mi Biblioteca, estaba muy lejos, la piscina también quedaba lejos –había piscinas en otros hoteles, me dijeron, aunque probablemente el agua estaría demasiado fría, si es que estaban llenas, pero no hice el esfuerzo de averiguarlo, ya no hacía ningún esfuerzo–, me sentía desligada de todas las pequeñas señales de mi vida, y esa desconexión, en lugar de angustiarme, me aliviaba, me hacía respirar hondamente. El miedo había dado paso al placer, y, como jamás hubiera podido imaginar que ocurriera una cosa así, estaba permanentemente maravillada.

O quizá sea así como lo recuerde ahora, porque aquellos últimos días en Quito, aquellos eternos ratos en las terrazas de los bares de la avenida Amazonas, se han ido ensanchando en mi memoria y han ocupado el lugar que tienen en los sueños los momentos más felices, han ido a parar a ese terreno en el que se mueven las fantasías de una vida absolutamente dichosa, como ese mirar el mar infinito desde la playa en compañía de mi perro. Una transformación así no la había vivido nunca, o era un recuerdo muy lejano, irreconocible. ¿Qué me pasó?, me pregunté en la Biblioteca, todavía extrañada, ¿por qué todo sufrió aquella radical transformación? La lluvia, el chaparrón, me disolvió. Pero antes ya estaba disuelta. La cárcel me había disuelto. Había ya suficiente pánico por aquellos pasillos. En los ojos translúcidos de Sergio Núñez había una incomprensión tan honda, tan esencial, que desapareció la mía, dejé de verla. El pánico de estar sola, de carecer de metas y señales, y luego la conmoción que me produjo la visita a la cárcel y ver el vacío en los ojos de Sergio Núñez y de los otros presos, a quienes apenas había querido mirar, todo eso desapareció, se transformó. Siempre me han horrorizado las películas que tienen la cárcel como único escenario, nunca las veo cuando las programan por televisión, ese mundo limitado e inmenso de las cárceles me causa una intensa, insoportable, sensación de ahogo, como si lo hubiera conocido alguna vez. Sin embargo, antes de la visita a Sergio Núñez, nunca había estado en una cárcel. Ahora había visto con mis propios ojos, había atisbado, lo que era vivir dentro de esos muros. Cuando salí de nuevo a la calle –mientras permanecí dentro de la cárcel nunca me había abandonado del todo el temor a no poder volver a salir de ella–, el alivio fue tan profundo que, a pesar de que la imagen de Sergio Núñez se quedó grabada en mi interior con toda su desolación, lo invadió todo, se expandió y me sobrepasó, el alivio cubrió todo lo que me rodeaba, como la nieve vuelve blancos los campos, y todo entonces, promontorios, cabañas, árboles y arbustos, sirve de bandeja para la nieve.

Fui bastante sociable durante aquellos días, entablaba una conversación con un desconocido con cualquier excusa, y vi que había mucha gente como yo, dispuesta a hablar con cualquiera. A última hora de la tarde acudía al curso de la Biblioteca, donde ya conocía a todo el mundo, ya me había hecho incluso algunos amigos, hasta llegamos a intercambiar direcciones y teléfonos y prometernos visitas mutuamente. Me movía por Quito como si se tratase de una ciudad encantada, porque nada me oprimía ni me pesaba. Durante aquellos últimos días en Quito toqué algo que no he tocado muchas veces, algo quizás muy sencillo, o que yo creo que es sencillo para los demás, estar sola, lejos de los signos que habían ido constituyendo mi identidad, sabiendo, sin embargo, que era yo la que estaba allí, contemplándolo todo sin dolor y sin miedo.

Y como ese día, en el cementerio, había vuelto a ver a Sergio Núñez –aunque se tratara de un Sergio Núñez muy distinto al anterior, el de la Penitenciaría de Quito–, que tanta importancia había tenido en la formación de esos sentimientos, y en realidad me había costado reconocerle, ya en la Biblioteca me sentí un poco melancólica, porque el tiempo todo lo cambiaba, añadía una cosa y quitaba otra, nos engañaba, nos despistaba, nos desorientaba.

A Olga, que esa misma mañana, en el cementerio, mientras el cuerpo de Luis quedaba sepultado, perdido en su tumba, se apoyaba en el brazo de Sergio Núñez, hacía cinco años apenas le había importado que yo, en Quito, le hubiera podido ver. Esa visita que me había pedido que hiciera, a mi regreso, cuando se la relaté, ya no le interesaba. Todo este asunto ya me ha cansado, me dijo, me interrumpió, no quiero saber nada de ellos, he intentado ayudarles, pero ese hombre –se refería sin duda al padre de Sergio– es un pusilánime. Su mujer está enferma, por no decir loca, ha perdido totalmente la cabeza, es una persona que ya no razona, que no quiere saber nada porque es que no puede saber nada. Que hagan lo que quieran con el chico, yo ya he hecho bastante, que se las arreglen. Después de hablar con Olga, me quedé un rato paralizada, pensativa.

En eso acababa la historia del favor que me había pedido, esa obsesión que, en medio de todo, me había salvado a mí. Le escribí a Sergio Núñez y le envié un paquete de libros. Algo después le mandé otro, pero ése nunca le había llegado.

Todo ha salido bien, me dije en la Biblioteca, el chico está ahora libre, sólo ha pasado cuatro años en la cárcel, tiene buen aspecto, va bien vestido, se peina con colonia, está estudiando Derecho, se ha acogido a la protección de Olga, debo borrar la imagen del triste y desaliñado Sergio Núñez que en la Penitenciaría de Quito me miró con estupor, sin comprender absolutamente nada de lo que estaba sucediendo, que me habló de las únicas dos cartas que había recibido de su familia. Aquel joven inmerso, sumergido, absorbido, anulado, por el torbellino, el hacinamiento, el desorden y la suciedad de la Penitenciaría, que cada noche luchaba por un rincón donde extender su colchoneta.

Yo no sabía, mientras, de vuelta en la Biblioteca, pensaba en Sergio Núñez y en esa mudanza del tiempo que había sepultado cuatro años de su vida, que ya no volvería a ver a Olga, que el final feliz de su historia con el padre de Sergio coincidía con nuestro final, con la última vez que nos veíamos y hablábamos. Todavía ella, como en los tiempos del Somos, había tenido algo que decirme, todavía me había hecho partícipe de una historia feliz. Así se despidió de mí, con una confidencia dicha bajo la sombra de los cipreses del cementerio que vino a sumarse a tantas otras susurradas, exclamadas casi, junto a la verja del Parque.

Esta noche de invierno es cuando pienso en ella, en Olga, ahora que sé que ya no me la volveré a encontrar, no me cruzaré con ella por la calle, no la veré por la pantalla de la televisión, no escucharé su voz por teléfono, no volveré a compararme con ella escuchando sus confidencias. Pero durante aquel día, en la Biblioteca, después de asistir al entierro de Luis, apenas pensé en Olga; pensé en Sergio Núñez y más tarde en Luis Arévalo y finalmente pensé en José Ramón. De repente me acordé de él y de los largos ratos que, antes del viaje a Quito, yo pasaba esperando su llamada y me extrañó, me extrañó muchísimo, como si no hubiera sido yo quien esperaba. Y me

285

acordé también de los largos ratos que pasábamos en la habitación de su piso –yo recorría el pasillo apresuradamente para no encontrarme con el chico que vivía con José Ramón, para estar cuanto antes en su cuarto pequeño y desordenado, allí donde José Ramón pasaba a llamarse, a poder ser llamado, Joserra– y aún me extrañaron más.

Qué lejos estoy ya de todo, me dije, tan lejos como está ahora Sergio Núñez de la Penitenciaría de Quito. No podía recordar en qué momento había empezado a olvidarme de él. Me parecía que en Quito el recuerdo de José Ramón, o, mejor dicho, la huella, porque aún no era un recuerdo sino algo que me marcaba, que me determinaba, se había desvanecido sin que yo me diera mucha cuenta. Se había producido una desconexión tan radical –presentida durante el largo y espantoso trayecto– en el mismo momento en que había pisado la habitación del hotel o seguramente un poco después, cuando había abierto el programa del curso y lo había hojeado, que la huella se difuminó, se perdió de vista. Yo estaba sola allí, sin ningún cometido en el mundo, sin ninguna función, superflua, abandonada, en la habitación del hotel de Quito. Incomprensiblemente, olvidando todo lo que era yo, cada pequeño signo, cada pequeño componente de mi vida, había hecho ese viaje. No podía entender cómo había cometido ese error –un error mortal, así me lo pareció– y me refugié en el soroche o mal del altura que providencialmente me acometió, me abandoné al mareo y me hundí en la cama inmensa.

No recordaba haber pensado en José Ramón ni durante los días del pánico, en los cuales no pensaba en nada –qué más hubiera querido que ser capaz de pensar en algo, tener algún atisbo de vida racional dentro de mí–, ni después de la visita a Sergio Núñez, en los que asombrosamente me dio por ser sociable y hablar con todo el mundo, con los desconocidos de los bares, que tomaban cerveza en la mesa de al lado, y con los otros participantes del congreso de bibliotecas, a última hora de la tarde, entre quienes hice calurosas amistades y en cuya compañía prolongaba la velada hasta altas horas de la noche. Repentinamente recuperé una faceta de sociabilidad que hacía mucho tiempo no había ejercitado o que quizá no había tenido nunca, y que, como pude comprobar, tantas satisfacciones da, me encontré cerca de los otros, como si jamás me hubiera alejado de ellos, como si toda mi vida se hubiera desarrollado entre cursos, coloquios, viajes y salidas nocturnas. Era cierto, se había cumplido el exorcismo: el viaje me había curado de mi obsesión, y ni siquiera me daba cuenta de que me estaba curando, tan terrible había sido el pánico primero y tan profundo el alivio que lo siguió.

De vuelta de Quito, me costó reconocer la realidad en la que se desarrollaba mi vida y que sólo había sido abandonada durante una larga semana, ¿era tan frágil que en una sola semana de ausencia se había deshecho? En la Biblioteca los papeles se me acumulaban encima de la mesa y yo los miraba todos los días y no conseguía saber qué hacer con ellos, todos me parecían asuntos abstrusos, aplazables, que no me correspondían enteramente a mí, que se me iban de las manos, pero tampoco sabía en qué manos ponerlos, cómo quitármelos de encima. No tenía fuerzas ni para poner el más mínimo orden, para establecer algún tipo de clasificación. Me pasaba las mañanas esperando el momento de ir a nadar. Ya en la piscina, empezaba a contar los largos y luego dejaba de contarlos, uno más, uno más, me iba diciendo, y seguía mi camino entre las aguas, el único camino seguro de mi vida. Escuchaba las conversaciones en los vestuarios, me quedaba un rato sentada en el banco de madera, junto al socorrista, y hablábamos de gafas, de gorros, de la temperatura del agua. Ni siquiera me importaba mucho, en esa temporada, compartir calle con otro nadador, si era mínimamente respetuoso, o incluso aunque fuera un poco impertinente o errático, porque entonces mi juego consistía en esquivarlo sin perder mi ritmo, en perseverar, en imponerme. Esas pequeñas batallas no me inquietaban, no me alteraban, estaba preparada para ellas, yo era una nadadora impasible. Desde luego, prefería estar sola en mi calle, y cuando eso sucedía, prolongaba el rato en el piscina. Muchas veces me retrasé a la hora de incorporarme a la Biblioteca, pero nadie me dijo nunca nada. Me veían llegar, con las marcas de las gafas de nadar grabadas alrededor de los ojos, el pelo aún un poco mojado, y hasta me sonreían, porque sabían que venía de la piscina y seguramente consideraban que eso era una disciplina para mí, una especie de trabajo similar al de la Biblioteca, o incluso su prolongación. Me compadecían al verme llegar con el pelo mojado los peores días del invierno y por las marcas de las gafas, y entonces pensaban que mis esfuerzos eran admirables.

Pero un día, mientras nadaba, tuve frío. La piel me hacía daño, el agua no resbalaba ni se fundía con ella. Seguí nadando, luchando contra esa sensación, diciéndome que de un momento a otro yo estaría, como siempre, dentro del agua, en mi camino entre las aguas, y aun cuando al final lo conseguí la sensación de frío se reprodujo poco después, en el vestuario, y luego aumentó en casa y finalmente comprendí que tenía fiebre. Casi durante todo un mes tuve que quedarme en casa, sin conseguir quitarme la fiebre de encima. He intentado recuperar de golpe mi rutina, me decía, pero no he sido capaz. Una vez más, el cuerpo se me ha rebelado. Otra vez estaba lejos de mis señales salvadoras, otra vez la enfermedad, siempre agazapada, en vela, había vencido y lo borraba todo, me dejaba a solas, muy lejos del mundo. Y la verdad es que ya no sé, me decía, si todos esos ritos y señales me protegen o me encadenan, porque en Quito no había tenido señales y había sido feliz. Pero el caso es que sucumbí, la enfermedad se ocupó de resolver las cosas a su modo.

Desde la cama, pensaba en Quito, y lo veía como algo muy lejano, como si no hubiera sido yo la que hubiera estado allí. Yo no era la persona que había hablado con Sergio Núñez en la Penitenciaría, no era quien cenaba y hablaba tan animadamente con los colegas y nuevos amigos del congreso, no era la mujer que tomaba cerveza en los bares de la avenida Amazonas y miraba a su alrededor con complacencia, con remota curiosidad, como una más de las muchas turistas solitarias que deambulaban por allí, la ciudad encantada. Otras veces me parecía que lo verdaderamente extraño era estar en la cama, esperando curarme para incorporarme a mi vida de ritos y señales, para poder pasar el día en el despacho de la Biblioteca haciendo cosas absurdas que no importaban a nadie ni resolvían nada y para ir a nadar al mediodía como si eso fuera la gran recompensa de la vida. Sentía que era en verdad absurdo que, después de Quito, no me hubiera marchado a otra parte y que no hubiera seguido ya toda mi vida viajando sin parar, una vez que había probado que esa vida de hotel y desarraigo era perfectamente posible. No tenía ningún sentido haber viajado sólo una vez y seguir luego mi vida como si nada. Podía ser sedentaria o viajera, pero nunca una combinación de ambas cosas, yo no podía pasar de una personalidad a otra, tan distintas entre sí, con naturalidad, esos tránsitos me dejaban exhausta. Una noche soñé que iba a la piscina con Azucena, orgullosa de mostrársela y orgullosa también de poderle demostrar que había aprendido a nadar. Ella se quedó al borde de la piscina, con los pies dentro del agua, mirándome, y yo empecé a nadar por mi calle, pero, después de dar dos brazadas, después de que mis brazos se extendieran perfectamente y se hundieran luego en el agua con los movimientos y el ritmo del crol que me había enseñado Alex, algo más fuerte que el dolor, una imposibilidad, una extraña lesión, me impidió extender del todo el brazo, que se quedó a medio camino; lo mismo me sucedió luego con el otro brazo, aunque no dejé de nadar, lo intentaba una y otra vez, pero nunca conseguía estirar por completo los brazos, se hundían en el agua nada más lanzarse hacia adelante, rígidos y sin fuerza. Me dolió que Azucena viera lo mal que nadaba, pero sobre todo me dolió ver desaparecer de pronto la capacidad y el placer de nadar, que tan importantes eran para mí. Me desperté y moví los brazos. Ha sido un sueño, me dije con intenso alivio, puedo mover los brazos perfectamente. Otra vez soñé que iba en el coche con Clara Ríos, yo conduciendo y ella a mi lado. Era de noche y acabábamos de salir de un restaurante donde habíamos cenado, ella dijo que le apetecía tomar una copa y que conocía un sitio muy agradable, las dos parecíamos muy animadas, quizá más jóvenes de lo que somos ahora. Pero de repente no pude controlar el coche; mi pie, apoyado en el acelerador, no tenía fuerzas, y el coche se me iba hacia un lado y yo no podía hacer nada, de manera que le pedí a Clara que se hiciera cargo de él. Me miró, muy extrañada. No puedo conducir, le dije, no tengo ningún control sobre el coche. Al fin conseguimos detenerlo y me desperté.

Volvía el miedo, estaba claro. Yo me encontraba en la cama, vencida, y con el temor de sentirme más atemorizada cada vez.

Pensaba a veces en José Ramón. Yo había desaparecido de su vida del mismo modo que él de la mía, sin explicaciones. No estaba dispuesta a indagar, pero me preguntaba si sería verdad que a veces las personas no vuelven a verse nunca más, y que así como hay hilos que parece que nunca se rompen y nunca se acaban, y desaparecen de pronto y vuelven a surgir al cabo de los años, hay otros que nunca vuelven, de los que nunca volvemos a saber nada. Extraños hilos estos, sueltos, descabalados, de los que no podemos volver a tirar y seguramente los empezamos a olvidar, a transformar, a convertir en otros, a dejarlos perdidos en la tela o encima de la mesa o dentro de la caja donde tan ordenadamente se guardan los carretes de los hilos, este hilo enredado con el que no sabemos qué hacer. ¿Nunca sabré qué ha sido de este hilo?, me preguntaba, ¿por qué José Ramón se alejó de mí?, ¿nunca sabré si luego le extrañó que yo no le buscara? Pero nunca he creído que las personas no se vuelvan a ver, aunque a veces todo parezca indicar que hay caminos que ya no se cruzan, y aún esperaba algo.

Entonces recibí una carta de José Ramón. Hablaba de él, más que de mí. Decía que nunca había sabido bien cuál era su papel conmigo, que no se conformaba con ser un simple amante, un vulgar amante, él aspiraba a más, no decía a qué, por eso, para salir de una situación que le llenaba de desconcierto, se había marchado sin despedirse, no había tenido fuerzas de despedirse, no hubiera sabido qué decirme en realidad, ¿que huía de mí? Había estado viajando por el mundo y había tenido impagables experiencias, de esas que cambian la vida, que la marcan. Qué seguro se sentía ahora después del largo viaje, de haber conocido tantas ciudades, a tantas personas, ahora tenía fuerzas para emprender nuevos proyectos, estaba lleno de ideas, rebosante, casi eufórico. Y me preguntaba si yo estaba enfadada con él, si podía perdonarle que hubiera desaparecido así. De ningún modo quería perderme, estaba lleno de recuerdos míos, ¿es que esa historia tenía que concluir? No sabía qué hacer, simplemente me tenía que decir estas vagas cosas, aun imaginando –corriendo el riesgo, decía– de que yo siguiera enfadada con él.

Leí la carta varias veces, y luego la rompí, para no tenerla que volver a leer. Cogí la pluma y contesté la carta. Todavía podía recordar lo que le había escrito. La verdad es que era una carta airada cuyo único objetivo era demoler al contrincante. Qué me importaban a mí sus impagables experiencias por el mundo –eso no se lo decía–, yo también había tenido las mías –tampoco se lo decía–, estaba claro que durante los meses en los que habían tenido lugar nuestros encuentros él no había hecho el menor intento de enterarse de quién era yo y lo que buscaba, por qué vivía recluida en la Biblioteca, sin ver prácticamente a nadie fuera de allí, como no fuera a la gente de la piscina. No sabes que a mí no me interesas todo el tiempo, le decía, no me has interesado casi nunca, sólo que, como reacción a mi vida solitaria y recluida, me he empeñado en aferrarme a ti, sin gustarme nada de lo que eres. Es una cuestión casi de locura, porque al fin ésta ha sido la conclusión de todos los médicos, a los que he dejado ya de recurrir. Me conozco de sobra sus consejos, cuando, al cabo de todos sus tratamientos, que parecían al principio tan prometedores, me recomiendan, de una manera o de otra, que cambie de vida y, si ya no puedo hacerlo, que me proteja, que me ande con mucho cuidado. El problema, le escribí a José Ramón, es que de repente me he desprotegido, te he abierto una puerta sin pensármelo dos veces, por desesperación, porque las protecciones me ahogan, naturalmente; son verdaderas barreras, cárceles, y necesitaba respirar, estaba a punto de marearme, de caerme redonda... Te abrí la puerta y entraste, le escribí, y estuve a punto de insistir en que te quedaras para siempre, entrando y saliendo, si querías, llevando tú las riendas, haciendote tú cargo de todo, apareciendo y desapareciendo cuando te viniese en gana y quedándome yo así a tus expensas. Pero ya ves que eso no puede ser, le explicaba, que eso sería mi muerte, porque en realidad no sé vivir a expensas de nadie, no estoy acostumbrada, no sirvo, de igual modo que los peces no pueden sobrevivir fuera del agua. Así que mucho antes de que tú decidieras marcharte de viaje por el mundo y tener tus increíbles experiencias, yo ya había planeado echarte, cerrarte la puerta, y me parecía fácil porque había muchas cosas en ti que no me gustaban, casi todas en realidad, ahora no puedo recordar siquiera una que me guste, no tenemos nada en común, no compartimos ni gustos ni opiniones, pero la verdad era que, inexplicablemente, no podía cerrar la puerta, y eso también me pareció una locura y naturalmente me asustó. Pero tú no te has dado cuenta de nada, le escribía, de verdad que no sé en qué has basado tu seguridad ni tu orgullo, no puedo ver absolutamente nada de lo que hay debajo de ellos.

Era una carta que, más que hacerle llegar la luz, que significar una revelación, le hubiera llenado de confusión. Ya me imaginaba su ceño fruncido, e incluso un murmullo: sigue enfadada, diría, ya me parecía a mí. También rompí esta carta, como había roto la suya, porque ya no quería explicarle nada, no tenía ningún interés en que me entendiera ahora, que ya no iba a volver a verle, cuando no me había entendido antes, mientras nos habíamos estado viendo. No merecía mi intento de explicación, no me merecía que él se aferrara a una clave que le permitiera entender aquella historia, aunque fuera al final, cuando ya se había terminado. Su carta, en la que tanto hablaba de sí mismo, por no mencionar sus impresionantes experiencias por el mundo, no podía tener respuesta. Ahora podía pensar lo que quisiera, que yo seguía enfadada, que no le había perdonado su desaparición, pero eso era ya cosa suya, yo no intervenía; me apartaba, sencillamente me callaba.

En ese silencio me encontré bien. Después de recibir la carta de José Ramón y de romper la mía, y también la suya, toda la historia se separó de mí, rodó hacia atrás y se perdió en un túnel. Empecé a añorar mi rutina como si fuera ya posible incorporarme a ella. Y otra vez la rutina me salvó o me sostuvo, y los días se fueron sucediendo, cada vez más lejos de aquel temor que, delante de Azucena y de Clara, en sueños, me había acometido de no poder nadar y de no poder conducir el coche, en suma, de no poder vivir. Las había hecho testigos a ellas de mis miedos y mis limitaciones, pero otra vez estaba sola. Había conseguido protegerme yo sola.

Mientras anochecía, mientras concluía el día en que había

asistido al entierro de Luis y en que, de vuelta en la Biblioteca, había pensado tanto, en tantas personas, empecé, no sé por qué, a mirar el teléfono, que sólo había sonado para recados que no me importaban lo más mínimo y que desde luego ni siquiera me había molestado en apuntar. No estaría mal, me dije, que en lugar de estar aquí dándoles vueltas a todas estas cosas, en lugar de estar pensando en esas pobres mujeres, Rosa y Patricia, que esta mañana lloraban abrazadas en el cementerio, como dos buenas amigas, aunque probablemente habrían tenido algún reproche que hacerse, pero eso ya había sido olvidado, borrado, y de sentir que en ese abrazo buscaban momentáneamente, desgarradoramente, un consuelo para su vacío, para todas las pérdidas de su vida, en lugar de estar pensando en Sergio Núñez y en todo lo que ha cambiado, y en José Ramón y en esa historia concluida en el silencio, estuviera contándole estas y otras cosas a alguien.

Muchas veces me acometía este deseo cuando llevaba un rato pensando allí, en la Biblioteca, rodeada de libros, rodeada también de personas que desfilaban ante las estanterías, escudriñando los lomos de los libros, o revolvían el fichero o se sentaban frente al ordenador y empezaban a apretar teclas. Si hubiera sido fácil para mí recuperar la faceta sociable que ejercité en Quito, me hubiera paseado por las salas de lectura y, con cualquier excusa, hubiera entablado una conversación con una u otra persona de las muchas que vagaban por allí, pero precisamente cuando me ponía a pensar luego no me salían las palabras. Sólo podía hablar ya para mí, hacia dentro, y tenía la impresión de que me había quedado sin voz, o simplemente que no tenía voz. Entonces tenía miedo de que sonara el teléfono y de que yo no fuera capaz de contestarlo. Esperad un rato, les decía a los posibles interlocutores, esperad a que recupere la voz. Casi siempre tuve suerte, y ya había recuperado la voz cuando sonaba el teléfono, pero alguna vez tuve que colgar.

Pero aquel atardecer tenía ganas de escuchar una voz, de responder. ¿Qué es lo que quiero?, me pregunté, ¿qué es lo que espero precisamente hoy, que he asistido esta mañana al entierro de Luis Arévalo y he visto a Sergio Núñez y a la misma Olga?, ¿es que estas personas han suscitado en mí la necesidad

293

de algo, han señalado una carencia que ahora exige o sólo sueña una compensación? ¿Qué era ya el nombre de Luis Arévalo para mí? Ahora pertenecía, más que a nadie, a la profesora de matemáticas, que era la última que le había cuidado. En el cementerio, no había sentido emoción por él sino por ellas, las mujeres que lloraban. Menos cosas aún me ligaban a Sergio Núñez, el Sergio Núñez que acompañaba a Olga, que ya no tenía nada que ver con el joven triste y desaliñado que yo había visitado hacía cinco años en la Penitenciaría de Quito. Menos a Olga, que me había contado apresuradamente el final feliz de su historia por los senderos del cementerio, que no me había llamado para decirme siquiera que Sergio estaba libre, aunque a decir verdad si lo hubiera hecho me hubiese sorprendido.

Seguramente, me dije, no era de esas personas de quienes yo tenía ganas de hablar sino de mí misma. A veces siento deseos de hablar, me dije, de contarle todo esto a alguien, hablar de las personas que conozco, pero no para hablar de ellas sino para acabar hablando de mí, para acabar explicándome yo, porque por muchos años que llevo pensando y pensando, dándoles vueltas a las cosas por todos los lados, años hablando en voz alta y quedándome a veces sin voz porque muchas veces sólo hablo por dentro y ya me olvido de cómo se mueve la boca y la mandíbula, de cómo y dónde, en qué punto de la garganta, se cogen fuerzas para hablar, tengo la impresión de no haber encontrado eco, de que nadie me ha escuchado de verdad, y me siento un poco en el vacío. A veces, alguna tarde de domingo y alguna noche de insomnio me he sentado frente a la máquina de escribir, me he preguntado si habría alguien que finalmente escuchara mi voz, alguien que llegara a leer estas palabras que casi se han ido formando solas, y lo cierto es que sí me gustaría, desearía que estas palabras penetraran en alguien y que ese alguien viviera ya con algo de ellas dentro de sí, porque eso significaría que estoy viva, que no voy a morir. Y es que la muerte me espanta y creo haberle visto la cara muy de cerca, instalada dentro de mí, queriéndome devorar. Pero he huido, por muy atemorizada que haya estado, y paralizada también, he conseguido huir, y mi voz, que no sé si nunca me ha pertenecido del todo porque muchas veces he sentido yo misma que la estaba escuchando mientras salía de mí, mi voz, esta voz, ha penetrado en alguien, se ha separado de verdad de mí, ha dado un salto, ha salvado el abismo que me mantiene aislada de los demás. Pero a excepción de esos ratos de fe y de confianza, me siento lejos, incapaz de salvar ese abismo. Puede que, si buscáramos honestamente reponsabilidades y culpas, tuviera que admitir, me dije, que yo soy la principal culpable, que en realidad nunca he buscado a nadie que me escuche, sino que he estado hablando todo el rato para mí, y no me he fiado de nadie, no he puesto mi confianza en nadie. Me he ido recluyendo, me he ido apartando cada vez más hasta un punto que seguramente no es muy normal, aunque, si me guío por las reacciones de los demás, o más bien por su falta de reacciones llamativas, sobresalientes, no tengo ningún motivo para preocuparme. Todo el mundo me mira y me habla y se dirige a mí como si me considerara normal, como si fuera uno o una de ellos. Es verdad que no tienen una visión de mi vida de conjunto, que conocen unos una parte y otros otra y que nunca una sola persona reúne todas las piezas, y así de ninguna manera pueden juzgarme por el todo sino cada uno por su parte, por la parte que conoce o ve, me dije.

En la Biblioteca, desde luego, si alguna vez se extrañaron de cómo era yo, o de mi aspecto, de mi misma forma de vestir, tan monótona, y en temporadas verdaderamente desaseada, de las cosas que decía, de las órdenes que daba, de las muchas horas que paso en el despacho sin hablar con nadie, de que no haya viajado, en fin, sino una sola vez, hace ya algunos años, ya han tenido tiempo más que suficiente para acostumbrarse. Me he ganado el prestigio de la antigüedad, nadie me discute nada. Nadie me lo discutió nunca, dada la especial naturaleza de mi puesto, pero al principio yo podía intuir, o sospechar, o imaginar, actitudes de recelo y desconfianza. Una mirada torva, un estornudo inoportuno, un carraspeo nervioso, una risa destemplada, eran indicios de que estaba siendo espiada, observada, probablemente condenada.

Sea como fuere, hoy por hoy, me dije, en la Biblioteca a nadie se le ocurre ponerme en cuestión. Voy y saludo y cumplo mi horario, como hacen los demás, y mis manías y particularidades, si alguien piensa que las tengo, se han convertido en parte del trabajo. Todo lo que hago y lo que soy no es otra cosa que lo que requiere mi puesto, eso es lo que creo que piensan todos más o menos, sencillamente porque se han acostumbrado a mí, porque me han visto llegar un día tras otro y permanecer en mi despacho o en otras dependencias de la Biblioteca durante horas y se creen que es un poco mía ya. Algunos de ellos me miran, lo percibo con bastante claridad, como si yo fuese la dueña, algunos están incluso convencidos de que lo soy. Hasta Rosario, me dije, que fue la que más dificultades me causó, la persona que más esfuerzo me costó comprender, y sobre todo, asignarle una función que pudiera satisfacerla, hasta ella me mira ahora como si de mí emanara la autoridad. En la Biblioteca, ésa fue mi conclusión, no es que me tengan por una persona normal, es que ya nadie se pregunta cómo soy, por qué hago esto o aquello o cuál es exactamente mi cometido. De mi vida fuera de la Biblioteca nadie sabe nada, de manera que si quieren juzgarme tienen que atenerse a esa parte.

Y si esto sucede en la Biblioteca, en la piscina aún se me consideraría como una persona más normal, absolutamente normal, teniendo en cuenta que todos los nadadores tenemos nuestras manías y excentricidades y que las aceptamos todas, nos las aceptamos unos a otros, porque es evidente que cada uno practica la natación como quiere. Unos nadan de una manera y otros de otra, algunos simplemente flotan, bracean y dan torpes patadas en al agua, otros te adelantan como almas que lleva el diablo, unos salpican y se desvían, otros van como buceando, sin apenas levantar espuma, y respetan escrupulosamente su franja de agua. Hay personas de todas las edades y complexiones, y todo el mundo está concentrado en lo que hace y lo hace como si fuera normal. La piscina disuelve a las personas, las iguala. Nadie es el mismo con el bañador, el gorro y las gafas puestas, todos nos parecemos, perdemos la identidad en la piscina y éste es seguramente uno de sus mayores beneficios. Recuperamos la identidad y nos volvemos de nuevo un poco raros en los vestuarios. Allí está nuestra ropa, nuestro champú, y cada uno tiene una forma especial de secarse, poco a poco o de golpe, bien envuelto en la toalla o en un albornoz. Los vestuarios sí están llenos de rarezas y manías, pero nadie se asombra de nada.

Hoy, por ejemplo, me dije, que fui a la piscina directamente desde el cementerio, después de asistir al entierro de Luis, y llegué por tanto antes de lo acostumbrado, y que he estado nadando con gente que no había visto nunca y que he coincidido en el vestuario con mujeres desconocidas, no me he sentido excluida o distinta –aunque prefiero ir a mis horas–, y no he notado que nadie me mirara con extrañeza. Cuando llegué, estaba el vestuario lleno de niñas y el desorden y el estruendo que reinaban allí eran impresionantes. Las niñas se cambian muy despacio y lo desperdigan todo y gritan mucho. Con la excepción de las profesoras que las acompañaban y que estaban vestidas, yo era la única mujer que había en el vestuario y algunas niñas me miraron con la mayor atención, porque, como ya he podido comprobar en otras ocasiones, las niñas no tienen ningún pudor en contemplar los cuerpos desnudos, están llenas de curiosidad y no pierden ocasión de saciarla. Cuando las veo con los ojos fijos en mí, las miro yo también y ellas sonríen, y yo sonrío a mi vez. Sus sonrisas son inmediatas, no tardan ni un segundo en aparecer en sus caras, como si quisieran borrar todo recelo, como si quisieran congraciarse conmigo y hasta conquistarme. He sentido esa pequeña punzada de nostalgia que me ha acometido otras veces: ojalá hubiera tenido hijas, me he dicho, me hubiera gustado tener a mi lado a una niña sonriente de éstas, estas niñas inocentes y maliciosas a la vez, que ríen y gritan y tardan mil años en cambiarse y en secarse el pelo para exasperación de las monitoras. Y cuando parecía que el barullo no podía ser mayor, llegó, mientras yo me cambiaba como podía haciéndome un pequeño hueco entre las niñas que me empujaban, me miraban y me sonreían, un grupo de chicas con deficiencias físicas y psíquicas, acompañadas de una monitora que las ayudó a cambiarse. En medio de todo aquel jaleo, una de estas chicas empezó a dar grandes palmadas, supongo que de alegría ante la perspectiva del inmediato baño pues, según me dijo la monitora, a todas ellas les encanta la piscina. Las niñas, entonces, las miraron a ellas, como examinándolas, a la chica de las palmadas y a las otras, que se movían torpemente, y, a la vez, iban a lo suyo, sin dejar de dar sus propios chillidos, los más agudos.

La piscina estaba prácticamente llena. Tres calles ocupadas para una clase de natación de niños y niñas de colegios –una tanda distinta de la que se estaba cambiando en el vestuario–, dos calles para la clase de los jóvenes con deficiencias –a las chicas que se habían cambiado conmigo se unieron los chicos, más numerosos– y el resto quedaba para los demás, los nadadores que vamos por libre. Pero acabé nadando sola en mi calle, porque todos se fueron al mismo tiempo y la piscina se quedó repentinamente vacía. Y es verdad que eso representó un placer, pero también es cierto que, mientras duró el bullicio, me sentí parte de él, y los gritos de excitación y de alegría de los niños y de los jóvenes deficientes, sus salpicaduras y sus empujones –puesto que alguna vez se pasaron a mi calle–, no me molestaron, no me agredían en absoluto.

Aliviada, nadé hasta perder la cuenta de los largos, hasta que ya no pude más, por lo que luego, en el vestuario, tuve que quedarme sentada más tiempo en el banco, porque las piernas no me sostenían en absoluto y no controlaba mi cuerpo ya fuera del agua. Me he quedado sentada quizá media hora larga, puede incluso que toda una hora, envuelta en la toalla, y me he estado quieta, descansando, respirando hasta recuperar el ritmo y sobre todo el control de mi cuerpo, que poco a poco ha ido dejando de temblar, que he empezado a poder mover, con los ojos cerrados, mientras a mi alrededor tres mujeres hablaban de un restaurante al que dos de ellas habían ido el domingo pasado, un lugar por lo visto muy concurrido, por lo que había que reservar mesa con antelación.

Eso me causó una leve irritación, porque vi perfectamente aquel restaurante abarrotado de familias un mediodía de domingo y me molestó que todo aquel bullicio, tan ajeno al mundo de la piscina, irrumpiera de repente en la paz de los vestuarios.

Es mejor venir a la hora de siempre, me dije, me prometí, y me acordé con verdadera añoranza de una chica con la que últimamente solía coincidir, una chica muy delgada que nadaba lentamente durante horas y con la que luego en los vestuarios hablaba mucho, porque era muy comunicativa. Había pasado un mal invierno, inexplicablemente triste. Me estoy quedando sola, me decía, nadie me entiende, mis viejos amigos me miran cada vez más extrañados y la verdad es que yo tampoco les entiendo, no sé qué persiguen, me horrorizan las vidas que ahora llevan. Pero en la primavera había resucitado, su cara se iluminó y, mientras nos cambiábamos de ropa, me decía que siempre le sucedía eso, cada año, que las primaveras para ella eran la vida. Desde que se despertaba, muy pronto por la mañana, oía el canto de los pájaros y ya sentía alegría y luego paseaba por los alrededores de su casa –vivía muy cerca de la piscina– y lo iba mirando todo, hasta miraba a las hormigas, seguía sus itinerarios, espiaba todos sus movimientos. Durante dos o tres años, coincidía mucho con ella, pero luego desapareció, quizá se casó y se mudó de casa, o tenía otro trabajo que no le permitía ir a nadar al mediodía, así ocurre con muchas personas con las que durante largas temporadas he coincidido nadando a las mismas horas. De repente, se esfuman. La eché de menos aquel día, me hubiera gustado hablar un rato con ella del sol, de las hormigas, de los amigos que, aunque no la entendían, la querían y mimaban mucho, porque, como ya era verano, el mundo le parecía un lugar maravilloso.

Y eché de menos, también, a mis amigos nadadores, con quienes hablo menos –naturalmente, no contamos con el tiempo que transcurre en el vestuario–, pero entre quienes me siento completamente acogida. Siento una gran simpatía, sobre todo, por uno de ellos, un chico que al parecer tuvo un accidente de moto y que ahora se mueve dentro del agua mucho mejor que por tierra –tiene el cuerpo lleno de cicatrices y camina con muletas, y tengo la impresión, por lo que se infiere de sus comentarios, que sufre cansancio y dolor permanentes–. Me sonríe desde dentro del agua en cuanto me ve y nunca dejamos de comentar tal o cual aspecto de la piscina. Si nadamos cerca el uno del otro, más aún si compartimos la misma calle, hacemos una pausa para hablar un rato, porque son muchos los matices y detalles de nuestra vida en la piscina. No siempre se nada de la misma manera, hay días en que se nada muy despacio, como si no se quisiera perturbar la superficie del agua, y hay días en que eso no importa nada, sino que se persigue casi lo contrario, alborotarla, descomponer por completo su quietud; y hay días en los que al cuerpo le cuesta vencer el cansancio y el malestar y hasta más allá del décimo largo no se experimenta ninguna mejoría, el agua es todavía algo ajeno y otros en los que ya al primer o al segundo largo se está dentro del agua, confundido con ella, desde el primer momento se sabe que ése va a ser un día de los buenos, en el que se va a nadar suavemente, sin esfuerzo. De manera que nos estamos un rato allí, con los codos apoyados en el borde de la piscina o, si la atmósfera que llena el recinto de la piscina no está lo bastante cálida, sumergidos en el agua hasta el cuello, sólo con la cabeza fuera del agua, hablando de todas estas cosas, y, si hemos faltado varios días, incluso un solo día, nos preguntamos uno a otro la razón y, como nuestras bajas suelen ser a causa de enfermedades, nos deseamos mutuamente salud, lo más importante de todo. Él siempre está allí, él no se ha esfumado. Nos hemos hechos muy amigos al cabo de los años y ahora, hablando de él, me alegro de su existencia, segura de verle mañana a la hora de nadar, segura de su saludo afectuoso.

Pero aquella mañana en que había ido al cementerio al entierro de Luis Arévalo, como yo había llegado más temprano de lo habitual, no había coincidido con él, y pensando en él y en la chica que había pasado tan mal invierno y que desde que había llegado el calor estaba resplandeciente, me entró de repente en la Biblioteca una nostalgia tremenda, como si el no haberles visto ese mediodía significara que no iba a volver a verles nunca más, y esa pérdida definitiva me resultaba insufrible, desoladora.

En todo caso, ni las niñas ni las jóvenes con deficiencias que me encontré al llegar al vestuario me miraron como si fuera una extraña y a las mujeres con quienes luego, después de nadar, coincidí, aquellas mujeres que hablaban del restaurante al que había que llamar con tanta antelación porque estaba siempre lleno, muy solicitado, no les sorprendió que yo permaneciera tanto rato –todo el rato que ellas estuvieron en los vestuarios– sentada en el banco de madera, con la toalla enrollada alrededor del cuerpo y los ojos cerrados, recuperándome. Aunque me irritaban un poco, al menos sabía que no me iban a molestar porque cada cual va a lo suyo en el vestuario y a nadie le preocupa lo que hacen los demás, aunque si nos pusiéramos a observarnos unas a otras, en seguida nos daríamos cuenta de que todas tenemos manías y rarezas. Haga lo que haga, en la piscina soy una persona completamente normal, tan normal como cualquier otro nadador. Quizá si los empleados de la Biblioteca pudieran verme en la piscina o en los vestuarios, con mi toalla, mi champú, mi gorro y mis gafas, pensarían que estoy llena de costumbres extrañas, y si los usuarios de la piscina o las mujeres de los vestuarios me vieran en la Biblioteca, sentada a la mesa, encerrada durante horas y horas en el despacho, puede que hasta se echaran a reír y me consideraran rarísima. Afortunadamente, ni unos ni otros me ven más que en los lugares que les corresponden. No existe la menor posibilidad de que pudieran hablar entre sí, y si acaso lo hicieran, porque no puedo descartar que un nadador vaya alguna vez a la Biblioteca, o que a un usuario habitual de la Biblioteca se le ocurra de repente ir un día a nadar a esta piscina, no es en absoluto probable que hablaran de mí. En el fondo lo que me sorprende de verdad es que no vayan a nadar todos los días los lectores de la Biblioteca, juntos y en tropel o cada uno por separado; que no tengan esa costumbre es algo que verdaderamente me sorprende, como me sorprende, aunque un poco menos, que los nadadores no aparezcan jamás por la Biblioteca.

Un día, en los vestuarios, una mujer más o menos de mi edad se me quedó un rato mirando, volvía a lo suyo, se extendía crema por el cuerpo, y otra vez me miraba. La verdad es que hay gente que mira mucho, yo misma creo que a veces miro demasiado, aunque lo de aquella mujer ya daba qué pensar, yo también la miré, y hasta le sonreí un poco, animándola a que dijera o preguntara algo y acabáramos así con aquel misterio. Yo la conozco de algo, dijo al fin, estaba pensando de qué, y me dijo dónde vivía y dónde le parecía que podía haberme visto, lugares absolutamente ignotos para mí. No tiene importancia, desde luego, pero espere, espere, decía, ¿es usted periodista?, ¿no ha salido hace poco por televisión? Yo me parezco a mucha gente, le dije, es algo que tengo más que comprobado, a gente, por lo demás, de lo más variada, que no se parece nada entre sí, mire, yo trabajo en una biblioteca. No sé por qué se lo dije, a lo mejor tenía un momento sociable y comunicativo, normalmente no voy por la vida diciéndole a la gente lo que hago ni dónde trabajo. ¿Qué biblioteca?, quiso saber. Resultó que desde luego había estado en mi Biblioteca, aunque no llegó a preguntarme –la gente se detiene siempre en cierto punto, como si no quisiera saber más, como si prefiriera arreglárselas a su modo con los datos que ya tiene– cuál era mi puesto allí, cómo había podido cruzarse conmigo y retener mi cara, en una visita que había hecho, acompañando a su hijo en busca de unos libros que debía consultar para un trabajo escolar, para luego reconocerme, en condiciones muy distintas, las dos desnudas, en los vestuarios de una piscina que no estaba precisamente al lado de la Biblioteca. Lo de la Biblioteca no la convenció, seguramente le pareció poco –se sintió defraudada porque yo no hubiera aparecido nunca en la televisión–, y al fin, en cuanto terminó de darse crema, se vistió y se fue. Yo no sé si, exceptuando a esa mujer, a quien no he vuelto a ver, me dije, le he dicho a alguien más en la piscina que trabajo en la Biblioteca.

Y si ni en la Biblioteca ni en la piscina pueden pensar de mí que soy una persona extraña, una persona con innumerables problemas, con verdaderas dificultades y apuros, tampoco, me parece a mí, seguí pensando mientras declinaba la tarde, en mis recorridos de los sábados por la mañana tengo por qué sospechar que estoy mal considerada o que se me pone bajo sospecha.

Los sábados por la mañana doy una vuelta exhaustiva por el barrio. Cuando me despierto, cuando desayuno, pienso en todos esos recados por el barrio y me dan horror, me dan una pereza infinita, y siempre estoy a punto de dejarlos, de aplazarlos quién sabe hasta cuándo, hasta no tener más remedio, por ejemplo, que tomarme una mañana libre entre semana, pero me parece que nunca he dejado finalmente para otro día los recados de los sábados, como si algo superior a mí me mandara y me sacara de casa, me hiciera coger el coche y dirigirme hacia el centro del barrio, donde doy vueltas y vueltas en busca de un lugar donde dejar el coche. Suelo dejarlo muy lejos del mismo centro, como a medio camino de casa, y al fin salto a la calle, con el mismo horror y la misma pereza que sentí cuando me desperté y cuando desayuné y pensé en todos estos recados que tenía que hacer. Creo que conozco el impulso que me obliga a hacerlo, el miedo a no volver a salir a la calle nunca más, a no hacer ninguno más de todos esos recados que son necesarios para mi rutina y mi supervivencia, de librarme de esas pequeñas ataduras que quizá sean poderosas anclas, de acabar ignorando en fin cómo se hacen los recados, cómo se entra en una tienda y se habla con el dependiente, cómo se pide la cuenta, cómo se reclama la atención, que le coja miedo a todo eso, que acabe por parecerme imposible y me quede ya en casa los sábados por la mañana y las tardes y todo el domingo, y llegue el lunes y no me atreva a ir a la Biblioteca porque el mundo entero me da miedo. Así que salgo de casa y luego salgo del coche y empiezo a andar.

Voy primero a la farmacia, los sábados atestada de gente, y espero mi turno sacando ya la lista de todas las medicinas que tengo que comprar. Si hay algún lugar donde podrían conocerme de verdad, ése sería la farmacia, y tal vez allí sí me conozcan. Sólo con echar una ojeada a la lista de las medicinas que compro ya podría uno hacerse una idea de qué tipo de persona soy y de qué pie cojeo, o de cuántos pies cojeo. En el pasado yo entraba en las farmacias un poco amedrentada, cohibida, y algunas veces ni siquiera me atrevía a pedir lo que pensaba comprar, por lo que tenía que entrar en varias farmacias hasta dar con el dependiente adecuado, un dependiente que no me mirara a los ojos y no me juzgara, como me parecía que hacían otros, pero ahora ya me atrevo con todo. Vengo siempre a esta farmacia y conozco y hablo con todos los dependientes, me hacen unos paquetes enormes con la sonrisa en los labios, y algunas veces hasta me preguntan qué tal me ha ido un tratamiento y qué tal otro. Tras tantos años de entrar en las farmacias, ya sé que la gente compra los medicamentos más inauditos y escandalosos, y lo hacen muy serios y con la receta en la mano, como si fuera un mero trámite, un sello, una póliza, y no cuestión de vida o muerte o locura simplemente. Todo es perfectamente serio y comprable y vendible en las farmacias. Con el inmenso paquete de la farmacia, después de haber hablado un rato con el dependiente, cada vez más simpático, voy a la papelería, donde también tengo que esperar mi turno, porque los sábados está abarrotada. Suelo ir a la papelería a mandar arreglar mi pluma, de la que constantemente sale tinta que me mancha los dedos, y siempre me riñen porque dicen que no la limpio bien, y me dan un papel con las instrucciones, que son tan largas y complicadas que nunca tengo tiempo de cumplirlas –y lo cierto es que ni siquiera las he llegado a leer–. Compro sobres, y compro papel celo y el recambio del bolígrafo y no muchas cosas más, porque la verdad es que yo uso muchas veces para mí el papel con el membrete de la Biblioteca. No para asuntos muy personales, de manera que a veces también compro papel. Como todo lo de la papelería nunca es demasiado urgente –no puede compararse con el material adquirido en la farmacia–, si está completamente llena paso de largo o si, una vez dentro, veo que la gente pide y pide sin parar, me voy y lo dejo para otro sábado, porque ya estoy acostumbrada a tener siempre los dedos un poco manchados de tinta y siempre puedo recurrir a los papeles con el membrete de la Biblioteca si los míos se me han acabado.

Luego voy a Correos y también me pongo a la cola, a no ser que sea muy larga, porque entonces también lo dejo para otro día. Hay gente que desconfía de la Biblioteca, que piensa que si me envía algo allí se perderá entre los pasillos y las estanterías colmadas de libros y no llegará a mis manos, de manera que prefiere mandarme las cosas a mi dirección particular, en general cosas muy personales y de dudoso valor. Manuscritos, por ejemplo. Yo recibo muchos manuscritos, sólo para que dé mi opinión, me dicen, pues imaginan que yo, pasando tantas horas como paso en la Biblioteca, rodeada de libros de todas clases, entiendo casi de todo y puedo dar consejos a todo tipo de autores. Hace tiempo que la sección de la Biblioteca que se ocupaba de recibir y de dar luego cauce a los manuscritos dejó de existir, pero siempre hay algún autor que insiste, porque los autores son muy porfiados y muy desconfiados a la vez, y basta que les digas que no tienes ningún poder ni influencia para que ellos piensen que manejas los hilos de la industria editorial y no se lo dices para no darles falsas esperanzas. Me envían sus manuscritos a la Biblioteca pero, una vez que se ha establecido entre nosotros la correspondencia, prefieren enviarme las correcciones y sucesivas versiones a mi dirección particular porque son muy celosos de sus obras y creen que pueden perderse para siempre en el laberinto de la Biblioteca.

El mismo empleado de Correos que, a costa de asombrarse de la cantidad de paquetes que recibo, se ha hecho muy amigo mío me dio una vez el manuscrito de un conocido suyo, con quien tomé días más tarde un café en un bar, enfrente de Correos, también un sábado, y tuvimos, en medio de una multitud de familias que tomaban el aperitivo, una corta conversación sobre las dificultades de publicar. Me pareció, de todos modos, un hombre muy sensible, que en realidad se negó a hablar ya de su novela, convencido de que era un desastre.

En Correos, como en la farmacia, me dije, es agradable al fin que me toque mi turno, porque esas pocas frases que intercambio con los dependientes me llenan repentinamente de ánimos, me compensan del cansancio de haber tenido que esperar un buen rato en la cola o en montón junto al mostrador, pero todos vigilándonos porque sabemos quién va después de quién. Son frases que agradezco de una manera casi desmedida y que significan mucho para mí. Finalmente, voy al Banco, a sacar o a meter dinero o hacer alguna otra operación y aquí también me encuentro con gente simpática y puedo intercambiar un par de esas frases que me resultan tan valiosas.

Yo misma me pregunto, con la euforia que me dan esos cortos diálogos, esos atisbos de conversación, esa intuición de un conocimiento más profundo que siempre se deja para otra ocasión, por qué cuando me despierto por la mañana y luego mientras desayuno me produce tanto horror y tanta pereza salir a la calle a hacer los recados si luego obtengo unas satisfacciones tan importantes. Es posible que lo que no soporte, lo que me pone literalmente enferma, sea tener que esperar, tener que observar a los demás cómo piden y cómo se demoran en cada petición y cómo no les importa absolutamente nada que estemos los otros esperando y mirando y escuchando. Ante casos así, me pongo a sudar, me empiezan a temblar las piernas y se me nubla la vista, y más de una vez me he caído redonda en la farmacia, en Correos, en la papelería o en el Banco, por no hablar del supermercado, al que voy una o dos veces al mes.

Conozco las trastiendas, los cuartitos interiores, de casi todas las tiendas del barrio, porque en casi todas ellas he perdido el conocimiento alguna vez esperando mi turno, esperando a que me atendieran, y siempre me han llevado a esos cuartos que no están a la vista del público, me han sentado en una butaca o me han echado en el suelo sobre una manta, y luego me han traído de un bar próximo un té o una manzanilla y en algunos casos una copa de coñac. Siempre me ha asombrado la amabilidad de esa gente que inesperadamente tiene que hacerse cargo de mí. Una vez que me repongo, con el té, la manzanilla o el coñac, nos quedamos, los dependientes y yo, la dueña de la tienda o la encargada, hablando un rato, sin extrañarnos nadie de lo que acaba de pasar, sino incluso recordando casos parecidos. Quién no tiene una madre, una tía, una amiga, que se desmaya con frecuencia o a quien le pasan cosas peores, tal como está el mundo, tal como es, ésa es la verdad, la vida. Estas personas, siempre que me encuentran por la calle, se paran un momento y me preguntan qué tal estoy y yo a veces las saludo desde la calle cuando las veo dentro de las tiendas. También estos saludos me llenan de satisfacción, me hacen olvidar por unos instantes todo el cansancio de la mañana esperando mi turno y viendo cómo los demás hacen delante de mí sus recados.

Pero está claro, me dije mientras la tarde declinaba, que ni en la farmacia, ni en Correos, ni en el papelería, ni en el Banco, ni en el supermercado ni en ninguna de las otras tiendas que frecuento y en las que me he desmayado por lo menos una vez y he tomado té, manzanilla o coñac, me conocen lo suficiente como para catalogarme como una persona rara, no tienen, en ninguno de estos sitios, ninguna prevención contra mí. En la farmacia, que es donde más datos tienen de mí, siguen la norma de no escandalizarse de nada, de manera que ni siquiera allí tengo nada que temer. Nadie, en fin, puede componer las piezas de mi vida y verla en su conjunto. Ni siquiera yo, que paso de un compartimento estanco a otro, asombrándome siempre. Eso me dije mientras la tarde declinaba y yo sentía ganas de hablar con alguien, de contarle algo, todo lo que había sucedido en el día, todas las historias que se habían presentido ese mismo día, todos los recuerdos que habían desembocado en ese día de mi vida, porque algunas veces, esa tarde, yo deseaba tener un interlocutor, aunque nunca lo hubiera buscado de verdad, aunque me hubiera ido apartando con desconfianza de todos los posibles interlocutores que había conocido o que hubiera podido conocer.

Un interlocutor, murmuré, alguien de verdad interesado por mí, porque yo, que seguramente no he hecho otra cosa que interesarme por mí o, al menos, me he interesado mucho por mí, me he observado y analizado, me he protegido y refugiado, me he puesto a salvo de muchos peligros, los he esquivado y apartado con mis propias manos, estoy hastiada de mí misma, ahogada dentro de mí. Está claro que los otros te sacan de ti, me dije, te empujan hacia fuera, te hacen ir de aquí para allá, muchas veces molestándote, fastidiándote, hiriéndote y ofendiéndote, pero en todo caso siempre te distraen de ti, te entretienen y despistan, te desahogan. Tengo que salvar este abismo, me dije. No es suficiente con creer algunas veces, precisamente las veces en que más me separo de los demás, cuando me recluyo en mi cuarto frente a la máquina de escribir, que lo salvo.

Ahora vivo demasiado sola, me dije, desde que Guillermo se fue de casa mi vida se ha hecho más y más solitaria. La verdad es que ese golpe me cogió de improviso, como si jamás hubiera pensado en él. Me costó mucho adaptarme a la casa vacía, recorrer las habitaciones que sólo habito yo. Voy siempre hablando sola, ni siquiera sé si lo hago en voz alta o sólo es una voz que suena por dentro, voy diciéndome todo lo que tengo que hacer, todo lo que estoy haciendo, como si fuera el eco un poco anticipado de mí misma. Por eso, este deseo de tener un interlocutor se ha ido intensificando últimamente, me dije, o me sorprende más a menudo.

Así que allí, en la Biblioteca, la tarde ya declinada, miré fijamente el teléfono, como lo había mirado durante la época en que me pasaba el día esperando la llamada de José Ramón. Se abrió la puerta y apareció Rosario, lista para marcharse. Ha venido un señor, dijo, no sabía si le querría recibir, le he dicho que espere un momento. ¿Un señor?, ¿un autor de manuscritos? Rosario me tendió la tarjeta: Carlos Delgado. Que pase, murmuré, y traté de ponerme de pie, pero no pude, no encontraba fuerzas en las piernas, seguramente exhaustas de tanto como había nadado al mediodía.

Vi cómo se cerró de nuevo la puerta detrás de Rosario, y cómo se volvió a abrir para que Carlos entrara y fuera acercándose hacia mí. Me he enterado de lo de Luis, decía, te he estado llamando pero ha sido imposible comunicar contigo, por eso se me ha ocurrido pasarme por aquí antes de volver a casa, me dije que seguramente aún estarías en la Biblioteca.

Carlos, le dije, me gustaría poder levantarme y saludarte con normalidad, pero es que no puedo moverme. Yo te ayudaré, me dijo, deja que te ayude. Y se acercó y me ayudó y nos sentamos luego los dos en el tresillo. No sabía que Luis estuviera tan enfermo, dijo Carlos, hacía tanto tiempo que no se sabía nada de él, un hombre tan joven, un hombre que había triunfado. ¿Lo habías vuelto a ver?, me preguntó, ¿seguías en contacto con él? Sé cuánto lo admirabas.

De eso hace mucho, Carlos, le dije, y no, no lo había vuelto a ver, aunque tenía noticias suyas a través de un amigo común.

Pero de repente toda aquella necesidad de hablar y de explicarme a mí misma desapareció y, en lugar de hablar de Luis o de Olga o de mi viaje a Quito y quizá de mi vida entera, con todos sus errores y pérdidas, me encontré hablando de cosas nimias e insignificantes, cosas que casi hacían reír.

¿Dónde vives ahora?, le pregunté, porque Carlos, como yo, ha ido pasando por muchas casas. Ahora vivo en una casa con jardín, pero no en las afueras, me dijo, es una casa pequeña en la que acabo de hacer obras, me gustaría que vinieras a verla. ¿Sigues teniendo perro?, le pregunté, porque no recordaba que hubiéramos hablado de eso la última vez que nos habíamos visto. Tengo una pareja de labradores, dijo. Creo que son unos perros muy buenos, le dije, lo oí comentar a unas mujeres en los vestuarios.

Y hablamos de casas y de perros y de cosas en las que no había pensado durante todo el día, cosas que se me venían a la cabeza de pronto, como si el aire que nos rodeaba estuviera lleno de esas cosas ligeras y flotantes. Y, casi sin darme cuenta, sin premeditación, alargué la mano y cogí la suya, sólo porque la vi muy cerca y mi mano, sola, resultaba algo inerte y sin sentido, un miembro absurdo. Me asombró el calor que desprendía la mano de Carlos, que inmediatamente se cerró sobre la mía, y su calidez me invadió, me recorrió, sin encontrar ninguna barrera en mi interior. La corriente del calor de Carlos entró en mi cuerpo y sentí que estábamos comunicados, perfectamente unidos a través de nuestras manos.

Y luego, ya sola en casa, me pregunté si aquella corriente de calor era amor, pero, instintivamente, no quise indagar, porque ya había dado demasiadas vueltas a mis pensamientos durante toda la tarde y me había quedado un poco mareada, tenía la sensación de que todas aquellas vueltas no tenían salida, no fluían en realidad, sino que estaban petrificadas, como misteriosamente sucedía con los ríos de pintura que corrían sin correr por los forros de los cuadernos de las monjas y que siempre me habían intrigado, preguntándome cómo se harían, pero esa habilidad se la guardaban para ellas. Mis pensamientos, como los ríos de pintura marronosa o azulada de aquellos papeles, aquella agua coloreada y fugitiva, habían dado innumerables vueltas, sin alcanzar ninguna conclusión, y hubieran podido proseguir, incorporando ahora en su fluir el significado de la visita de Carlos.

Da igual cómo se llame esto, me dije al fin, el caso es que la corriente de calor que me ha transmitido Carlos se ha llevado toda la angustia y ahora sólo tengo ganas de reír. Y recordé algunos de los discursos de Carlos, extrañándome de que aquel día no hubiera recurrido a ellos y que también él, como yo, hubiera preferido hablar de cosas aparentemente vanas e insignificantes. Ha cambiado, me dije, ya no es el hombre que no paraba de dar consejos, el hombre que creía que todo problema tenía una solución y que no podía dejar de echarme en cara mi aislamiento, mis limitaciones. Todo te disgusta y lo condenas todo, me había dicho muchas veces, pero esa mirada de horror y de repulsa se ha vuelto contra ti y te está matando. Y me reprochaba también que todos nuestros intentos de convivir juntos hubieran acabado mal, a causa, aseguraba, de mi empeño por conseguir la perfección. Claro que te entiendo, me decía, yo también quisiera que todo se solucionara de golpe, pero eso es una forma de negarse a la solución, una forma de retraimiento. ¿Crees que podemos comportarnos como si no hubiéramos aprendido nada, como si tuviéramos que partir constantemente de cero?, me preguntaba.

¿Qué podía contestarle yo? Aunque tuviera razón, no acababa de entenderle. Me parecía que no adelantábamos nada hablando así, examinando nuestra vida en común, teorizando sobre ella, volviendo a los reproches y los consejos.

Pero aquel día Carlos parecía completamente olvidado de sus discursos. ¿Qué es lo que he visto de repente?, me pregunté, ¿acaso Carlos me ha dicho algo verdaderamente nuevo o he visto en él algo nuevo, precisamente hoy, que no hemos hablado de nada serio, de nada importante, que no hemos hecho la menor referencia a las verdades y amenazas de la vida?, ¿por qué ha sido hoy?, ¿por qué las cosas y las personas se acumulan de pronto, vienen todas a la vez y luego pasa mucho tiempo vacío, sin nadie? Y lo que, a través de aquel rato de intrascendente conversación en el que había sentido, sin meditarlo, la necesidad de alargar mi mano y tocar la suya, me venía era, curiosamente, su encierro, su aislamiento, mucho más que los míos, de los que casi ni me acordaba. Eso veía por primera vez: que Carlos estaba más encerrado dentro de sí mismo y más aislado que yo. Y vi cómo me veía él. Él no veía las piezas de mi vida, no me veía primero en la Biblioteca, y luego en la piscina, y los sábados por la mañana entrando y saliendo en la farmacia, en Correos, en la papelería y en el Banco, no me veía en el supermercado, él veía otra cosa, que no era exactamente el conjunto de esas piezas, que en realidad yo no podía saber lo que era, sólo que veía algo y que eso que veía era importante para él. En cambio, lo que yo veía era la visión que tenía Carlos de sí mismo. Siempre le había visto desde fuera, pero ahora me parecía atisbar su interior, y veía una serie de piezas que no acababan de ajustar entre sí, que se esforzaban por conseguir algo en común. Quizá, de repente, o tal vez siempre, le dije a Carlos en casa, cuando no me podía oír, tú me has visto como reflejo de tu deseo de unidad, porque sabes cuánto me he obstinado en llevar esta vida apartada, huyendo de la disolución de las otras personas, a quienes nunca he convertido en verdaderos interlocutores, y yo, por primera vez, este anochecer te he visto como reflejo de mi escondido deseo de dispersión, y me ha parecido bien ese desorden, los fallos y las sombras, me ha parecido bien porque la pretendida unidad ha sido una meta que me ha ido estragando.

Y luego, como no podía dejar de hablar con Carlos, porque ya sentía que aquella corriente de calor iba a permanecer dentro de mí, le pedí que dejara de darme consejos. Pero, le dije, como no podrás dejar de dármelos porque no puedes haber cambiado completamente, al menos, no te enfades ni te exasperes cuando compruebes que yo ya ni los oigo, porque yo tampoco puedo cambiar completamente, de manera que ahora ya creo que me voy a reír cuando escuche otra vez tus innumerables consejos, porque muchas veces, en el pasado, al escucharte, me han entrado ganas de reír y no lo he hecho sino que me he quedado indignada y petrificada. Tampoco me hables de perfección –seguí diciéndole, quizás a gritos–, ni siquiera sé si no te equivocas de medio a medio cuando dices que he perseguido la perfección, pero esta palabra ya no la quiero volver a oír.

Y después de los gritos me volví a echar a reír, porque simplemente me sentía muy contenta y vi que, sobre todo, los consejos que Carlos me había dado en el pasado y que probablemente me seguiría dando en el futuro eran palabras que me dirigía a mí para salir de sí mismo. Y de repente no me importaron en absoluto todos aquellos consejos –me hacían gracia, en realidad, por eso me reía–, como tampoco me importaban ni me irritaban ahora sus súbitas y sucesivas aficiones –también me hacían gracia–. Así que lo que antes me irritaba ahora me hace gracia, me dije, sorprendida, sin saber del todo si eso significaba que yo había perdido capacidades mentales, por pocas que hubiera tenido. Y de hecho se me me ocurrió que Carlos podía muy bien aficionarse, por ejemplo, a la equitación, y me lo imaginé preparando el equipo, engrasando las bridas, la silla de montar, las botas, si es que hay que engrasar todo eso, e incluso imaginé que podía comprarse un caballo, porque Carlos, que nunca se compra nada para él –no puedo recordar que durante todo el tiempo que hemos vivido juntos hayamos ido de compras para avituallarle de ropa o de calzado–, sucumbe velozmente a la tentación de poseer, como si fuera rico –y esto antes también me ponía nerviosa, verdaderamente enferma–, todos los objetos necesarios para satisfacer enteramente el capricho, de manera que si de verdad se aficiona a la equitación es seguro que tarde o temprano será dueño de un caballo, el mejor que pueda encontrar.

Pero todas estas imágenes y fantasías, asombrosamente, no me irritaban ya, no me exasperaban. Lo que de verdad me podría inquietar hubiera sido que Carlos no tuviera ya aficiones –por caras que costaran–, que viviera pendiente de mí, porque eso era también lo que nos había hecho sentirnos ahogados al cabo de las temporadas en que habíamos vivido juntos.

Esta vuelta ya no será como las otras, me dije aquella noche, después de un día de tanta reflexión, ya se acabó aquel volver para encontrar o perseguir algo. Ahora vuelvo porque vuelvo, no me apoyo en ninguna razón, no necesito convencerme a mí misma. Y sabía, como lo sé ahora, que no sería siempre fácil mantener el calor –o el amor– que me había inundado. Tenía que quererlo sentir.

Algunas veces miro a Carlos en silencio y me pregunto si él conoce todos estos pensamientos míos, o si quizá no lo quiere conocer todo de mí, aunque tengo al mismo tiempo la impresión de que incluso conoce, sin habérselos contado, todos los detalles de mi vida, incluidos los detalles de los que me avergüenzo un poco, y, como no quiere que yo me avergüence más, no dice nada y disimula y parece que no sabe nada. Los detalles no importan, creo que me dice en silencio, no te pierdas en los detalles, ni en los matices, ni en las tonalidades, no te quedes fuera de las cosas. O es eso lo que yo quisiera que me dijera. Pero puede que sólo tengamos el uno del otro intuiciones y sospechas, presentimientos, y haya siempre esas zonas oscuras reservadas para cada uno, intransferibles, por las que debamos transitar a solas.

Y aquí estoy, aún en esta vuelta que está durando años, viviendo en una nueva casa una vida que, siendo igual a la que he vivido siempre, es completamente distinta porque la vivo al lado de Carlos.

A mi regreso de la Biblioteca, me he venido aquí, a este rincón donde tengo la máquina de escribir porque desde la mañana he estado pensando en este rato y he ido ordenando mis pensamientos para luego traspasarlos al papel, desde que, mientras desayunaba en casa, en la mesa de la cocina, enfrente de Carlos, en estos desayunos lentos con los que iniciamos el día, he leído en el periódico la noticia de la muerte de Olga, ese accidente que ha puesto fin a su vida.

Siempre me he preguntado por qué ha sido tan importante para ti, ha dicho Carlos, por qué me has hablado tanto de ella. Hacía mucho tiempo que no la veías y cuando la has visto ha sido deprisa y no habéis hablado de nada. Ha sido una amistad de adolescencia, de juventud, tenéis sin duda recuerdos comunes del colegio y luego de la universidad, de aquellas tertulias de café en las que parecía resolverse el futuro de la humanidad, habéis tenido amistades comunes y mitos comunes y quién sabe si no algún amor común también, pero todo eso queda lejos, ¿qué puede significar ya para ti?, ¿qué significó Olga, en suma?

Yo lo escuchaba y finalmente no sabía qué responderle, porque en aquel momento en que acababa de enterarme de la muerte de Olga ya no veía significados, ya no se me ocurría nada, sólo que no me la iba a volver a encontrar nunca más, sólo esa sensación de final, de desaparición. Luego le he dicho, ¿sabes lo que he hecho cada vez que en estos últimos años la he visto o he oído hablar de ella? No sé cómo, empecé a anotar los recuerdos y así he ido acumulando hojas y hojas de papel, una pequeña torre de papel escrito las tardes de los domingos, sobre todo, y algunas veces a la vuelta de la Biblioteca, así he ido anotando mi vida también, sí, yo también tengo mi manuscrito, dije, yo también he querido apartarme un poco de la vida

313

y crear otra, llevo años intentándolo, tarde tras tarde de domingo y muchas, muchísimas noches en que me costaba dormir. Tú me has visto frente a la máquina de escribir pero no me has preguntado nada y yo hasta ahora no te lo he querido contar, no necesitaba hablar de esto, pero ahora Olga ha muerto y ya no voy a volver a verla nunca y tengo que terminar ya estas anotaciones.

A lo mejor todas estas hojas de papel que se han ido amontonando sobre la mesa han sido una lenta despedida de Olga a lo largo de los años, y no sólo de Olga, sino de todas las personas que han entrado y salido de mi vida, se han alejado de repente o poco a poco sin que yo hubiera tenido oportunidad de decirles adiós, porque esta oportunidad nunca se nos da verdaderamente, y si se nos diera no sabríamos aprovecharla. No sabemos sino despedirnos a solas, es entonces, cuando nos quedamos solos, cuando mejor hablamos y mejor explicamos las cosas, cuando podemos vislumbrar alguna claridad. A lo mejor ya no hace falta que yo ahora me despida de Olga, una vez que ha muerto, porque su muerte ha estado todo el tiempo presente en mi vida. Cuando empecé a hablar de ella y a veces a dirigirme a ella, me fui adentrando en el significado de su muerte, de la muerte que todas las vidas llevan dentro. Ya las largas jornadas escolares estaban lejos, las conversaciones por los pasillos de la universidad, los cafés tomados en el Somos, el humo de los cigarrillos elevándose en el aire, todo eso se había ido desvaneciendo y se sentía el peso de todas las carencias, de los sueños nunca realizados y de aquellos que nunca se llegaron a soñar. La muerte estaba allí también, arrinconando todo lo que, según los otros, según nuestros amigos –lo que exigía de nosotros el tiempo o el destino–, no servía. Pero yo estoy hecha de todas esas cosas inservibles, lo vi al fin y me puse a recordarlo todo como si empezara en ese momento a suceder, arrancándole a la muerte lo que quería llevarse entre las manos. No hay logros ni fracasos en mi recuento, ésas son las categorías de la muerte, empeñada siempre en dictaminar, la muerte que nos mina, la muerte que está dentro de toda vida. Quizás yo no acepte la muerte.

Me he ido finalmente despidiendo de todo lo inaceptable,

de lo que me mataba de verdad, aunque a veces descubra en mis ojos la fatiga que me ha ido dejando la lucha y sepa que también me ha matado la lucha. Pero aún no acepto la muerte, me digo mirándome al espejo, indagando dentro de mis ojos, y me miro y me miro quieta, de pie frente al espejo, hasta que encuentro de nuevo el brillo, o no lo encuentro, y me desespero, doy una patada sobre las baldosas, que ya están todas desajustadas, golpeo con el puño cerrado el lavabo y grito y protesto porque me hago daño, porque no puedo aceptar la muerte.

Esta noche, una vez que Olga ha muerto, comprendo que desde que empecé a rellenar estas hojas de papel me he ido despidiendo de ella. Durante todo el día, sin embargo, he estado pensando en cómo hacerlo, como si estuviera obligada a decirle definitivamente adiós. Todo ha vuelto esta noche, porque nada se va para siempre, y he vuelto a tener delante de los ojos escenas del pasado, sobre todo esos extraños días en Quito, una vez desvanecido el pánico, que son como la visión del mar infinito contemplado desde la orilla en compañía de mi perro. Y, como es una visión, no sé si aún está por suceder y, cuando suceda, será al fin de otra manera, como son ya de otra manera los días que paso frente al mar y los paseos por la playa.

Al mediodía, mientras cruzaba una y otra vez la piscina y extendía los brazos, abrazando el agua, y movía las piernas sin pensar en ellas, dejándolas flotar y deslizarse, le dije a Olga: no te volveré a ver, Olga, y todo lo que piense de ti será ya distinto, será algo acabado. Las circunstancias de tu muerte –un accidente de coche– hacen que tu vida aún parezca más accidentada, aún la llenan más de cosas. La muerte te ha sorprendido en otro continente, y mientras yo nado y nado y me quedo siempre aquí, dando vueltas en esta piscina, tú ya no existes.

Y una vez más, inmersa en el agua, me sorprendió mi propia existencia, mi vida allí, nadando y nadando, avanzando y volviendo, contando los largos y finalmente dejándolos de contar, dejándome llevar por la inercia de mi propio cuerpo, por los latidos de mi corazón, por el ritmo de mi respiración, por la piel que me limitaba y me mezclaba con el agua. Has muerto, Olga, me dije, toda tu vida ha desaparecido, se ha esfumado, todos sus significados, sus emociones, sus logros, sus fraca-

315

sos. Es asombroso que yo viva todavía y que persista en nadar, que esté aquí sola nadando –hubo un momento en que me quedé absolutamente sola en la piscina, ni siquiera el socorrista estaba en su banco–, bajo la cubierta acristalada en la que se refleja el sol. Podría recorrer la piscina calle tras calle, deslizándome por la superficie completamente lisa, sin la menor ondulación. Y persisto y no deseo nada más. Ahora evoco esas sensaciones frente a la máquina de escribir. No se trata ya de despedirte. No es tan fácil ahora pensar en ti, en tu vida acabada, y en la mía, que prosigue. Ahora no tengo la ayuda del agua. Es una noche de invierno, pero hace calor aquí dentro, abro la ventana, me asomo a la noche fría, al pozo oscuro del jardín que rodea esta casa y que la aparta del mundo. Un remoto perfume a flores, a hojas, a frutas, me trae, guardada dentro del aire fresco del invierno, la nostalgia del verano, de esa primera ráfaga de los olores maduros mezclados al olor del asfalto y al humo recalentado, la nostalgia de esa sensación que entonces nos acomete de que algo va a suceder, algo que nos arranque de allí, que nos eleve... ¡Tardes y tardes de verano esperando, esperando no se sabe qué!

Y todo lo que he esperado, lo que vagamente he esperado, está presente esta noche, en este cuarto cuya puerta he dejado abierta porque sé que Carlos anda por ahí, en el otro extremo de la casa. Vienen de lejos los acordes de un piano, porque a Carlos le gustan los conciertos de piano y las sonatas y yo escribo en silencio, sólo con el murmullo que produce el ronquido de los perros. Ésta es una casa grande, la más grande de las casas en las que he ido viviendo, en ese largo recorrido por pisos y casas que en cierto modo también ha sido mi vida, pisos en el centro de la ciudad y pisos y casas en las afueras, pisos que daban a patios interiores y pisos desde los que se contemplaba la calle, pisos oscuros y pisos soleados, multitud de pisos en los que me he ido instalando y que luego he abandonado por otros, porque unas veces vivía sola y otras acompañada, siempre con Guillermo, siempre él a mi lado, hasta que al fin, hace ya años, tiene su propia casa.

Esta casa tiene un pequeño jardín a cuya oscuridad ahora estoy asomada, tratando de vislumbrar lo que hay en cada rincón como si no conociera este jardín, como si nunca hubiera estado en él porque así, desde la ventana y de noche, es en verdad un jardín desconocido. Sin embargo, paso en él muchos atardeceres de verano, hojeando uno de los libros que me traigo de la Biblioteca, y muchas mañanas soleadas de domingo de cualquier estación yo misma cuido un poco este jardín, y riego y rastrillo, amontonando las hojas secas y recogiéndolas después. Conozco, en fin, este jardín desconocido que tengo a mis pies, como quizá conozca otras cosas ahora oscuras que me rodean. Y sé que, aunque conozca el jardín y todas esas cosas, siempre serán en algún momento, en momentos importantes, esenciales, en momentos que duran toda la vida, jardines y cosas desconocidas.

Ahora mismo, ahora que mi vida ya se ha hecho larga, que ha dado tantas vueltas, cambiaría mi vida por cualquier cosa que me sacara de aquí, de la vida, quisiera asomarme a otra vida, no sé cómo calificar a esa vida soñada... Siempre escapándome, Olga, ésa ha sido mi vida, siempre escapándome... Pero es que temo perderme este aire que se eleva, que nos hace ligeros a todos. ¡Cómo pesa la vida! Más que la muerte, Olga.

Por eso me he encerrado tantas tardes en mi cuarto, en cuartos semejantes a éste, frente a la vieja máquina de escribir, por eso he ido llenando folios, por ver si las palabras se convertían en aire y llenaban el cuarto y me llenaban a mí, al respirarlas, por ver si llegaba a flotar y elevarme, como ellas, como el aire. Me he perdido en este laberinto de palabras porque la vida me pesa, he seguido pistas equivocadas, he contestado a señales que no estaban dirigidas a mí, y todo ha sido por huir del peso de la vida, esta vida llena de argumentos, de escenas, de palabras y silencios. Mis dedos se cansan, mi vista se cansa, y la noche parece que vaya a ser eterna, pero algo me empuja, Olga, el mismo deseo sentido en medio de una remota tarde de calor, a la salida del colegio, al salir del Somos. La vida era ligera junto a la verja del Retiro, era prometedora, las palabras daban vueltas en el aire, se balanceaban, el perfume flotaba, la falda de gasa, el pañuelo, y alguien pasaba, nos miraba un momento con curiosidad, como si nos conociera.

317

No sé si el tiempo se nos va o el tiempo es algo que, aunque pase y corra y a veces nos atropelle, no se va nunca, no lo sé, pero una vez más, ahora que la noche se ha detenido y que los rumores del mundo, un coche que pasa, una bocina, unas voces, el ladrido de un perro, llegan hasta aquí, amortiguados, quisiera hacerlo permanecer. Y en ese tiempo inmóvil, me veo andando, andando sin cansarme por calles conocidas y calles desconocidas, por calles como las calles de los sueños, a veces inmersa en un laberinto de casas, de rostros que me miran, extrañados, algunos amablemente, otros con enfado, casi con horror, y a veces incluso no me mira nadie, nadie se da cuenta de mi paso. Me muevo, me desplazo, rodeada a ratos por una muchedumbre que me empuja y que grita y que de pronto se esfuma y no hay nadie, el vacío. Avanzo lentamente entre la niebla, entre lagos, mares, desiertos, laberintos, sigo por calles que entran y salen de puentes y pasadizos, calles que se ensanchan y se alargan, que abarcan una y mil vidas. En una de esas calles estoy todavía, andando, huyendo, persiguiendo, y sé, perfectamente sé, que, a la vuelta de una esquina, esta calle por la que ando y ando como si ya no pudiera cansarme, se elevará, se despegará del mundo, se perderá entre las nubes...